Anna Maxted

Lucky Casino

DE KERN

Oorspronkelijke titel: *The Wish*
First publication in Great Britain in 2010 by Bantam Books

Uitgeverij De Kern, een imprint van De Fontein|Tirion, onderdeel van VBK|media, Utrecht
Vertaling: Anna Livestro
Omslagontwerp: Mariska Cock
Omslagillustratie: Hillcreek Pictures
Auteursfoto omslag: Colin Thomas
Opmaak binnenwerk: Hans Gordijn, Baarn
ISBN 978 90 325 1246 0
NUR 302

www.defonteintirion.nl

Voor Mary, met liefs

PROLOOG

Lulu

Het was iets heel onbenulligs waardoor ze wist dat ze verliefd op hem zou kunnen worden. Of misschien had ze het zo verschrikkelijk hard nodig om zich bijzonder te voelen, dat ze zich op een man richtte als een plant hunkerend reikend naar de zon, als hij haar een compliment gaf.

Meer dan dit was er niet gebeurd: Lulu's baas had een artikel geschreven voor de *Las Vegas Review-Journal* en dat had hij haar voorgelegd voor een kritische blik. Ze had zes fouten gevonden en die met rood in de tekst aangegeven. Diezelfde avond, toen ze Joe in bad deed, sloeg de schrik haar ineens om het hart. Zat Ben wel te wachten op haar lijstje muggenzifterige correcties, of had hij eigenlijk gehoopt dat zij zou zeggen: 'Mijn god, dit is geniaal!' Ze had een verontwaardigde Joe uit bad getrokken en een berichtje aan Ben ge-sms't, waarin ze zich verontschuldigde dat ze zo 'bazig' was geweest.

Bliep, zei haar telefoon een minuut later. Zijn reactie: 'Doe niet zo gek. Je bent een genot om mee te werken. Ben x'

Lulu staarde naar het woord 'genot' – en naar de 'x', en toen stelde ze zich voor dat Ben haar zachtjes op de wang kuste. Ze begon dom te grijnzen. Stomme tut, dacht ze. Ze leek Miss Moneypenny wel die verkikkerd was op James Bond. Zij was Bens personal assistant en moeder en single, hoewel dat predicaat haar tegenstond. Ze was niet single, ze was double: ze deed het werk van twee ouders. Ze had geen geld, en haar leven kende geen enkele glamour; en voor Ben was ze niet meer dan een prettige bijkomstigheid in zijn zakelijke bestaan.

Hij, Ben Arlington, was daarentegen een nieuwe ster aan het schitterende firmament van de kansspelindustrie in Nevada. Hij was zoon en erfgenaam van een van de machtigste casino-eigenaren in de Verenigde Staten, en naar verluidt was hij ook het brein van de familie. Daarbij was hij vierentwintig jaar jong, knap, single, goed voor een miljoen, succesvol en vochten beeldschone vrouwen als rioolratten om zijn gunsten. Wat moest hij dus met haar? Lulu kon wel een goede petemoei gebruiken, maar helaas bestonden die niet echt.

En toch, terwijl ze uit haar raam staarde naar de donkere, glinsterende avondlucht, stond ze het zichzelf toe te dromen. Iedereen had toch dromen? Was het dan echt zo erg om te hopen dat deze droom, hoe onmogelijk hij ook leek, ooit, op een sprookjesachtige dag ergens in de verre toekomst, zou uitkomen?

BOEK EEN

BIG BEAR CAT HOTEL & CASINO, LAS VEGAS, OFFICIËLE OPENING, 26 JANUARI 2009, CHINEES NIEUWJAAR, 21.00 UUR

Sofia

Sofia Arlington had haar hele leven geprobeerd om dit moment te vermijden. Maar het had haar nu toch opgezocht.

Ze stond stil; ze kon geen kant meer op. De diamanten om haar hals vingen het felle casinolicht en zetten het om in regenbogen. Overal om haar heen klonk hels kabaal; lachende mensen, rinkelende munten, het gejoel van iemand die won bij de fruitmachines – althans, de computeropname van iemand die doet alsof hij heeft gewonnen, want tegenwoordig was niets meer wat het leek. Ze werd omringd door rook, warme lijven, de hitte en spanning van seks en angst.

Haar bodyguard wilde gaan. Ze kon zich niet verroeren. Haar gedachten gingen met haar aan de haal. Het was alsof ze haar leven voor zich zag in filmbeelden. Alle hoogtepunten werden uitgelicht.

Ze zag Ben en hoe hij voor het eerst in haar armen werd gelegd, zijn pasgeboren gezichtje nog helemaal in de kreukels. Ze had hem tegen zich aan gedrukt en gefluisterd: 'God was me een jongetje verschuldigd.' Ze zag Frank die de baby wiegde terwijl er een traan over zijn wang liep. Hij had haar die avond ten huwelijk gevraagd. Ze had gedaan wat er van haar werd verlangd; het huwelijk was haar beloning. Samen hadden ze een imperium opgebouwd.

Nu zou ze dat kwijtraken. Alles, weg. Dat mens had de macht om het allemaal van haar af te pakken.

De bewaking had haar erbij geroepen omdat ze iemand in de gaten hadden die vals speelde; ze vonden het een bak dat iemand zo stom was om de kluit te bedonderen op de avond van de officiële opening. Zeventien hd-camera's zoomden in op de hand van de vrouw die over de chips van duizend dollar gleed, en concentreerden zich op een fascinerende ring met een randje robijnen, hoog rondom een kikkergroene steen in antiek goud gevat, en op lange nagels die knalrood waren gelakt, als bloed uit een pas gebroken hart. De nicotinevlekken op de vingers verraadden dat de vrouw had geprobeerd om haar slechte herinneringen uit te roken, maar daar niet in was geslaagd.

Zonder het gezicht erbij te zien, herkende Sofia die hand en ze wist wat er ging gebeuren. Het was *Bessie*. Na vijfentwintig jaar had de vijand haar weten te vinden.

De angst trok door haar slanke lichaam, tot in de speciaal voor haar gemaakte stilettohakken. Terwijl haar mannen zich voorbereidden om de vrouw de zaal uit te zetten, wist Sofia al wie het laatst zou lachen. Zij had geen valsspeler betrapt. Het was precies andersom.

Het gonsde in Sofia's hoofd en ze sloot haar ogen. Het dikke, vierkante glas met muntcocktail ontglipte aan haar greep en viel aan gruzelementen.

Als verstijfd liep ze de ruimte uit, naar adem snakkend, terwijl haar onderdanen naar de grond doken om de scherven op te ruimen. 'Manhattan' Karl, haar security manager, wachtte haar instructies af met zijn scherpe grijze ogen strak op haar gericht.

'Neem haar mee naar beneden maar begin nog niet met ondervragen. Ik zie je daar over vijf minuten.' Sofia zweeg even. 'Mijn man is druk met de gasten. Hij hoeft hier niets van te weten.'

Ze kon nog net de surveillanceruimte uit komen, maar zodra ze in het casino stond – die tovergrot voor grote mensen, midden tussen de twinkelende lichtjes en weelderig nepgroen, omgeven door de meest exclusieve en dure winkels en restaurants ter wereld – werd ze verlamd door de angst.

Vijfentwintig jaar geleden had ze een pact met de duivel gesloten zodat zij haar droomleven kon leiden. Ze kon niet accepteren dat haar tijd er nu op zat.

Deze vrouw zou haar niet vernietigen. Sofia zou het gevecht aangaan, en winnen.

Ze liep langzaam haar wraakgodin tegemoet. Haar voortgang werd gehinderd door de gokkers, de high rollers, beroemde gezichten die om haar heen dansten als vlokken in een sneeuwstorm. 'Waanzinnig,' kirden ze, 'spectaculair... gewoon geweldig', maar ze kon nauwelijks knikken en glimlachen.

Ze stevende recht op haar noodlot af, samen met haar zwijgende bewaker, weg tussen de beschermende muren van de smaragden stad de lange, kille, door tl-buizen verlichte gangen in die zich als slangen naar de kluis en de verhoorcellen bewogen.

Sofia stond voor de deur van dik, gewapend staal. Ze gaf de bewaker een snel en scherp teken dat hij haar binnen moest laten. 'Ik handel dit zelf wel af,' zei ze.

De vrouw hing onbeschaamd onderuit in de metalen stoel. Ze had een vale huid met rode vlekken van de drank en het roken. Als je eenmaal de veertig voorbij was leek de tijd in galop te gaan. Als je dan niet oplette was je binnen een jaar een decennium ouder.

'Hallo, Bessie,' zei Sofia.

Langzaam zochten Bessie's ogen die van Sofia. En toen spuugde ze naar haar.

Haar mannen verstrakten. Sofia stak haar hand op. Terwijl ze dat deed, viel haar oog op een imperfectie. Er miste een diamantje op een van haar gelakte nagels. Er zat nu een piepklein pokje in de lichtroze lak op haar ringvinger.

Het glittersteentje was weg. Die lelijke afwezigheid van perfectie was als een vloek.

'Jij begaat een fout door hier te komen,' zei ze tegen de vrouw met een heldere, hooghartige stem, die wars van angst was.

'Nee, nee,' antwoordde de vrouw. 'Ik heb de feiten. Ik heb bewijs.' De vrouw zweeg. 'Ik heb de waarheid. De enige die hier fouten begaat bent *u*, mevrouw Arlington.'

De hondsbrutale toon beroofde Sofia van haar spraakvermogen.

Ze keerde zich om en zwierde de kamer uit. Ze zocht naar haar mobiele telefoon en sprak daar op dringende toon in, en holde vervolgens naar haar kantoor, en toetste de cijfercode in met onhandige, glibberige vingers.

Binnen zakte ze op haar knieën en gilde het uit. En terwijl ze gilde, krabde ze de lak in krullen van haar nagels, waarbij de diamantjes lossprongen. Ze zag hoe ze als zelfmoordenaars door de lucht tuimelden.

Er klonk een harde klop op de deur. Ze stond op, en streek haar kapsel glad terwijl Sterling, haar assistent (of 'schildknaap', zoals Frank hem noemde), de kamer binnen gleed. Hij droeg het zwarte pak dat zijn handelsmerk was. Ze had hem nog nooit in kleur gezien.

'Sterling,' fluisterde ze. 'Ze heeft me gevonden. Is dit het eind van alles?'

Sterling glimlachte – het zag eruit als een barst in een gletsjer. 'Voor haar wel, ja,' zei hij. 'We hoeven slechts te bedenken *hoe*. Ik stel voor dat je begint met een gezellig drankje, en dan bedenken we wel een manier.'

Sofia knikte. Toen griste ze een paar witzijden handschoentjes uit een bureaulade en marcheerde terug naar de cel, waar ze de bewakers verzocht te vertrekken. 'Zet alles uit,' droeg ze Karl op. 'Ik wil dit niet op video hebben.'

De mannen gingen weg en zij stond daar en keek het mens aan. Ze forceerde een glimlach, zette een fles Grey Goose op de metalen tafel en draaide die open. Ze schonk de wodka langzaam in twee zwartkristallen bokalen gevuld met crushed ice. 'Ik zie niet in waarom we dit niet beschaafd zouden kunnen oplossen.'

Er vertrok een spier onder het oog van de vrouw. Ze greep een van de bokalen en dronk hem in één teug leeg. Sofia vulde hem bij. Dit keer nam de vrouw een slokje, sloot haar ogen en duwde de bokaal toen van zich af. 'Weg met dat ding,' zei ze. 'Ik hoef niet meer.'

Sofia pakte de bokaal, die nu onder de vegen van Bessie's vieze vingers zat, voorzichtig op met haar in zijden handschoentjes gestoken handen, en zette hem aan de kant. Ze was wanhopig.

De vrouw keek haar wezenloos aan vanonder haar warrige haardos.

'Ik heb je alles gegeven waar je om vroeg,' schreeuwde Sofia. 'Alles!'

Hoe heb je me gevonden?

De vrouw staarde haar zonder met haar ogen te knipperen aan. 'Alles bleek niet genoeg.'

'We hebben een afspraak,' zei Sofia. 'Jij weet heel goed wat de consequenties zijn als die wordt geschonden. Was jouw man niet gestorven door toedoen van een, ach, wat was het ook weer, drugskartel?'

De vrouw haalde haar schouders op en Sofia keek haar hulpeloos aan. Ze zou zichzelf nu toch onder controle moeten hebben, maar zo voelde het niet. Ze kon niet geloven dat dit stuk onbenul, deze *ziektekiem*, alle macht in handen had.

Bessie likte haar droge, gebarsten lippen. 'Kan me niets schelen,' zei ze met een kille pertinentie die zich als een vuist om Sofia's hart sloot.

'Ik zorg dat je verdwijnt,' zei Sofia. Ze pakte een stoel op en sloeg daarmee op de tafel. '*Snap* je dat dan niet?'

De vrouw gaf geen krimp.

'Dat maakt mij niet uit,' zei de vrouw. Haar gebrek aan emotie was nog wel het griezeligste aan haar. 'Het kan mij allemaal niets schelen. Jij weet wat ik wil, en het kan me niet verrotten wat jij daarna met me doet. Je kunt dreigen wat je wilt, maar dat doet niets af aan wat er *is*. Wat jij ook doet, niets heeft zo veel macht als wat *hier vanbinnen* zit.' Bessie drukte haar hand tegen haar borst met een soort vergeten waardigheid. 'Hier vanbinnen zit de wens. God, wat was ik toen gestoord. Had ik maar...' voor het eerst haperde haar stem. 'Had ik maar nee gezegd.'

•••••

THE CAT, DIEZELFDE AVOND, 22.00 UUR

Frank

Ja, ja, ja, daar gaan we!

Frank klapte in zijn handen terwijl er voor een miljoen dollar aan vuurwerk de lucht in ging dat alle buren in de wijde omtrek het horen deed vergaan.

Al Franks fouten lagen achter hem. Frank was half genie, halfgek, zeiden ze altijd, maar vanavond was hij van puur goud: hij was de koning van Las Vegas!

Niemand had het over dat gedoe met de blauwe vinvis en de vertraging van een jaar die het project daardoor had opgelopen, maar voor ambitie had iedereen respect, ook al bleek dat een zeezoogdier zo lang als drie stadsbussen op een rij nooit kon overleven in een aquarium bij de Strip. Verdomd jammer, want het zou wel cool zijn geweest.

Frank kon er inmiddels om lachen, en zijn investeerders ook. Alles ging gesmeerd. Hij keek om zich heen; hij zag Ben, knap, charmant, met allemaal mensen om hem heen. Hij knipoogde en hief zijn glas. Fantastisch, die voortplanting. Hij was een mazzelpik.

Niet te geloven dat die jongen al vierentwintig was. Niet te geloven dat hij de hele boel had weten te redden. Ben had de stekker uit 'Pacific' getrokken, Franks krankzinnige walvisproject. Hij had het project snel vervangen door de 'Big Bear Cat' (zo noemden Chinezen de panda: de grote berenkat) en *boem*! Ja, Frank wilde nu wel toegeven dat zijn plannen voor een oceaan in de woestijn te bizar waren geweest. Goddank had Ben hem een halt toegeroepen. In plaats van de oceaan had Frank, nadat zijn zoon hem voorzichtig op de gedachte had gebracht, het plan opgevat om het eerste park voor reuzenpanda's in Nevada te bouwen achter zijn nieuwe casinohotel.

Want wie kon er verdomme weerstand bieden aan een panda?

Frank vond het een schitterend idee. Die jongen had het nog niet geopperd, of Frank was er al mee aan de slag gegaan. Het was allemaal zo geregeld. Hij was naar Szechuan gevlogen voor een cursus pandamanagement. Hij had de Chinese regering een cheque ter waarde van twee miljoen dollar overhandigd, en de handtekening was zo snel gezet dat het papier van de cheque schroeiplekken vertoonde.

Het kostte een jaar van voortdurend en razendsnel bijstellen – Frank had het liever niet al te uitgebreid over de kosten en het drama van alle aanpassingen – maar het was de moeite waard geweest. Bens thema was als kattenkruid voor alle high rollers uit heel Azië! De panda's waren een lekker lokkertje, maar The Cat was een veel elegantere, chiquere tent. Luke's nieuwe zaak (Franks lip krulde omhoog), de Taj, was gigantisch, zielloos en goedkoop – de Aldi onder de casino's! Frank was niet alleen zakenman, hij was ook kunstenaar. Wat hij schiep was verwondering.

Rijke jonge *fun*verslaafden vochten nu al om in de 1999 luxe suites in het hoofdgebouw van The Cat te mogen slapen en spelen. The Cat had zestien fantastische restaurants, gezellige barretjes, minimalistische spa's en uitgelezen designerwinkels (jurken, juwelen – je weet wel). Er waren concertzalen, exclusieve clubs; een Maserati-showroom; een cabana met een waterbed dat uitzicht bood op de dansvloer; schitterende, lommerrijke tuinen, verwarmde zwembaden, watervallen, dj's, livemuziek, en wet bars... *day life*, baby!

En voor de echte grote jongens – de mannen die miljoenen vergokten zonder een spier te vertrekken – waren er de space villa's in Nine. Je had de standaardluxe van The Cat, maar je had ook nog het exclusieve hotel van The Cat.

Nine dankte zijn naam aan het getal negen, het geluksgetal in het oude China dat stond voor superioriteit, en dat klopte helemaal, aangezien elke space villa zijn eigen keizerlijke tuin had, met 2200 jaar oude feniksbeelden van jade, afkomstig uit de Han-dynastie, om nog te zwijgen van het bladgoud waar het bubbelbad – groot genoeg voor negen mensen – mee was bekleed. In het bad borrelde Cristal champagne (of desnoods warme chocolademelk, als je dat liever wilde). En dan had je nog de butlers, de waterbedden en de bowlingbaan. 'Hé, zin om te bowlen?' zei je dan tegen een meisje en na afloop nam je haar als een mak lammetje mee naar je villa via de supersnelle lift.

Gokken was het kloppend hart van Las Vegas, en het pompte het geld van een eindeloze stroom bereidwillige vrijwilligers rond. Man, iedereen doneerde: het leek wel een gigantische donorbank. Maar Frank had ervoor gezorgd dat alles er tiptop uitzag. Je moest de mensen in de watten leggen. Dat vond hij ook leuk; het was een kick om de perfecte gastheer te zijn en te zorgen dat mensen het naar hun zin hadden. Frank deed dat ook met zijn hele hart. Hij was geen illusionist, dan zou hij liegen. Nee, Frank was echt een entertainer.

Terwijl hij langs de weelderige lanen met nieuwe designerwinkels liep knipoogde hij naar zijn spiegelbeeld in de etalageruit van Gucci. Een niet *erg* lange, slanke figuur in een onberispelijk maatpak gaf hem een knipoog terug. Hij streek zijn donkere haar glad en bewonderde zijn profiel: 'Romeins', had zijn vrouw gezegd, en daar was hij het van harte mee eens.

Frank gaf het gokken glamour en ontdeed het van schuldgevoel.

Hij baalde van de dubieuze reputatie die Las Vegas had. Het irriteerde hem dat zijn voorgangers zo achteloos waren omgesprongen met dit woestijnjuweel. Zijn pokerlounge was zo schitterend ingericht en zijn gastvrouwen waren zo lekker dat het je niet kon schelen hoeveel geld ze je ontfutselden. Jij was de superstar, *baby*, ook al was je platzak als je weer huiswaarts ging!

Niemand hoefde te weten dat het allemaal een idee van zijn zoon was.

Iedereen was waanzinnig onder de indruk van The Cat; en het was een rode loper voor hun project in Macau. Dat wisten de beurzen ook; de aandelen schoten even snel omhoog als het bamboe in het park van The Cat.

De avond was één grote triomf. Hij had geposeerd met een panda en met zijn vrouw – de pers vrat het. En nu, huppekee, het casino door; iedereen stond in avondkleding rond de tafels te dringen. Wat een mooi gezicht. De geluiden, de lichten, de kleuren, de mensen, al die *moeite*; het zag er stijlvol uit, duur, en dat maakte hem gelukkig. Hij was een keer bij Harrah's binnen gelopen, en de geur van rook, de eindeloze rijen eenarmige bandieten en de goedkope treurigheid die er hing: wat was hij daar depressief van geworden. Nee, Frank had een heel ander plan. Hij bracht zijn klanten in een heerlijke roes; hij gaf hun een opwindende ervaring, en een gevoel dat zij bevoorrecht waren.

Hij knikte naar de bewaking, slingerde zich een rondlopende trap af en liep door kleine met fluweel beklede ruimtes naar de nachtclub: Brash. Het lichteffect gooide een waterval van roze met paars gestreept water over de muren. Het zorgde ervoor dat de ruimte koel bleef en het had een psychedelisch effect. Na middernacht zouden de stripteasedanseressen hun kunsten vertonen rondom de palen. De dj's kwamen uit de allercoolste clubs van LA. De serveersters waren hooguit drieëntwintig en supersexy. In hun contract stond dat als ze zwanger raakten, zij hun gouden glitterbroekjes, haltertopjes en Dior-laarsjes mochten inruilen voor een pandakostuum, compleet met oren en een wollig staartje. Frank was niet helemaal stuk van die bepaling, maar ja, Sofia was de baas.

Een jong stelletje kwam voorbij dartelen, kussend en giebelend;

hij was lang en aantrekkelijk, zij adembenemend in een flinterdun jurkje met zilveren lovertjes en een ketting bezet met enorme diamanten. Frank glimlachte. Geld en macht hand in hand met sexappeal: een sterke combinatie die altijd leidde tot nog roekelozer gokken. Als je een mooie dame naast je had om indruk op te maken, zette je altijd net ietsje hoger in… ach, wat was hij toch dol op romantiek!

O, maar wacht eens even… Wow, dat was Ariel, zijn kleine meisje! Ariel zwiepte met haar lange blonde haar, waarmee ze de goedkeurende neus van Trey Millington kietelde, een miljardair uit Texas. (Hoe kwam die gast eigenlijk aan al dat geld? Ach, wat gaf het ook!) Misschien babbelden ze zomaar wat. Hij maakte zich zorgen over Ariel, zijn Roodkapje in de armen van een wolf, maar Trey zou zich wel gedragen: het bos was immers van Frank.

Ariel was veel te lief voor deze stad. Ze was niet slinks genoeg, maar hij hield zijn schatje altijd in de gaten. Hij zou wel zorgen dat het allemaal goed kwam met haar. Hij salueerde naar Trey, gaf Ariel een handkus en liep weer door. Zorg dat die positieve energie blijft stromen; altijd in beweging blijven, *baby*, voorwaarts!

Kijk, en dan dit! Goddelijk eten! De enige Chinese chef-kok ter wereld met drie Michelin-sterren stond aan het hoofd van hun *flagship*-restaurant, Xiqing – 'geluk', *baby*, en dat was het zeker! Deze avond had een stel supermodellen minstens evenveel pekingeend met Belugakaviaar weggewerkt als een groep Russische zakenlui. Wat kon het hem schelen dat ze dat vervolgens weer uitspuugden in de toiletten van roze marmer? Mensen gingen hun gang maar.

Frank liep snel door, langs nog eens vijftien restaurants die alles serveerden wat de klanten verlangden: macaroni met kaassaus en kip, calamari, krabkoekjes, hamburgers, foie gras… Frank beende erlangs en nam de heerlijkheden van zijn koninkrijk in zich op. Hij wilde niet dat iemand zijn terrein zou moeten verlaten om aan zijn trekken te komen. (Als een high roller zin had in een meisje, of twee, dan kon ook dat discreet geregeld worden. God verhoede dat ze zelf op zoek gingen naar vermaak. Dan kon het zomaar gebeuren dat ze het hele weekend niets vergokten.)

Fluitend en topfit glipte Frank backstage in de concertzaal. De shows zouden de mensen naar binnen zuigen als een tornado in Kansas. Als je af moest gaan op haar vorm van die avond, dan zou Madonna evenveel mensen trekken als die echt grote ster, Faye Wong. Oké, Frank had zelf weliswaar nog nooit van Faye Wong gehoord, maar hij vertrouwde op Ben. Dat joch had een MBA gehaald aan de Tsinghua Universiteit in Beijing, en hij had hem bezworen dat Wong af zou maken wat de panda's in gang hadden gezet. Haar shows waren voor de komende twaalf maanden uitverkocht.

Frank kuierde de viplounge weer in en nam een wonton met kreeft aan van een man die uitgedost was als een krijger uit het terracottaleger. Kwart voor twaalf. Om middernacht zou hij zijn speech houden en de wereld zou er nooit meer hetzelfde uitzien. Zijn pr-manager liet al een select gezelschap aan mediamensen binnen. Waar was Ben? Ah, daar, nog steeds tussen de lachende mensen. Ben was de zoon, de zon, het licht in Franks leven.

Frank was zelf niet zo'n licht, hij was meer iemand die de handjes liet wapperen, maar Ben kon zowel denken als werken.

Als ouder voelde Frank een scheut verwondering en trots in het besef dat hij een mens op de wereld had gezet wiens vaardigheden, wiens hersens die van hem te boven gingen. Frank had het dankzij zijn koppige volharding een aardig eind geschopt; in de hebzucht van de jaren tachtig, toen het geld nog voor het oprapen lag, had hij een casino geopend en was hij rijk geworden.

En toch had hij de gênante gewoonte om zijn eenmaal verworven rijkdom weer kwijt te raken. Een rivaal had in de *Review* gezegd: 'Frank is zo'n man die geld verdient, het allemaal weer verliest, en het dan weer terugverdient.' Hij was twee keer gestruikeld en weer opgekrabbeld. Maar in het uitgeklede 2009 was er geen ruime meer voor zakelijke missers. Hij had de bescheiden genialiteit van zijn zoon nodig als baken.

En om te zorgen dat hun wonderkind bij hen bleef, hadden Frank en Sofia een besluit genomen,

Sofia. Wat zag ze er... *verward* uit. Ze ving zijn blik. Elk spoortje bezorgdheid verdween direct en ze glimlachte, maar het leek een verdoemde glimlach. Hij trok zijn wenkbrauw op. *Problemen?* Ze probeerde het nog eens. Dit keer was haar glimlach oprecht. Hij nam aan dat er niets ernstigs was, hooguit een kleine imperfectie: een dealer die kauwgom had staan kauwen, een gesprongen lamp.

'Hé, Frank, wat een feest, zeg, maar waar blijft het schandaal?'

Terwijl een van de belangrijkste filmregisseurs uit Hollywood Frank een weerzinwekkende roddel vertelde over een van de sterren die voor een concurrerende studio werkte, probeerde hij zich te ontspannen en van alles te genieten. Hij had niets om zich zorgen over te maken. Hij was de Schepper, en dit was zijn perfecte wereld.

•••••

NACHTCLUB BRASH, THE CAT, 23.00 UUR

Ariel

Ariel keek de Poezenmagnaat woedend aan. Trey Millington was jong en lekker, en hij had zijn geld verdiend met kattenvoer. In Vegas kwamen zijn nare trekjes onder een vergrootglas te liggen. Hij zag dit reisje als een vakantie voor de goede zeden. Hij had haar net vastgegrepen en gekust – waar papa bij was. En nu bleef hij geboeid naar haar borst staren.

'Trey,' zei ze. 'Mijn ogen zijn hier.'

Het kostte hem moeite, maar Trey concentreerde zich op haar gezicht. 'Je moet het me maar vergeven, snoes,' zei hij lijzig. 'Ik keek naar je glimmertjes.'

Ze lachte en haar vingers schoten naar haar diamanten ketting. Ze wilde graag iets snedigs antwoorden, maar ze kon zo snel niets bedenken.

Hij zag dat ze zich niet op haar gemak voelde en schoot ook in de lach. 'Moet toch lekker voelen om papa's kleine meisje te zijn,' mompelde hij.

Ze voelde zijn koele, gladde hand op haar huid. Hij tilde de ketting op en kneep zijn ogen samen, alsof hij de stenen nauwelijks kon zien.

'Deze heb ik anders zelf gekocht,' zei ze. Ze wendde haar blik af.

Papa had de ketting wel degelijk voor haar gekocht, zoals hij altijd alles voor haar kocht. Maar ze kon er niet meer tegen, die steken onder water dat ze een verwend nest was. Ariel had het misschien nog kunnen verdragen om rijk en verwend te zijn als haar ouders haar als mens behandelden in plaats van als een pop. Ze wilde normaal zijn, zoals de andere medewerkers van Arlington Corp.

Die mensen hadden een doel in het leven; ze presteerden iets. Ariel keek naar haar collega's, met hun kapsels van vijftig dollar, terwijl ze stonden te kletsen en lachen tijdens hun pauze, nippend van hun Starbucks-koffie in kleren uit gewone winkels en op schoenen die niet speciaal voor hen waren gemaakt. Ze waren naar Vegas gekomen vanuit Kentucky, Chicago of Wyoming en ze wist dat hun ouders in hen geloofden. Daar benijdde ze hen om. Ze had nooit een echte opleiding gevolgd; en ze was ook niet streetwise – ze was veel te beschermd opgevoed. Niemand had haar ooit de kans gegeven te laten zien dat ze slim was.

Ariel was gesmoord door de rijkdom. Alles had ze gekregen, behalve een vrije keuze.

Over haar enorme erfenis kon ze pas op haar dertigste beschikken – voor het geval, zoals haar moeder in een interview met de *New Yorker* had gewaarschuwd, ze een onverstandig huwelijk sloot (waarmee ze impliceerde dat Ariel onverstandig was). Dat leek de mensen om Ariel heen er echter niet van te weerhouden om altijd maar weer over die aanstaande erfenis te beginnen. Haar erfenis wierp een schaduw over alles wat Ariel de moeite waard vond.

En toch kon Ariel zich er ook niet toe brengen om te passen voor die erfenis, zoals haar broer had gedaan. Ze had er niet genoeg zelfvertrouwen voor.

In de tussentijd toucheerde Ariel een jaarsalaris van tachtigduizend dollar voor haar huidige positie binnen Arlington Corporation als Junior Associate van Eigenlijk Niets.

Het was precies genoeg om te garanderen dat de mensen met wie ze moest werken haar afgunstig in plaats van met respect bekeken. Maar ze was niet zo nutteloos als de mensen dachten. Een jaar geleden had ze geprobeerd Lulu over te halen om een avond mee te gaan naar een club. Lulu's baby was toen acht maanden oud. 'O nee, dat kan helemaal niet,' had ze geantwoord. 'Mijn ouders zouden dan moeten oppassen, en die gaan al om negen uur naar bed. Ik kan alleen naar een nachtclub die rond de lunch opengaat.' Dat had Ariel op een idee gebracht. *Zij* was degene die met het idee gekomen was van een nachtclub die zondagochtend begon rond het zwembad. Vice, zo heette de club, had proefgedraaid in Ace Harry's, hun kleinere zaak in Vegas, en met zeventien party's hadden ze achttien miljoen dollar binnengehaald. En toch was zij nog altijd het verwende nest.

De diamanten halsketting was geen uiting van liefde, het was een hondenketting: het gaf aan wie de baas was. En toch moest je eruitzien als iemand met veel geld om hier op waarde te worden geschat. In deze stad kwam je niet weg met slonzige kleren. Ze had mazzel dat ze een fatsoenlijk stel borsten had en lange benen ('precies de goede grondstoffen,' zoals een eikel van een ex ooit opmerkte), maar ze werkte er hard aan haar goede figuur te behouden. Ze was mooi, en dat wist ze ook: blond haar, donkere ogen en kuiltjes als ze glimlachte.

Maar de laatste tijd glimlachte ze niet vaak. Ze werkte zich een ongeluk en hoopte dat papa binnenkort de schellen van de ogen zouden vallen en dat hij haar de welverdiende promotie zou geven. Het waren per slot van rekening niet altijd de allerslimsten die de top haalden – kijk maar naar George Dubya Bush!

'Trey, we hebben een privétafel voor je in de Chameleon Lounge,' zei ze. 'Ik zal je even brengen.' Ze probeerde te grijnzen. 'Maar ik ga zelf niet gokken. Ik hou me liever bij wat ik heb.'

'Ik zou me ook wel willen houden bij wat jij hebt.'

Ze giechelde ondanks alles terwijl ze wegliepen. 'Trey, lieverd, je moet echt iets doen aan je slappe teksten.'

Hij zuchtte, zij het niet erg teleurgesteld. Ze waren inmiddels aangekomen bij de blackjacktafel in de Members-Only viplounge, waar de gemiddelde inzet tienduizend dollar was. De gasten werden uitgenodigd om lid te worden op basis van hun aantal speluren. Als ze lid wilden blijven, moesten ze dertig tot veertig uur per maand aan het gokken zijn. Terwijl de dealer de kaarten uitdeelde, draaide Trey haar om zodat ze hem aankeek. 'Ariel?'

Ze gaf hem een kus op het puntje van zijn neus en mompelde dat zijn gastvrouw voor hem zou zorgen tot zij weer terugkwam – als hij de dobbelstenen maar liet rollen. Toen liep ze terug naar waar haar vader hopelijk zou zien dat ze haar best deed. Trey zou steeds weer terugkomen naar The Cat, want ze zou hem verleiden met privévliegtuigen, suites, diners en shows. En zijn gokkersgeloof hield hem voor dat hij op een dag zijn zin zou krijgen, en dat zij, de wonderlijk kuise Ariel 'Leeghoofdje' Arlington, niet alleen haar principes, maar haar hele persoonlijkheid aan de kant zou schuiven en met hem in bed zou duiken voor een ranzige onenightstand zonder verdere verplichtingen.

'Hé, pap,' zei ze. 'Trey trekt flink de portemonnee, daarbinnen.'

Papa glimlachte afwezig en gaf haar een zoen. 'Je bent een brave meid,' zei hij. 'En brave meisjes horen beloond te worden. Ik heb een verrassing voor je, Ariel. Blijf even hier.'

O, god. Hij noemde haar 'Ariel'. Niet 'liefje' of 'schatje', en niet 'snoes' of 'moppie'. Dus hij lette wel degelijk op haar. Hij nam haar eindelijk serieus in zakelijk opzicht. Ze voelde haar hart overslaan. Vanavond zou ze eindelijk krijgen waar ze haar hele volwassen leven al naar had verlangd – en dat was dus *niet* Trey Millington.

• • • • •

THE CAT, 23.50 UUR

Sofia

Sofia stond op terwijl haar beide kinderen haar kantoor binnen liepen. Ze wierp een blik op de klok. Het was tien voor twaalf.

'Fijn dat jullie er zijn,' zei ze, in de hoop dat er geen paniek doorklonk in haar stem.

'Mam, is er iets?' vroeg Ben. 'Papa geeft zijn speech om twaalf uur.'

Hij zag eruit als een hedendaags lid van de Rat Pack. Ze kon zich indenken dat de woest uitziende jongedames die hem als dingo's omringden woedend waren dat hun prooi hun was ontnomen. Ze voelde een lichte steek van triomf: zij had die macht – *zij* was Bens moeder. Het was de ultieme status.

Ariel stond alleen maar te stralen. Haar dochter was in een opperbeste stemming. Sofia slaakte een zucht. Het meisje was zo vreselijk dom: ze liep vrolijk achter elke emotie aan die op haar pad kwam, als een hond die zijn neus achternaloopt. Ze was gedoemd om eeuwig teleurgesteld te worden.

Sofia glimlachte en zei: 'Waarom zou er iets zijn? Dit is een heel bijzondere dag, en toch hebben we nog geen moment uitgetrokken om dat samen te vieren. Dus wilde ik namens jullie vader een toost uitbrengen op ons, samen.' Ze zweeg. Met een gehandschoende hand duwde ze de fles wodka richting Ariel en glimlachte. 'Schenk jij even in?'

Ariel hield haar hoofd schuin en schonk de wodka langzaam in de drie zwarte drinkbokalen. Sofia herinnerde zich dat Ariel een hekel had aan wodka. Toch hief het kind haar glas, klonk ermee met dat van Ben en Sofia en nam een piepklein slokje.

'*Le'chaim*,' zei Sofia terwijl ze de vingerafdrukken van haar kinderen op de glazen zag en hoopte dat God haar niet met een bliksem zou treffen.

'Op het leven,' mompelde Ben.

'*Le'chaim,*' zei Ariel ook in het Hebreeuws.

Op dat moment voelde Sofia zich verschrikkelijk. Maar als donkere wolken zich samenpakken, moet je je op regen voorbereiden. En ze had toch ook niet echt iets heel ergs gedaan? Nog niet, in elk geval.

• • • • •

THE MEDICI CASINO, LAS VEGAS, EEN WEEK EERDER, 20 JANUARI 2009

Luke

'Het meisje met de grootste tieten is niet altijd het lekkerst in bed,' zei Luke Castillo, zijn hoofdaccountant in de rede vallend tijdens diens ernstige toespraak over 'het onderzoeken van andere inkomstenstromen'.

De Confucius van Sin City keek teleurgesteld toe terwijl de heer Schmidt zijn bril hoger op zijn neus duwde en een zucht slaakte. De beste man had het op zijn heupen omdat The Big Bear Cat Casino & Hotel over een week open zou gaan en hij als de dood was dat The Medici – en zijn baan – daaronder zouden lijden.

Het maakte geen bal uit dat The Medici niet het grootste, meest flitsende gokparadijs aan de Strip was, maar de Oppernerd snapte dat niet. De lager geplaatste nerds trouwens ook niet, te oordelen naar hun bleke, onnozele kommaneukersmoeltjes. Ze zaten zwijgend op een rijtje en hun hoofden gingen van Luke naar Schmidt alsof ze naar een tennismatch zaten te kijken. Maar Luke wist waar het om ging.

Wat maakte het uit dat The Medici niet voorzag in de wensen van gokkers die fluitend een miljoen stuksloegen? Het voorzag in de wensen van Luke Castillo en de mannen die hem het geld hadden geleend om zijn fortuin te maken. Al die kerels kwamen naar Luke, want dat hadden ze altijd gedaan. Ze zouden het niet in hun hoofd halen om hun heil elders te zoeken.

'Meneer Castillo, de recessie is... Vergeef mij deze persoonlijke anekdote: verleden week nam ik mijn vrouw mee uit lunchen bij de California Pizza Kitchen aan Town Square en – er zat geen kip! Als ik naar onze cijfers kijk en ik vergelijk ze met... nou ja, ik denk dat we onze winst zouden kunnen verhogen als we de invoering van' – de heer Schmidt bloosde nu tot in de haarwortels die hij nog overhad – 'zonnebaden Europese stijl zouden overwegen, en een paar olifanten wellicht, en een Thais restaurant?'

Luke Castillo drukte zijn handen samen voor zijn gezicht alsof hij in gebed verzonken was, hij haalde diep adem. Toen stond hij op en keerde zijn Oppernerd de rug toe. Hij voelde de angst van de beste man. Jammer dat de dokter zo tekeer was gegaan over zijn bloeddruk; Luke vond het juist lekker om dik te zijn. Hij was tenminste een echte vent, groot en behaard. Hij zou het verschrikkelijk hebben gevonden om kaal te worden; Goddank was hij gezegend met een volle, glanzende haardos. Hij droeg het kort, zoals Steve McQueen. Hij vertrouwde die kerels met golvende lokken voor geen meter.

Luke staarde uit het raam van de bestuurskamer tot hij zeker wist dat hij zijn kalmte kon bewaren. De bestuurskamer had rode muren, een pooltafel en een bar – waarom niet? De kamer bevond zich op de derde verdieping en had een uitstekend uitzicht over het zwembad en alle vrouwelijke gasten die zich in hun bikini's op ligstoelen hadden gevlijd. Jammer dat de meesten van hen dik waren, en dik in de vijftig.

Luke wist wel waar de paniek van Nerdmans vandaan kwam. Hij had schoon genoeg van die verhalen over Frank Arlington en hoe iedere rijke pief met een opgeblazen ego en een dikke portemonnee dolgraag in The Cat wilde logeren en spelen. Hij moest niets hebben van al dat gewauwel over elitaire restaurants, exclusieve clubs, sexy serveerstertjes, pool party's en bubbelbaden waar wel vijf man in pasten.

Hij ging weer zitten in zijn roodleren stoel en met enige moeite zwaaide hij zijn benen op tafel. 'Maurice, doe normaal! Fuck, man, dit is Vegas, en het draait hier om gokken! De rest is allemaal bullshit!'

'Maar, meneer...'

Luke Castillo bewees die lui een enorme dienst door hun toe te staan de toekomst van hun gezin erdoor te jagen op zijn terrein. Hij behield zijn waardigheid. Hij vond het verschrikkelijk dat de stad zo was veranderd en dat iedereen zo in die verandering geloofde. 'Maurice. We zullen altijd geld blijven verdienen aan onze corebusiness. Dat weet ik zeker. Maar de economie is naar de klote. En weet je wat er gebeurt in een recessie? Dan heeft het *toerisme* te lijden. En ik verdien mijn geld niet aan mensen die hier komen om te kijken. Ik verdien mijn geld aan mensen die komen gokken. Toeristen blijven thuis en potten hun centjes lekker op. Gokkers zijn verslaafd; die blijven gewoon komen. Kunnen ze geen fuck aan doen.'

'Meneer Castillo, dat begrijp ik wel, maar toeristen moeten toch ergens eten, en ergens slapen...'

'En dit jaar slapen en eten ze thuis! The Medici heeft geen drieduizend hotelkamers en zal ik jou eens wat zeggen? – daar ben ik trots op. Want in tijden als deze doen al die hotelkamers je de das om. Vorige week ben ik nog binnen geweest bij The Venetian en daar ging ik zowat over mijn nek. Daar pompen ze een of ander *parfumshit* door de airco! Het stonk er als een plee vol ouwe wijven. Ik bedoel, *what the fuck*?'

'Meneer Castillo, natuurlijk is het gokken onze voornaamste bron van inkomsten, en dat zal het ook altijd blijven, maar stelt u zich eens voor dat wij een palet aan attracties zouden bieden, bijvoorbeeld...'

'Dolfijnen, acrobaten en Elton John noem ik geen attracties, dat noem ik ouwe meuk! Maurice, vergeet die toeristen, en wat betreft onze trouwe gasten, die losers blijven gokken, wat we verder ook doen! Die jaag je toch niet weg. Waarom zouden we doen alsof Vegas iets anders is dan wat het is? Het is hier Manhattan niet! Deze stad is gebouwd op dood, verderf, goedkope hoertjes en verslaving, Maurice. Daar moet je juist trots op zijn!'

'Meneer, ik hoor wat u zegt, maar als we ons op de kansspelen moeten concentreren, dan moeten we nog steeds kunnen concurreren binnen onze markt. We moeten alle mogelijke middelen aanwenden. Arling... ik bedoel, andere casino's doen onderzoek naar hun spelers, checken hun gegevens bij de centrale kredietbank – zij zorgen dat ze alles van hen weten voor ze...'

'Ja, ja, ik weet het. Er komt een high roller en Arlington laat hem eerst drie dagen wachten voor hij zelfs maar een potje blackjack mag spelen.' Luke haalde een hand door zijn haar. Hij begon zijn geduld te verliezen. Hij had die nerd ingehuurd omdat die diploma's had en inzicht, en dat vond Luke wel nuttig. Maar hij was soms wel erg koppig.

'Maurice, hoe heb jij je vrouw ooit versierd?'

'Pardon, meneer?'

De rij accountants, een slinger papieren mannetjes, staarde naar hun schoot.

'Hoe heb jij de vrouw met wie je bent getrouwd voor het eerst in bed gekregen vanaf het moment dat je haar voor het eerst zag?'

'Ik, eh, nou... het was niet echt... ik bedoel... Bruce Springsteen... Mahler... Ze heeft een heel brede muzieksmaak, en eh...'

'Drewry!' Luke knipte met zijn vingers naar de jongste accountant. 'En *jij* dan?'

'Mijn vrouw was een van de bruidsmeisjes bij het huwelijk van mijn neef, meneer Castillo. We hebben het gedaan tegen de vuilnisbakken achter de kerk.'

'Dank je, Paul. Maurice, er is meer dan één weg naar de eindbestemming. Als een kerel vijfduizend dollar wil stukslaan op de blackjacktafel, en zijn Rolex wil vergokken, dan gaat hij zijn gang maar wat mij betreft. Mijn klanten zijn tenminste goed voor hun verliezen. Fuck al die shit met de centrale kredietbank: als ze oma aan de Arabieren moeten verkopen dan doen ze dat als ze Luke Castillo geld verschuldigd zijn – en niemand wil Luke Castillo ook maar een cent verschuldigd zijn.' Maurice keek verdwaasd. 'Maurice?'

'Ja, meneer,' zei Maurice bedremmeld.

Luke beende zo energiek mogelijk door de bestuurskamer. Hij moest wat optimisme overbrengen op dit zootje kommaneukers. De geldwereld was ingestort en deze gasten waren als de dood: ze moesten weer het geloof krijgen dat het allemaal goed zou komen.

Op het pad buiten de kamer klonk *klikklak, klikklak* en alle hoofden draaiden om. Alsof het zojuist geld was gaan regenen vanuit het plafond, zo veerden de heren op. En Luke besefte, verdomme, dat was het! Dit was het mirakel dat de mannen zou oppeppen – en de winst, zelfs in een tijd dat al het geld uit de hele wereld leek te zijn weggepompt door een tornado van domheid en hebzucht.

Luke had slecht één concessie gedaan aan het nieuwe Las Vegas. En dat was Sunshine Beam.

Al zijn andere gastvrouwen waren de vijftig gepasseerd. Ze droegen blouses met stropdassen, godbetert. Sunshine was vierentwintig en ze droeg waar ze zin in had. Zijn andere gastvrouwen haatten haar, maar dat kon Luke niets schelen. Het was weleens goed om de boel wat op te jutten.

Luke bekeek de rij accountants die ongegeneerd uit het raam staarden terwijl Sunshine voorbij wiegde in een strakke spijkerbroek met een soort korset als topje. Terwijl ze zo zaten te kwijlen, knikte hij opgewekt: zij was net een gratis extraatje. Een kerel in een rode zwembroek sprong voor haar en ging op de grond aan haar voeten liggen. Dat effect had ze op mannen – op alle mannen. Sunshine lachte en stapte kittig over hem heen, waarbij de hak van haar stiletto speels over zijn kruis scheerde.

Het meisje had een paar dagen vrij en ze zou naar LA gaan, om te shoppen en er lekker even uit te zijn. Luke had er geen enkel probleem mee om dat een zakenreis te noemen; Sunshine had wel een uitje verdiend. Sunshine was zijn grote troef.

Luke schraapte zijn keel en zeven hoofden draaiden zich met tegenzin terug. 'Zie je nou, Maurice. Bij The Medici en The Taj draait het allemaal om de personal touch. En Sunshine is de *fucking* prinses Diana van Vegas. Ze hoeft er niets voor te doen. Iedereen is gek op haar. Weet je wat ze tegen me zegt? "Mijn spelers zouden nog in een tent slapen en op de parkeerplaats spelen voor mij!" – Maurice, kijk jij nou maar naar wat we wel hebben – wij hebben de Queen of Hearts in huis!'

De papiervreters bogen eerbiedig hun kalende hoofd, maar dit keer glimlachten ze erbij. Het was waar. Sunshine was zijn magische ingrediënt. Zij zou hen er wel doorheen sleuren. Het was bijna eng hoeveel succes zij had. Als je in deze stad een lekker wijf in haar eentje in het casino tegenkwam, kon je ervan uitgaan dat ze een hoer was. Maar Sunshine wist het goed te spelen.

En haar schittering straalde op Luke af.

Luke had haar na de dood van haar vader in dienst genomen; hij was altijd al dol op die meid geweest. Al toen ze nog een tiener was zag hij wat voor spirit ze had. Ze was slim, en om de dooie dood niet bang. Dat sprak hem aan. Ze leek totaal niet op die loser van een vader van haar. Hij had haar als serveerster laten beginnen. Het was ironisch, en hij wist ook best welke roddels er gingen. Niet dat het hem een fuck uitmaakte. Zijn handen waren schoon.

'Maurice, je kunt nog wat leren van die meid als het om inspiratie en optimisme gaat. Sunshine is een ritselaar. Drie jaar geleden zeg ik tegen haar dat als ze gastvrouw wilde worden, ze tien nieuw klanten aan moest dragen die allemaal per keer tweehonderdvijftigduizend dollar komen vergokken. Ik dacht: dat lukt haar nooit. Weet je wat ze doet? Ze doorzoekt de vuilnisbakken bij Byzantium, week in, week uit. Ze neemt zakken vol stinkend afval mee naar huis en daar gaat ze in haar achtertuin doorheen. Totdat ze vindt wat ze zoekt: een lijst van hun beste gokkers uit Californië. Zeventienhonderd namen.

'Vervolgens doet ze naar al die mensen een onderzoekje. Ze papt aan met de chauffeurs van de limousineservice, cocktailserveersters, bewakers van alle gebouwen. Om informatie los te krijgen waarmee ze haar high roller kan verleiden, geeft ze hun gratis kaartjes voor een show, een diner voor twee – en ik hoef je niet te vertellen dat ik dat allemaal maar niets vind, al dat weggeven. Maar ik zal je zeggen, ze heeft die informatie nog niet binnen, of ze weet er munt uit te slaan. Ze annuleert alle reserveringen die die lui bij de concurrent hebben lopen, en wacht hen hoogstpersoonlijk op de oprit op met een enorme goodie bag om eventuele weerstand mee te overwinnen: hun eerste gokje is gratis, of – mijn ergste nachtmerrie – ze krijgen korting op hun verliezen. En weet je wat? Ik mopper en ga vreselijk tegen haar tekeer, maar' – Luke schudde zij hoofd – 'ze sleept de een na de ander binnen.'

Luke grijnsde. Alleen al door over die meid te praten werd iedereen vrolijk. 'En het mooiste is nog wel dat die kerels het allemaal zo naar hun zin hebben, en dat ze hen zo goed in de watten heeft weten te leggen, dat het niet eens zo veel pijn doet als ze eens een miljoentje kwijtraken.'

Luke zweeg. 'Hoewel die eikels natuurlijk ook weleens *winnen*.'

De rij accountants lachte nerveus. Als je morgen een casino zou openen waar de mensen alleen nog maar op fruitmachines konden spelen, wist je precies wat je jaaromzet zou worden. Los van een aardbeving of een serveerster die een pot koffie in iemands schoot leeggoot was zo'n grote gokker het grootste risico voor een casino. Zo iemand die binnen een paar uur honderd miljoen kon winnen, en die dan de hele bank mee naar huis nam voor ze de kans kregen om weer wat van hem terug te grijpen.

'Maar daar laat Sunshine zich niet door uit het veld slaan. Ze weet dat je je verlies moet goedmaken door ervoor te zorgen dat die galbakken door blijven spelen, dat ze terug blijven komen. En dus doen ze dat.'

Veel meer dan alle meisjes, de kamers en de maaltijden, waren Sunshine en haar strakke kontje in staat om Meneer X af te leiden van het feit dat het huis hem honderdduizend afhandig had gemaakt, en dat hij al vijf keer zoveel had verloren (of op het punt stond om dat te doen). Zelfs de echtgenotes hielden van Sunshine – een mirakel, gezien haar smoeltje en haar lichaam. Maar hen nam ze voor vijftienduizend dollar mee uit winkelen – schoenen van Prada, tassen van Chanel – terwijl hun domme man driehonderdduizend dollar verloor aan de tafels.

Luke zat op zijn praatstoel. 'Maurice,' riep hij uit, 'die Sunshine van mij brengt volwassen kerels aan het janken. Ze proberen haar om te kopen met gouden horloges bezet met diamanten, of met aandelen ter waarde van miljoenen dollars, en ze smeken haar op hun blote knieën of ze om drie uur 's nachts hun krediet nog een keer wil verruimen. Ik zou zelf meteen "ja" gezegd hebben, maar zij zegt "nee" en commandeert hun naar bed te gaan, en dat doen ze dan, als een stel brave pups. En dan zien die eikels Sunshine de volgende dag als hun reddende engel. Want ze stonden zwaar op verlies en ze hadden gemakkelijk nog eens vijf ton vergokt als zij er geen stokje voor had gestoken. Kijk, als ik zoiets hoor, word ik gek, maar Sunshine zegt dat ik geduld moet hebben. En ze heeft gelijk. Het is een win-winsituatie. Die kerel heeft zich niet kapot gegokt, en hij komt terug, en nog eens, en nog eens, en nog eens, en steeds verliest hij meer, en meer… en nog een beetje: en in de loop der tijd verdient The Medici dus heel veel aan hem – veel meer dan wanneer Sunshine hem die ene avond al zijn kruit had laten verschieten.'

Luke keek zijn accountants stralend aan en zij keken even blij terug. 'Heren, u zult toch moeten toegeven dat zij een brok klasse is, die meid. Ik zeg niet dat jullie je nergens zorgen over hoeven te maken. Wat ik zeg is dat jullie wat van die meid kunnen leren. Heb vertrouwen. Die griet werkt hier omdat wij de *beste* zijn.'

De kommaneukers gaven hem een staande ovatie. Luke maakte een buiging, stak een sigaar op en bonjourde hen de kamer uit. Ze vertrokken huppelend als een stel meisjes in het speelkwartier.

•••••

THE MEDICI, TWINTIG MINUTEN LATER

Luke

Zijn mobiel ging over. Het was Vince, zijn senior security officer. Luke luisterde en proefde de smaak van gal in zijn mond. Hij gebaarde dat hij vocht nodig had en sprak met moeite. Zijn stem was hees van de schok. 'Dat zou ze nooit doen, Vince. Ik ken die meid verdomme al van kinds af aan. Wij zijn praktisch *familie*.'

Alle positieve energie van de vergadering was verdampt. Hij had het gevoel of zijn hoofd met dikke schroeven aan zijn nek vastzat. Hij kon het niet geloven. Sunshine was zijn pareltje – hij hield van haar als van zijn eigen dochter. Het kon toch niet zo zijn dat Ben Arlington het gore lef had gehad om haar bij hem weg te lokken. Stelen was een *misdaad*.

In Saoedi-Arabië wisten ze wel wat ze met zulke mensen aan moesten: daar hakten ze hen gewoon de hand af. Luke vroeg zich af hoeveel Ben Arlington af wist van Saoedi-Arabische wetgeving.

Sunshine was zijn eigendom. Hij had haar omgetoverd van niets naar iets heel bijzonders, het was echte Assepoestershit. Het kwetste Luke dat Sunshine zo ondankbaar was, maar eerlijk gezegd: zoiets zou ze nooit echt doen. Ze zou nooit gaan werken voor de zoon van zijn rivaal. Ze zou hem niet in de steek laten, en Luke wist heel goed waarom. Hij was nog haar enige band met haar overleden vader. Ben zat achter haar aan, en zij was vast gevleid. Zo ijdel waren die vrouwtjes nu eenmaal.

Ben Arlington was de ware schuldige. Hij toonde Luke geen respect en dat zou hem duur komen te staan.

• • • • •

THE MEDICI, EEN WEEK LATER, 26 JANUARI 2009, DE AVOND VAN DE OFFICIËLE OPENING VAN THE CAT, 23.00 UUR

Luke

'Goed nieuws, graag!' zei Luke terwijl hij zijn armen spreidde alsof hij iemand wilde verwelkomen.

Om eerlijk te zijn hing er een wolk boven Sunshine. Ze was terug van haar stiekeme afspraakje met Ben in LA. Nou, wat die zak ook maar had geprobeerd, het had niet gewerkt. Want ze was nog altijd hier, in levenden lijve. The Cat was inmiddels drie hele uren open.

'Niets zeggen,' zei Luke. 'Je hebt Elvis opgegraven en hem op een stokje geprikt, en nu staat hij door elektrodes te dansen op zijn *Greatest Hits*.'

'Wel een leuk idee,' antwoordde Sunshine zonder te glimlachen. 'Zal best werken, denk ik.'

'Ja,' verzuchtte Luke. 'We zijn vet de Sjaak.'

Hij haatte feestjes. Alle cash en lekkere wijven van de wereld konden zijn herinnering aan de feestjes toen hij dertien was niet uitwissen. Toen hij puisterig en slungelig was, net een kruising tussen een luipaard en een giraffe. Alle feestjes waar hij toen heen ging waren klote, omdat alle mooie meisjes hem links lieten liggen. Toen hij een jaar of zeventien was, maakte hij een grote transformatie door: hij werd lang, zijn huid was helemaal schoon, en hij had een prima figuur, maar het was al te laat. Hij voelde zich lelijk vanbinnen en, nou ja... ijskoud. Hij kon inmiddels iedereen krijgen, maar die meisjes waren voor hem niet meer dan buitenkant, vel; alles voelde vervangbaar. Het was net of je een Big Mac at: als je klaar was, gooide je het doosje in de vuilnisbak. Het enige waar hij voor warmliep was macht. Iedereen verslaan, kunnen neerkijken op mensen, hen op de kop kunnen spugen.

Hij kauwde op een stuk feta van zijn Griekse salade. Het smaakte naar plastic. De Italiaanse kok van The Medici maakte een ragout van wild zwijn waar je een moord voor deed. Maar voor zijn vegetarische schotels, nou, nee. Luke was al twee weken op dieet, op doktersvoorschrift ('dieet of de dood') en hij zou waarschijnlijk nog eerder sterven van verveling.

Sunshine stak een sigaret op met een snelle, felle beweging. Zij was een flits van niet te onderdrukken energie, altijd in beweging. Luke had haar best aan zijn pik willen rijgen (puur uit gewoonte) maar van de gouden kip bleef je af.

'Meneer Castillo,' zei ze, en de moed zakte hem in de schoenen. 'Het was heel bijzonder om voor u te werken. U hebt een risico genomen met mij, en ik heb me aan de afspraken gehouden. We hebben elkaar heel veel geld opgeleverd. Ik heb altijd al aanbiedingen gekregen, en die heb ik altijd afgewezen, hoe lucratief ze ook waren. Maar het aanbod dat ze me nu hebben gedaan – ik neem aan dat u daar al van op de hoogte bent – dat is een enorme kans voor mij en dus heb ik besloten erop in te gaan. Het is ook tijd, denk ik.' Ze zweeg even. 'Ik mag graag geloven dat wij elkaar respecteren. Ik hoop dan ook dat ik uw zegen heb. Maar als u die niet kunt geven, begrijp ik dat ook.'

Luke stikte bijna in zijn eten.

Hij kon niet geloven dat zij net deed of het iets zakelijks was... terwijl het zo persoonlijk was! Fuck al dat zakelijke gezeik: bij The Medici was iedereen *zijn vriend.*

Sunshine verliet hem dus niet alleen voor een andere man; ze gaf hem een dolkstoot in de rug.

En dat wist ze maar al te goed. Hij zag een lichte trilling in de hand waarmee ze de peuk vasthield. Ondanks haar grote mond was ze bang, en terecht. Ben Arlington.

De jeugd, getver, wat had Luke er de schurft aan. Hij haatte hun vitaliteit, hun sexy lijven, hun macht, hun stompzinnige zelfvertrouwen en hun onuitputtelijke optimisme, hun gladde huid, hun sprankelende ogen en hun witte tanden. Wat had je aan jeugdigheid, tenzij je hoer was.

'Weg jij,' zei hij. Hij kon geen woord meer uitbrengen, en hij zat als verstijfd. Als hij ook maar een spier zou vertrekken, stond hij niet in voor de gevolgen.

Ze deed haar mond open, maar klapte hem weer dicht en vertrok.

•••••

THE CAT, MIDDERNACHT

Ben

'Hi, Ben.' Terwijl het meisje op haar tenen naast hem ging staan en hem zwoel in de oren fluisterde, herkende hij haar van de billboards. Ze was vast een of andere actrice, of een model. Of een crimineel. 'Als jij en ik nu eens de presidentiële suite gingen bekijken?'

De rode Chinese lantaarns dreven als bubbels door de lucht en terwijl The Big Bear Cat Hotel & Casino zijn deuren voor het eerst opende voor het publiek, schoten de gilletjes van opwinding met elektrische energie door hem heen.

De rijen stonden tot achter de tuinen en het meer, helemaal tot aan de Strip. De maan hing geel in de lucht, als een schijf citroen in een cocktailglas. Er moesten daarbuiten driehonderdduizend mensen staan. Er was nog nooit zoveel hysterie geweest rondom de opening van een nieuw gokpaleis sinds The Mirage haar deuren opende in 1989.

Ben voelde zich schuldig. Zijn ouders wilden niet dat hij bij het familiebedrijf weg zou gaan. En zijn moeder was vastbesloten om een zaak te openen in Macau. Hij vroeg zich af of zij wist dat hij een aanbod had gekregen van de zoon van Arnold Ping, de officieuze heerser van Macau, om een casinohotel te openen op het eiland. Hoewel Ben niet zag hoe dit de ambities van zijn moeder zou dwarsbomen, vermoedde hij dat zij het anders zou zien. Zijn ouders wilden hem als werknemer, niet als concurrent.

Ben besloot dat Sofia het niet wist. Want dan zou ze hem ter plekke hebben gewurgd. Zenuwen lagen waarschijnlijk ten grondslag aan haar vreemde gedrag. Ze was nooit op haar best tijdens een opening.

De lancering van het eerste supercasino in Vegas, bijna twintig jaar geleden, was gedenkwaardig, omdat zijn ouders elkaar toen bijna hadden vermoord. De vijfjarige Ben vond de vulkaan van Steve Wynn prachtig. Net als iedereen. Ondertussen stond Frank te vloeken en te tieren en had Sofia een heel pak pepermuntchocolaatjes weg gekauwd in nog geen acht minuten. Van de stukjes aluminium waarin die verpakt waren had ze scherpe pijltjes gevouwen.

Zijn vaders casino's waren succesvol op de Bahama's en in Atlantic City, maar Vegas had hij nooit weten te veroveren. En nu zag het er dan toch naar uit dat dat eindelijk ging lukken.

Gek dat Ben er niet van kon genieten. De allermooiste vrouwen in Amerika vochten om zijn aandacht maar, mijn god, wat waren ze allemaal saai.

'De presidentiële suite is gereserveerd voor een speler,' zei hij uiteindelijk tegen het meisje.

Hij had de Mooiste Vrouwen van Amerika voorgesteld aan Lulu, zijn personal assistant, en ze hadden hun neus voor haar opgehaald.

Dat irriteerde hem, maar het kon Lulu niet schelen. Terwijl zij hun ogen samenknepen vertelde zij dat ze boodschappen was gaan doen met haar zoontje van anderhalf. 'De jongen achter de kassa was een slome puber. Maar kleine Joe keek hem stralend aan, bleef maar zwaaien en zei: "Hi!" Bij de eerste "Hi" negeerde de jongen hem nog. Bij de tweede mompelde hij "Hi" terug en bij de derde keek hij Joe voor het eerst echt aan, en toen zei hij met een brede glimlach: "Hi!"'

En terwijl de Mooiste Vrouwen van Amerika zich schaapachtig afvroegen wie er zo tegen hen aan liep te kletsen, schoot Ben voor het eerst die avond in de lach. 'Joe is zo'n *slim* ventje! Hij weet dat je uiteindelijk je zin krijgt, als je maar nooit opgeeft.'

Lulu keek hem aan met een blik alsof ze vond dat hij uit zijn nek kletste.

Dat was niet zo, maar een beetje hypocriet was hij wel: hij had het uitgemaakt met Sunshine Beam. Ben zuchtte, proostte met zijn glas tegen dat van Lulu en kuste haar op haar wang. De Mooiste Vrouwen van Amerika bevroren van afschuw. Ben hief zijn glas in de richting van Frank. 'Pa heeft eindelijk wat hij wilde.'

Het was waar. Dit was het grote moment voor zijn vader. Frank leed nog altijd onder zijn misser uit 1984, Bijou, op Fremont Street. Frank zag het wel zitten, een elegante zaak in de sfeer van Monte-Carlo, maar hij was te klein en niemand wist wat *bijou* precies betekende. De zaak hing bomvol kroonluchters van baccaratkristal en er hingen gobelins aan de muren en schilderijen van Van Gogh. De vrouw van Franks rivaal, Luke Castillo, was binnen komen lopen en in lachen uitgebarsten. 'Paarlen voor de zwijnen, Frank,' had ze gekakeld, 'paarlen voor de zwijnen.'

Ben was toen nog niet geboren, anders had hij de miljoenen van zijn vader nog kunnen redden. Vegas had niets op met een piepklein, Europees aandoend casino. Het ging er in Sin City niet om dat je het een paar rijke stinkers naar de zin maakte. Het was een massa-industrie. Ben was in deze stad geboren, maar zijn vader was import.

Enfin, het probleem was nu opgelost, maar het was wel een aderlating geweest.

Niettemin had Frank zich er niet onder laten krijgen en hij had zijn eerst zaak aan de Strip gekocht. De naam was Crash, en uit het dak stak een Concorde die zich in het gebouw leek te boren. Het interieur van het vliegtuig was omgetoverd tot een Japans restaurant, en niemand scheen er een probleem mee te hebben om scheef hangend sushi te eten. De serveersters waren verkleed als supersexy stewardessen en de hoogste suite in het vijfenveertig verdiepingen tellende hotel was precies een mijl hoog. De zaak genoot vijf jaar ongekend succes, tot 11 september 2001.

Uiteindelijk had Frank het vliegtuig laten verwijderen en had hij de zaak verkocht. Zelfs na een enorme donatie aan een goed doel had Frank nog genoeg geld over om iets spectaculairs te bouwen en zijn gevoel voor eigenwaarde op te vijzelen. Ben was bijna flauwgevallen toen Frank het vreselijke idee lanceerde om een blauwe vinvis aan te laten voeren als voornaamste attractie van de nieuwe zaak. Soms was Ben ervan overtuigd dat zijn vaders geestelijke ontwikkeling stil was blijven staan op zijn zevende.

Nog een van de Mooiste Vrouwen van Amerika legde een zachte hand op zijn biceps. 'Zeg,' spinde ze, 'ik hoor dat The Cat eigenlijk *jouw* kitten is?'

Ben had tegen Frank met geen woord gesproken over het concept van The Big Bear Cat tot hij al zijn research had afgerond. The Luxor had moeten inbinden toen een diplomaat bezwaar maakte tegen hun plan om een echte Egyptische mummie naast de roulette neer te zetten. Ben had alle eventuele delicate zaken van tevoren besproken met de Chinese autoriteiten. Pas daarna ging hij met zijn plan naar zijn vader. Net als bij een klein kind, wist Ben, was er maar één manier om Frank af te leiden van zijn onpraktische obsessie, en dat was door er een nog veel aantrekkelijker (en realistischer) speeltje tegenover te stellen. Maar dat was iets tussen hem en Frank, en dat ging verder niemand iets aan.

Ben trok een wenkbrauw op. 'Pa zegt altijd: "Wat van mij is, is van jou."'

Lulu kwam tussenbeide. 'Hé, weet je wat ik heb gehoord?' zei ze, zoals ze altijd deed als ze op een ander onderwerp wilde overstappen en geen tegenspraak duldde. 'Meneer Arlington praat graag over de tijd toen Ben nog zes was. Toen hoorde Ben toevallig dat Frank het met Sofia had over de aanschaf van een stuk land. Ze hadden er een hotel kunnen neerzetten met een schitterend uitzicht op Red Rock, maar Steve Wynn had net het Desert Inn Hotel gekocht en de golfbaan aan de overkant van de straat en al die huizen – je weet wel, om zijn ultieme casinodroom neer te kunnen zetten. Dus wat Frank ook zou bouwen, zou Steve's uitzicht op de bergen verpesten.'

Lulu zweeg en gaf de bril die van haar neus was gezakt een duwtje. En omdat ze graag wilden weten hoe het verderging, kwamen de Mooiste Vrouwen van Amerika met tegenzin dichterbij staan.

'Toen zei de kleine Ben: "Papa, het kost te veel geld en Steve wordt heel boos, dus niet doen!"'

De dames lachten gecharmeerd en vroegen: 'Zijn Frank en Steve goede vrienden?'

'O-o-o-o,' zei Lulu, en ze keek er scheel bij. 'Wat denk je zelf?'

'En Frank en Luke, dan? Frank haat Luke Castillo, toch? Ben, klopt het dat jouw moeder vroeger verkering heeft gehad met Luke?'

Zijn vader haatte Luke Castillo en Luke Castillo haatte zijn vader. In deze stad haatte iedereen elkaar!

Ben grijnsde. 'Nee, hoor, tussen Frank en Luke is het dikke mik. Ze delen...' hij zweeg. 'Nee, dat mag ik niet vertellen. Nou, vooruit. Ze doen samen aan sport. Alleen... hun sport is ballet. Ze hebben privéles. Maar Luke weigert om een roze maillot te dragen. Die van hem is bordeauxrood. Ze...'

Lulu slaakte een gesmoord gilletje. Ja, hij moest ook zijn snater houden.

De waarheid was dat de Mooiste Vrouwen van Amerika hem totaal niet boeiden. De enige die hem iets kon schelen was Sunshine, en die wilde hem niet.

Zij was alles wat deze vrouwen niet waren. Hun scherpe, hoekige schoonheid zonder enige humor of charme was zo leeg. Sunshine was slim, en beeldschoon, en ze was de allerbeste Executive Host in heel Las Vegas, en toch werkte ze nog altijd voor Luke Castillo – en dat was allemaal Bens schuld. Hij had het verpest. Hij had achter Sunshine aan gezeten tot ze eindelijk had ingestemd met een gesprek – en dat had hij verpest.

Een van de Mooiste Vrouwen raakte zijn arm aan. 'Het is hier helemaal te gek! Echt, jullie hebben nergens op bezuinigd. Wat moet je hier draaien om uit de kosten te zijn, twee miljoen per dag of zo? Kan dat eigenlijk wel?'

Ben was een week ervoor naar LA gevlogen om Sunshine te lijmen en haar te smeken voor hen te komen werken. Ze waren in bed geëindigd. Voor hem hield dat in dat een zakelijke overeenkomst nu uitgesloten was.

Dit was een perfecte avond, op haar afwezigheid na.

Ben glimlachte en haalde zijn schouders op. 'Als jij het zegt.'

Hij keek op zijn horloge: een cadeautje van zijn vader. Het was een 18-karaats witgouden Piaget-zakhorloge in de vorm van een casinochip en bezet met 158 diamanten, aan een 18-karaats witgouden ketting. Het was een spuuglelijk ding, en toch was hij erop gesteld, omdat hij het van zijn vader had gekregen. Niettemin bewaarde Ben het in zijn zak.

Frank was op weg naar het podium. Hij zag er... *cool* uit, in zijn jarenzestigpak met zijn paarse das, zijn handelsmerk. De fluorescerend witte tanden waren misschien een cosmetische brug te ver, maar hij was in elk geval heel erg Vegas.

Frank had Ben gevraagd naast hem te komen staan op het podium, maar Ben had voor de eer bedankt. Het laatste waar hij op zat te wachten waren publiekelijke loftuitingen van zijn vader terwijl hij van plan was om bij het bedrijf weg te gaan. Ben zou een nominale band met de zaak houden – het was naïef om te veronderstellen dat het anders kon. De Chinezen hadden het merk nodig – maar in alle andere opzichten zou hij autonoom zijn. Zijn moeder zou door het lint gaan. Het was net zoiets als John Lennon die uit de Beatles stapte. En hij vond het vreselijk om zijn vader pijn te doen.

'O mijn god, het is middernacht,' krijste een van de Mooiste Vrouwen van Amerika. 'Hij gaat speechen. Is het waar dat je vader nu met pensioen gaat? Er ging een gerucht... Heeft hij er al iets over gezegd? En ga jij dan het bedrijf overnemen?'

Het klamme zweet droop van zijn rug bij de gedachte – maar het was een loos gerucht.

'Schatje, ik ben vierentwintig. Ik heb pas net de slaapkamer van mijn zus gekregen.'

Ben was Vice President van Research & Development bij Arlington Corp. Het was een eer, en het was een geweldige ervaring. Maar hij wilde dolgraag onafhankelijk zijn. Het ergste woord dat hij kon bedenken was 'nepotisme'.

Het was niet zijn bedoeling, maar zijn vader had hem de waarde van onafhankelijkheid bijgebracht. Onafhankelijkheid was het mooiste wat je je kind kon geven, veel mooier dan een dikke vette erfenis. Man, tien miljoen dollar, dat sloeg je stuk in één avondje: een paar verkeerde gokjes en elke gek jaagde er in een weekend een fortuin doorheen.

Maar gezond verstand was een geschenk voor de eeuwigheid.

'Ach, kijk, je moeder! Wat is ze mooi! Die jurk, waanzinnig! Dat oranjerood staat haar geweldig en die steentjes erop zijn echt *super* – echt heel Aziatisch. O, mijn god, zijn het diamanten? Kijk nou toch! Ik bedoel, ja, jij bent natuurlijk een meter tachtig, toch, en je bent echt veel langer dan zij, en oké, jij hebt ook echt een heel strak figuur, ik bedoel, je zit natuurlijk veel in de sportschool, of niet? Maar, nou ja, zij is blond en jij bent donker, en misschien hebben jouw ogen een andere kleur – die van haar zijn groen en die van jou blauw – mijn hemel, wat heb jij blauwe ogen – maar, nou ja, die jukbeenderen, jeetje, gewoon twee druppels water!'

Deze MVVA had zich zo klem gezopen dat er geen normaal woord meer uit kwam, maar ze had gelijk: Sofia zag er adembenemend uit. Haar blonde haar zat in een strenge, maar elegante wrong, die haar fijne gezichtje mooi deed uitkomen. Toch vond Ben dat ze wel ziek leek. Ze had weleens gezegd dat Vegas haar nog zwaarder op de maag lag dan rode pepers. Ze was beledigd door de weigering van de stad om voor haar op de knieën te vallen. Maar nu lag haar dominantie binnen handbereik, dus waarom zag zijn moeder er zo geagiteerd uit? En waarom had ze hem en Ariel haar kantoor in gesleurd voor die *le'chaim*-bullshit?

Daar had je zijn zusje, die verlegen het trapje op liep met Frank. Frank, die voor een eerbiedige menigte stond, legde zijn vinger tegen zijn lippen, en onmiddellijk werd het stil.

Frank nam het woord.

Iedereen was heel hartelijk welkom in The Cat, het nieuwste en spannendste lid van de familie, want hij zag zijn casino's – in Vegas, Atlantic City en de Bahama's – en alle mensen die er speelden als zijn familie, en zijn familie was voor hem het allerbelangrijkste op de hele wereld. Daarom wilde hij zijn geluk niet alleen delen met u, zijn klanten, maar ook met zijn zoon en dochter – en uiteraard met zijn vrouw. Dus Ariel, lieve schat, dit is voor jou, om je te bedanken voor alles wat je hebt gedaan om van The Cat iets heel bijzonders te maken...

Ben keek toe terwijl zijn vader een zilveren sleutel tevoorschijn haalde en die zijn dochter in de hand drukte. Aha, hij wist meteen wat het betekende. Pa had een huis voor Ariel gekocht. Hoewel dat volgens Ben niet precies was waar Ariel op had gehoopt. Ze was met stomheid geslagen – maar niet van blijdschap.

Ben zuchtte.

Frank glimlachte en praatte door.

Zijn geliefde zoon had zo'n belangrijke bijdrage geleverd aan deze fantastische nieuwe zaak, tevens het eerste Reuzenpandapark in Nevada – god, wat ben ik toch gek op die beestjes, die grote harige jongens! Wat een geschenk voor deze stad, en wat een eer dat wij een bijdrage mogen leveren aan het voortbestaan van zulke prachtige dieren. Maar, dames en heren, als ik eerlijk ben was het Bens idee [*verwoed applaus, luid gejoel*] ook al wilde hij dat ik de eer zou opstrijken. [*Aaaah!*] Maar ere wie ere toekomt. Ik ben zo onder de indruk van zijn bescheidenheid, zijn niet-aflatende inzet en toewijding, en het feit dat hij weigert om ook maar een cent aan te nemen die hij niet heeft verdiend, dat ik hem maar gewoon de kans geef te laten zien wat hij nog meer in zijn mars heeft. Ik zou graag van deze gelegenheid gebruikmaken om hem officieel te benoemen, als dat tenminste is wat ze doen in deze serieuze grotemensenbusiness [*lachen*], tot de nieuwe Senior Vice President van de Arlington Corp. – mijn enige zoon, Benjamin Franklin Arlington!

Dat had hij niet verwacht. Het was professioneel gezien een compliment, maar privé was het een ramp. Nu werd het nog moeilijker om ontslag te nemen. *Shit.*

'Van harte, meneer de Senior Vice President,' zei een zwoele stem naast hem. De toon was droog sarcastisch, wat atypisch was voor een van de Beautiful Women of America; Ben keek de eigenaresse van de stem verbaasd aan.

Sunshine Beam, de meest gewilde superhostess in Las Vegas, keek hem grijnzend aan. 'Je hebt mazzel dat ik mezelf zo hoog heb zitten. Al dat geklets over hoe The Cat het beste hotel van de stad wordt – dat kon gewoon niet, tenzij jullie *mij* hadden. Dus heb ik ontslag genomen bij The Medici. Ik ben weggegaan bij Luke Castillo – voor *jullie*. Nu zijn jullie verplicht mij in dienst te nemen.'

Hij glimlachte breed, pakte haar hand en kuste die. Hij was zich vaag bewust van Lulu en een groepje Beautiful Women die zich terugtrokken in de schaduw. Iedereen begon te klappen.

En op dat moment hoorde Ben een schril geluid dwars door het applaus heen. Het duurde even voor het tot hem doordrong dat het een menselijk geluid was. Hij keek de kant op waar het vandaan kwam en zijn ogen werden groot van ontzetting. Ariel, zijn lieve kleine grote zus, had haar klauwen uitgeslagen naar haar vaders gezicht, en ze gilde van woede.

• • • • •

THE MEDICI, VLAK NA MIDDERNACHT

Luke

Luke stond op en smeet een presse-papier door een raam.

Hij drukte op een knopje op zijn bureau. 'Josie-Jo,' zei hij hijgend, 'er moet hier een raam worden gerepareerd.'

'Ja, meneer,' antwoordde zijn rondborstige ondersecretaresse (een titel die hij zelf had bedacht en die hij zelf heel geestig vond). Josie-Jo was gewend aan gebroken ramen en ze had het nummer van de glazenmaker onder de sneltoetsen.

Toen liep hij zijn werkkamer in en ging op de bank liggen. Hij bleef een uur liggen zuchten en steunen. Vervolgens belde hij nog eens naar Josie-Jo en zei: 'Ik heb antwoorden nodig.'

'Ja, meneer.'

'Wat heb je aan, Josie-Jo?'

Haar hoge piepstem schoot nog verder de hoogte in van opwinding. 'Ik heb echt een onwijs kort strak rokje aan en...'

'Binnenkomen, jij.'

Na afloop lag hij op de bank en sloeg hij een paar pijnstillers achterover. Hij zette de televisie aan om hem meteen weer uit te doen. Dat amechtige gezanik over het nieuwste bedrijf van Arlington was wanstaltig. Al die beelden van die *fucking* panda's: had die kerel nou een casino of een dierentuin?

Franks energie was onuitputtelijk; altijd organiseerde hij wel een bal, of een wedstrijd of een race voor het Nevada Cancer Institute of voor de wilde ezels of voor een of andere kinderspeeltuin. Luke liep ook altijd wel ergens baby's te zoenen en cheques uit te schrijven, maar de gehele scouting kon nog een puntje aan Frank zuigen wat gemeenschapszin betrof.

Luke gaf geen moer om zijn imago. Hij wist wie hij was, en dat was hem genoeg. Zolang hij maar geld verdiende voor zichzelf en voor zijn investeerders kon de rest van de wereld de pot op. Het probleem was alleen dat Frank het ook niet voor zijn imago deed – hij vond dat soort dingen echt leuk. Dat was toch niet normaal?

Een van de scènes van vanavond waar hij doodziek van werd, waren de beelden van Ben Arlington die grappen stond te maken met Matt Damon. Je kon er gif op innemen dat Matt Damon de presidentiële suite kreeg als hij zijn neus liet zien. Matt Damon! Matt Damon was geen serieuze gokker, dat was gewoon een man met een gezinnetje! Die kon wat hem betrof netjes in de rij staan bij de rest van de mensen.

Luke zweette zich een ongeluk en hij haatte het als hij zweette. Hij was geobsedeerd met niet zweten. Zweten was voor toeristen. Hij wilde net Josie-Jo oppiepen en haar de airco hoger laten zetten en hem een schoon shirt te brengen, toen hij haar piepstem over de intercom hoorde. Ze klonk pissig.

'Meneer, er is hier een jongedame die u wil spreken.'

Luke fronste. Had hij een meisje besteld? Hij haalde zijn schouders op. 'Laat maar binnenkomen.'

Hij ging rechtop zitten. De deur ging open en er kwam een lange blonde griet binnenschrijden, met een soort glittersjaal om haar tieten gebonden en stilettohakken met linten rond haar enkels. Haar haar was een warboel en haar mascara was uitgelopen. Of het was een hoer die niet wist dat hoeren zich tegenwoordig niet meer zo kleedden, of ze was een tot nog toe onbekend lid van de band Kiss.

Luke keek wat beter en was ineens bang dat hij ter plekke een hartverzakking kreeg. Hij stond vlug op en het lukte hem niet zijn enorme haaiengrijns te onderdrukken.

Ariel Arlington trok een wenkbrauw op en stak haar neus in de lucht. 'Dag, meneer Castillo. Ik zou graag een sollicitatiegesprek met u willen.'

• • • • •

ERGENS IN DE BUURT VAN HET MEER VAN GENÈVE, ZWITSERLAND, TWEE DAGEN LATER, 28 JANUARI 2009

Bessie

Bessie wimpelde de masseuse af en keek door het gangpad van de Hawker. Sofia Arlington zat ineengedoken in haar stoel van crèmekleurig leer op haar gemanicuurde nagels te bijten. Ze was bang, en dat was mooi. Bessie voelde zich kalm en ze had alles onder controle. Gek dat ze zo lang in angst had geleefd. Nu was Sofia gedwongen om naar *haar* pijpen te dansen.

Het had Bessie verbluffend weinig tijd gekost om achter de identiteit van de anonieme persoon te komen die, vijfentwintig jaar geleden, haar de deal had aangeboden die haar hele leven veranderde. Bessie had een privédetective ingehuurd met een uitstekende reputatie en hij bleek zeer efficiënt te werk te gaan. Maar toen ze het eenmaal wist, had het Bessie nog zes jaar gekost om de moed bijeen te rapen om Sofia te benaderen en haar te zeggen dat zij er genoeg van had.

Maar Bessie had zich voor niets zorgen gemaakt! Want Sofia was in paniek. Het was een fantastisch gevoel om macht te hebben, of op zijn minst respect af te dwingen.

Misschien zou het moreel gezien beter zijn geweest om al Sofia's omkooppogingen af te wijzen, dacht Bessie terwijl ze haar Kir Royal achteroversloeg. Maar Bessie miste het goede leven; als je een gratis vlucht in een privévliegtuig aangeboden kreeg, zei je uiteraard geen nee! Als er iemand wat verwennerij verdiende, was zij het wel.

Ze landde een paar minuten later op een particulier vliegveld; het was net een sprookjeswereld, met al die twinkelende lichtjes in het donker. Sofia's mannelijke bediende, een lange, magere man in een zwart pak, hielp haar het vliegtuig uit. Het was ijskoud; zo koud dat de lucht pijn deed aan haar keel. Ze voelde zich gedesoriënteerd, maar ze was toch in een jubelstemming. Las Vegas was heel, heel ver weg. Een grijze Bentley stond op het spiegelgladde asfalt te wachten. Bessie streek haar rok glad – nieuw, zoals alles. Sofia's bediende had een volledig nieuwe garderobe uit de winkels van The Cat bijeen gegrist en ze ging nu gekleed in Gucci en Prada; fijn dat jullie er weer zijn, oude vrienden!

'Kun je skiën?' mompelde Sofia terwijl ze de deur openhield voor Bessie. 'De spa bevindt zich aan de voet van de pistes.'

Bessie schudde haar hoofd afwijzend terwijl de motor geluidloos startte. Vanbinnen moest ze lachen. Laat Sofia maar proberen haar klein te krijgen met al die verwennerij. Haar dreigementen hadden niet gewerkt, en dit zou ook nergens toe leiden. Bessie zou heerlijk de hele week in de spa van het hotel luieren, op Sofia's kosten, en toekijken hoe die peentjes zweette. En aan het eind van de trip zouden ze teruggaan naar Las Vegas, waar haar ongetwijfeld een nieuwe, verbijsterende omkoopsom met zeven nullen zou worden voorgehouden. Die zou ze accepteren. En vervolgens zou ze linea recta naar Frank Arlington gaan met het bewijs tegen zijn vrouw. Sommige dingen waren nu eenmaal meer waard dan geld en normen, en het was jammer, vond Bessie, dat het haar zo veel tijd had gekost om daar achter te komen.

De Bentley rolde langzaam over het onberispelijke terrein dat helemaal ondergesneeuwd was. Bessie zuchtte bij de aanblik van de besneeuwde dennen. Hier was het eeuwig kerst. Het spahotel, het Mont Blanc Hotel, was een streng, wit, symmetrisch gebouw; het gedimde licht uit de ramen was te zacht om de donkere avond te doorbreken.

'Ik hoop dat ze een fatsoenlijke kok hebben,' zei ze tegen Sofia. 'Ik heb de pest aan dat gezonde konijnenvoer, en aan hotelkeukens die 's nachts dichtgaan.'

Sofia glimlachte. 'Bessie,' zei ze, 'jij bent hun gast en ze geven je wat je maar wilt. Daar heb je de manager al.'

Een lange, gebronsde man in een elegant pak kwam op de auto af lopen. Hij had een boeket witte rozen bij zich. Sofia gleed de wagen uit en gebaarde Bessie dat die hetzelfde moest doen. Bessie huiverde in de ijzige avondlucht. Ze hoopte dat Sofia niet dacht dat die rozen voor *haar* waren.

'Dr. Erich,' kirde Sofia. 'Dit is Bessie Edwards. Ik weet zeker dat u ervoor gaat zorgen dat zij zich hier welkom voelt.'

Bessie knipperde met haar wimpers. Hij was belachelijk knap. Zijn haar was dik en had hier en daar wat grijs, en zat perfect in model. Zijn donkere ogen keken omlaag naar haar, en zijn smalle lippen vormden een glimlach. 'Mevrouw Edwards,' zei hij. 'Het is mij een genoegen uw gastheer te mogen zijn.' Galant gaf hij haar een handkus en hij duwde de bloemen onder haar neus. 'Ze hebben een bedwelmend parfum,' mompelde hij. En zijn blik zei: 'Net als u.'

Ze rook aan de bloemen om hem ter wille te zijn. Meteen voelde ze zich licht in het hoofd. 'Help me,' zei ze ademloos voor ze viel. De man stapte naar voren en ving haar op.

'Hoe *durf* je,' zei Sofia in haar oor terwijl alles zwart werd. Het laatste wat Bessie zag waren witte rozen, vertrapt en gebroken in de smeltende sneeuw.

• • • • •

MONT BLANC SANATORIUM EN RESEARCHCENTRUM, MEER VAN GENÈVE, ZWITSERLAND, 2 FEBRUARI 2009

Gisèle

Gisèle voelde een golf van trots toen ze deur openhield voor het nieuwe meisje. 'Het beste advies is om heel goed te letten op het gedrag van de patiënten, vooral die op de psychiatrische afdeling, want dan heb je altijd iets zinnigs te zeggen – al is het maar dat er eentje te veel dekens heeft!' Ze glimlachte om aan te geven dat dat maar een geintje was, en voegde eraan toe: 'Iedereen is een beetje gespannen voor zijn eerste teamvergadering, dus wees maar niet bezorgd als je deze week niets bij te dragen hebt.'

Adelheid staarde Gisèle aan. 'Ik ben niet gespannen,' antwoordde ze.

Ze had wel een beetje te veel zelfvertrouwen voor iemand die hier nog maar twee weken werkte. Het irriteerde Gisèle. Nou, ze zou haar weleens op haar nummer zetten. Ze ging op de stoel zitten die het dichtst bij Erichs bureau stond. Toen hij binnen kwam slenteren maakte haar hart een sprongetje.

Hij schonk haar een glimlach. 'Goedemorgen, allemaal. Ah, dank je, Juliana.'

Iedereen had voor zichzelf koffie meegenomen in een plastic bekertje, maar Dr. Erich kreeg koffie van zijn secretaresse in een porseleinen kopje. De vergadering begon met een lange speech van de hoofdverpleegkundige, maar Gisèle hoorde nauwelijks wat er werd gezegd omdat ze zelf zo graag het woord wilde. Eindelijk was het moment daar.

'Dr. Erich, ik zag dat een van de patiënten op psychiatrie, Bessie Edwards, barbituraten en antipsychotica krijgt toegediend, en gezien het risico van bijwerkingen vroeg ik me af of het misschien verstandig was haar dosering te verlagen. Hij is wel erg hoog momenteel.'

'Zuster,' zei Dr. Erich. Hij leek geamuseerd. 'Hebt u het nu over de patiënt die wij gisteren moesten vastbinden en sederen?'

'Ja, Dr. Erich, maar ziet u, toen was daar alle reden toe. Ik heb gesproken met een van de broeders die haar naar de isoleer hebben gebracht en hij zei dat ze toen lucide was. Ze was niet aan het raaskallen, kennelijk, en ze...'

'Dank u, zuster. Ik zal ernaar kijken.'

Hij was kortaf. Ze was bijna in tranen. De vergadering werd afgerond en ze stond op.

'Wilt u even wachten, zuster,' zei Dr. Erich.

Ze bestierf het. De hoofdverpleegkundige was de laatste die het kantoor uit liep. Hun blikken vingen elkaar kort en Gisèle voelde haar stilzwijgende reprimande.

Dr. Erich liep met snelle passen door de kamer en kwam zo dicht langs haar dat ze de muskachtige geur van zijn dure aftershave kon ruiken. Hij nam plaats op zijn stoel en zwaaide zijn voeten op het bureau.

'Zuster,' zei hij. 'Ik bewonder uw oog voor details. Bessie is alleen een complex geval.' Hij glimlachte. 'U bent nu, hoelang, een jaar of drie gediplomeerd?'

Ze knikte.

Hij glimlachte. 'De hoofdverpleegkundige en ikzelf zorgen voor Bessie. Haar medicatie wordt zorgvuldig en voortdurend bekeken en is al eens aangepast, maar deze voortdurende evaluatie is een vaardigheid die ik mij gedurende enige tientallen jaren eigen heb gemaakt. Ik waardeer uw zorg, echt.' Hij zweeg. 'Er zijn twee patiënten, ook op Psychiatrie, die een minder veeleisende pathologie hebben, en ik denk dat het een waardevolle oefening voor u zal zijn om hun medicatie in de gaten te houden en al uw gedachten en suggesties daaromtrent aan mij te rapporteren. Zou u dat leuk vinden, zuster?'

Gisèle kon de brede glimlach die zich over haar gezicht verspreidde niet tegenhouden. 'O *ja*, dokter,' riep ze. 'Dat zou ik geweldig vinden.'

'Uitstekend,' zei hij. 'Dan nemen we samen na uw dienst uw aantekeningen door.' Hij wierp een blik op zijn horloge. 'Ik zie u hier weer om acht uur vanavond.'

De rest van de dag bracht ze door in een staat van verrukking. Ze zag dat zowel de hoofdverpleegkundige als het nieuwe meisje haar achterdochtig bekeek toen ze terugkwam uit zijn kantoor, dus deed ze haar best niet al te gelukzalig te kijken. Maar om kwart voor acht poetste en floste ze haar tanden en bracht ze wat lippenstift aan.

Om tien voor acht stond ze voor zijn kantoor. Zijn secretaresse was al naar huis. Ze was te gretig, ze wilde te graag. Ze wilde net weer weglopen toen ze zijn stem hoorde, luid en hard. 'U hebt gevraagd om haar permanent uit de weg te ruimen – dat heb ik gefaciliteerd. Eén komma vijf is *redelijk*. Ik had ook om twee kunnen vragen. Dank u. Oké. Dank u!'

Gisèles gezicht werd warm. Ze sloop weg, ook al was het waarschijnlijk niets en begreep ze zijn woorden verkeerd. Maar ze wist dat hij haar zou haten als ze zijn privégesprek had afgeluisterd. Ze bleef een minuut of vijf aan het andere eind van de gang rondhangen en marcheerde toen hoorbaar richting zijn kantoor, waar ze aanklopte.

Dr. Erich deed de deur open. Hij had zijn das afgedaan en de knoopjes van zijn overhemd waren losgeknoopt. Hij staarde haar aan en haar gezicht betrok. Hij was haar vergeten!

'Het spijt me, dokter,' stamelde ze. 'Maar u had voorgesteld dat we mijn aantekeningen over de patiënten zouden bespreken. Ik kan later terugkomen als u...'

'Niet nodig,' zei hij. Hij gebaarde haar binnen te komen. Terwijl hij de deur dichtdeed, liet hij een hand op haar schouder rusten.

Gisèle schrok.

'Het spijt me, zuster, het was niet mijn bedoeling om...'

'Nee, nee,' zei ze, en ze draaide zich om en keek hem aan. Hij deed geen stap naar achteren. 'Het is alleen... ik...'

Hij boog zich naar haar toe en kuste haar. Ze drukte haar lichaam tegen het zijne en kirde van verlangen. Hij trok zich meteen terug. 'Gisèle, vergeef me alsjeblieft,' zei hij zachtjes.

Ze staarde hem wanhopig aan. 'Dokter,' fluisterde ze.

Met een teder gebaar trok hij haar revers recht. 'We moeten onze notities er maar eens bij pakken.'

Haar koketheid maskeerde haar wanhoop terwijl ze zijn hand naar haar borst leidde. Hij kreunde. Terwijl ze stonden te kussen, zette ze de gedachte aan zijn telefoongesprek van zich af. Haar handen dwaalden omlaag, maar hij mompelde: 'Ik ben er nog niet klaar voor.'

Ik ben er nog niet klaar voor.

Hij was verliefd op haar. Dat was wel duidelijk.

MONT BLANC SANATORIUM, 3 FEBRUARI 2009

Bessie

Bessie lag als een onbeweeglijke hoop op bed. *Sukkel*, dacht ze voor haar gedachten in een grijze mist oplosten. Ze kon alleen nog maar met een dubbele tong praten, en ook al wist ze dat slechte mensen haar tegen haar zin vasthielden, ze kon dat tegen niemand zeggen. Als ze probeerde te praten tegen een verpleegkundige, leek haar tong haar hele mond te vullen en barstte ze in lachen uit. De medicijnen weigeren was onmogelijk. Die klootzak, die heel knappe, duwde de pillen in haar keel als zij er te lang over deed.

Dikke tranen biggelden op het matras als ze aan hem dacht. En denken viel niet mee. Ze was zo ontzettend moe. Ergens ging een deur open met een klik. Er doemde een lachend gezicht op. 'Hallo,' zei een stem zonder lichaam. 'O jee, niet zo verdrietig zijn, Bessie. Je zult zien, je bent zo weer de oude.'

Jij weet niet wat hier werkelijk aan de hand is, wilde Bessie zeggen, maar haar dikke tong kon de woorden niet vormen. En trouwens, ze wist zelf nauwelijks wat er aan de hand was. Wat was er eigenlijk aan de hand? Ze probeerde het meisje bij de arm te pakken. Toen voelde ze hoe het kind haar warme hand om de hare legde.

'Ik ben Gisèle,' zei het meisje, en ze keek haar recht in de ogen. Bessie zag iets wazigs en ze knipperde met haar ogen. Het was moeilijk om niet toe te geven aan de warme wattigheid, maar ze verzette zich, en probeerde de hand van het meisje vast te grijpen ook al weigerden haar spieren dienst.

De stem van het meisje deed haar denken aan mensen uit haar jeugd. Dit meisje zou haar vriendin worden. Zij zou haar helpen om hier weg te komen, om terug te kunnen gaan. Maar waar moest ze ook weer naar terug? Haar hersens waren net een bord pap. 'Help me,' fluisterde Bessie.

Het meisje gaf een klopje op haar hand. 'Natuurlijk help ik je, Bessie, maak je maar geen zorgen.' Het meisje ging aan het voeteneind van het bed staan. Bessie hoorde hoe een klembord aan een haakje werd gehangen en toen zei het meisje: 'O jee. Geen wonder.'

De woorden versmolten met elkaar en dansten tot Bessie er helemaal niets meer van begreep, maar toch maakte haar hart een sprongetje. Dit meisje deugde. Er klonk weer een klik, en ze voelde lucht stromen. Bessie huiverde. Zijn aftershave sloeg haar als chloroform op de longen, zelfs nog voor hij de kamer binnen kwam.

'Dag, zuster,' zei de man. 'En, gedragen we ons netjes vandaag?'

Het meisje giechelde, en de haren in Bessie's nek gingen overeind staan. Ze sloot haar ogen en deed alsof ze sliep. Door haar zware oogleden keek ze toe. De man kwam achter het meisje staan, alsof hij ook naar haar aantekeningen wilde kijken. Ze zag hoe ze haar lichaam tegen het zijne drukte, en ze zag hoe zijn hand over haar borst streek terwijl hij het klembord van haar overnam. Ze hoorde het meisje zuchten.

Bessie zuchtte ook. Haar vriendin was ingelijfd door de vijand, dus ze had niets aan haar. Ze had geen enkele vechtlust meer. En het viel haar zwaar zich überhaupt te herinneren waar ze ook weer voor wilde vechten – of waartegen. Ze deed haar ogen dicht en met een droeve overgave liet ze zich wegvoeren door de medicijnen.

• • • • •

DE PRESIDENTIËLE SUITE, THE CAT, TWEE WEKEN NA DE OFFICIËLE OPENING, 5 FEBRUARI 2009

Sofia

Terwijl de journalist voorzichtig van zijn mineraalwater nipte, voelde Sofia een steek van ergernis dat hij er niet voor betaalde. De man was sterk kalend en zijn huid had de kleur van een lijk. Hij hoorde in een kleurloos kantoor thuis, met binnen tl-verlichting en buiten altijd regen. Zijn nogal dikke kont was in een stoeltje van rood sandelhout geperst waarin bloemen en bomen waren gegraveerd. Het stoeltje stamde uit de Ming-dynastie. Verder werd hij omringd door driehonderd jaar oude landschappen van Wang Hui. Hij hoorde hier totaal niet thuis.

Maar ja, men moest de pers nu eenmaal te vriend houden, anders sabelden ze je neer, en Sofia had een uur uitgetrokken om dit schepsel met veel glitter en glamour op zijn knieën te krijgen. 'O,' zei ze olijk, 'wat hebt u een mazzel dat u in Londen woont. In Amerika is gewoon nergens zulke goede chocola en zulke lekkere thee te krijgen als bij jullie! Wij willen Green & Blacks gaan importeren, en PG Tips, zogenaamd om onze Britse gasten te behagen – maar eigenlijk is het gewoon voor *mij*!'

De man krabbelde alles gedwee op, en Sofia liep langzaam naar het enorme raam en staarde naar de Tiger Beach pool, die was afgezet met roodfluwelen koorden, omdat het een exclusief *adults only* zwembad was.

Het bad had een keurige, symmetrische vorm, drie perfect aansluitende blauwe bollen, omringd door een weelderige barrière van roze struiken en bloemen, en vanaf haar hooggelegen plek leken haar klanten op kleine bruine mieren. Je kon nauwelijks geloven dat het leven van die mensen ertoe deed, als je ze van zo'n hoogte bekeek.

Tiger Beach was waanzinnig. Je stond er te trillen van de hiphopbeats, dus je ingewanden dansten mee, of ze nu wilden of niet. De kekke lagunes met hun zandstrandjes en elegante watervallen waren schitterend versierd door jonge, mooie mensen. Allemaal genotzoekers, en genot, dat kon zij hun leveren. De hele dag door stonden ze te dansen en te flirten, en lagen ze te luieren op de zonnebedjes, waar ze strawberry margarita's dronken en Belvedere cosmopolitans en waar ze pronkten met hun bruine lijven.

Sofia voelde zich als een poppenspeler.

Ze was gek op Las Vegas, maar nu moest ze er weg.

Het *klopte* niet.

Frank had eindelijk veel succes en dat had hij voor een groot deel aan haar harde werken te danken. Er ging niets boven de kick die het gaf om zo'n machtig, belangrijk bedrijf te leiden. Als je het had gemaakt in Las Vegas, had je de allerleukste baan ter wereld; dan werd je *vereerd*.

En nu stond dit allemaal op het spel.

Als de wereld naar de ratsmodee ging, zou ze daar nog wel raad op weten. Dat was maar iets tijdelijks. Zij en Frank hadden geluk. Zij waren nooit hebberig geworden. Wat hun privékapitaal betrof zaten ze nu aan hun laatste miljard – maar dat was geen drama. Als Sofia, toen ze nog klein was, weleens wat eten op haar bord liet liggen, zei haar moeder altijd: 'Jouw ogen zijn groter dan je maag.' Nu was ze haar moeder dankbaar dat ze haar op dat soort inhaligheid had gewezen. Sofia en Frank hadden vier bedrijven, geen tien. Hun aandelenkoersen waren zeventig procent gedaald, maar in dit klimaat was dat goed. Las Vegas Shores was wel negentig procent gezakt. Wall Street had alle vertrouwen in de Arlingtons. De rente die ze over hun schuld moesten betalen was te doen: 150 miljoen dollar, schoon aan de haak. Frank had nog een nieuw percentage weten te bedingen vlak voor de crash. Hij was heel slim in dat soort dingen.

Nee. De angst die haar hersens pijnigde had niets met geld te maken. Waar ze bang voor was, was dat haar hele *leven* te gronde zou worden gericht.

Ze had alle mogelijke voorzorgsmaatregelen getroffen en toch nam ze een groot risico met elke seconde die ze nog in Las Vegas bleef.

Om na vijfentwintig jaar weer met Bessie te worden geconfronteerd was de meest beangstigende situatie waarin Sofia zich ooit had bevonden. Ze beleefde dat afgrijselijke moment steeds maar weer, en de paniek overspoelde haar met golven klam zweet. Ze werd er menselijk van; ze vond het afschuwelijk.

Maar ook al verachtte ze zichzelf om haar zwakte, toch ging ze terug in het verleden om na te gaan waar ze steken had laten vallen.

Er was twaalf jaar geleden indirect contact geweest. Bessie was indiscreet geweest op een manier die het geheime pact in gevaar bracht. In paniek had die stomme koe contact opgenomen met de advocaat. Sterling en zijn mannen hadden het probleem afgehandeld, maar het was een genadeloze, akelige oplossing, en dat mens had toen al haar lesje moeten leren.

Sofia had geen idee hoe Bessie achter haar identiteit was gekomen. Ze hadden elkaar maar één keer ontmoet, in Dubai, heel kort, iets meer dan vijfentwintig jaar geleden, en Bessie was bij die gelegenheid stomdronken geweest. Op basis van die ene toevallige ontmoeting had Sofia haar uitgekozen. Bessie's omstandigheden maakten haar de ideale kandidaat voor haar voorstel.

En toch was het eerste contact voor hun overeenkomst pas twee maanden na die ontmoeting in Dubai gelegd, toen Bessie's van alcohol vergeven brein waarschijnlijk allang dat korte gesprekje met een vrouw in een bar was vergeten. Bessie zou er met geen mogelijkheid achter kunnen komen dat Sofia degene was die het pact had ontworpen, want alle volgende contacten en afspraken werden via een tussenpersoon geregeld. Zou het kunnen dat iemand haar op het spoor had gezet...?

Enfin. Het was nu allemaal geregeld.

Sofia haatte het om cruciale beslissingen onder druk te moeten nemen, maar ze had een en ander met Sterling besproken en ze was er vrijwel zeker van dat ze het goed had aangepakt.

Dat mens zat inmiddels in een gesloten psychiatrische kliniek in Zwitserland. Sofia had haar daar twee dagen na de officiële opening van The Cat met haar nieuwe Hawker Jet van vijf miljoen dollar naartoe gebracht. Sofia was in haar nopjes met die nieuwe jet. Ze had het interieur de kleur laten geven van de vacht van haar favoriete golden retriever, Snoop. Ze had tegen Bessie gezegd dat ze zich als beschaafde mensen moesten gedragen; dat ze hun grieven maar eens moesten bespreken in de privéspa. Sofia's lip krulde op; alsof een *man* zich ook door het idee van een *spa* zou laten ompraten! Sofia had een persoonlijke band met de chef de clinique – althans, met zijn bankrekening.

Na een maand intensieve elektroshocktherapie zou het mens geen bedreiging meer vormen. Elektroshocktherapie had als voordeel dat het het kortetermijngeheugen beschadigde. Wat had ze ook alweer gezegd in de verhoorruimte? *Ik heb het gevoel alsof ik mijn hele leven ben misgelopen.*

Ach, kom nou toch!

Elektroshocktherapie was niet bedoeld om de boel weer op een rijtje te krijgen, maar het wiste alle ellende waar je over liep te zaniken; het was een soort herstart, alsof je brein een haperende computer was.

Daarbij zou de chef de clinique Bessie op een cocktail van medicijnen zetten waardoor ze een toontje lager zou zingen. Een dagelijkse dosis van 60 mg citalopram met 25 mg diazepam zou alle laatste restjes herinnering opvegen die de elektroshocktherapie niet had meegepakt.

En dan zou Sofia eindelijk vrij zijn. Sofia geloofde niets van Bessie's zielige praatjes. Haar gejammer en haar dreigementen kwamen niet voort uit werkelijke emotie, maar uit verveling en uit drankzucht.

Sofia had nog niets besloten over het uiteindelijke lot van Bessie. Misschien kon ze tot haar dood in de kliniek blijven, blij als een lammetje in haar medicinale roes. Het was een heel dure kliniek, met frisse, witgeverfde muren en mooie zustertjes in smetteloze uniformen. Ze had geluk; Sofia gaf haar de kans om terug te keren naar een kinderlijke staat, een staat waarin ze geen enkele verantwoordelijkheid had, geen zorgen, geen angsten.

Er was nog een andere optie, maar daar wilde Sofia liever niet aan. Haar vermoorden was gewoon lui. Sofia had nog maar één keer iemand laten vermoorden, en dat had haar nooit lekker gezeten.

Sofia's pieper ging en ze schrok op. 'Ja?'

'Ik kom naar boven, liefje. Dus als je daar jongemannen hebt, verstop die dan maar vast in de kast.'

Sofia moest lachen. 'Schatje, ik rond net het interview af. *The Times*. Dat is een Britse krant. Een moment, graag,' zei ze tegen de journalist, en vervolgens liep ze naar de hal van de suite om haar echtgenoot te begroeten.

Ze had een kantoor naast de massageruimte. Sterling zat aan een bureau te praten achter geluiddicht glas. Buiten, bij de receptie, stond een kleine menigte op audiëntie te wachten, waaronder haar kapster, de chef-kok, een designer, een astronaut (de huid van zijn gezicht hing als die van een bloedhond van zijn wangen als gevolg van al die g-krachten), een opperrabbijn, en de president van het Wereldnatuurfonds.

Ze had de journalist nu lang genoeg laten wachten, dus hij zou al hun namen inmiddels wel hebben nagevraagd.

'Krystal,' zei ze tegen Sterlings junior secretaresse, een schatje van eenentwintig met een zonnig karakter en een verrukkelijk decolleté dat al haar geestelijke gebreken ruimschoots goedmaakte. 'Deze mensen moeten nog een uurtje zoet gehouden worden. Praat maar even met Gloria-Beth.'

Krystal glimlachte en zei: 'Ja, mevrouw', en huppelde weg, op zoek naar Gloria-Beth, Sterlings senior secretaresse, die zo ontzettend veel haar had dat ze er alle wijsheid die ze de afgelopen vijftig jaar had vergaard gemakkelijk onder kwijt kon. Gloria-Beth zou ongetwijfeld zorgen dat Alexander, Franks butler, hapjes en drankjes kwam brengen.

Sofia hield nog altijd van Frank. Hij wist hoe hij geld moest verdienen, en dat was erg aantrekkelijk. Ze was een traditionele vrouw; ze vond dat een man de kost moest verdienen. Maar zij zorgde ervoor dat hij het maximale uit zichzelf wist te halen, en hij was zo slim om dat te waarderen. Het was natuurlijk mateloos irritant dat de geldfontein niet meer leek te spuiten. Het 'proefdraaien' van The Cat, begin december, was een succes geweest, maar voor een deel omdat ze gedwongen waren om kamers weg te geven voor tarieven waar een motel zijn neus voor op zou halen. Honderdzestig dollar per nacht: het was gewoonweg *diefstal*. Maar Sofia had er alle vertrouwen in dat hun nieuwe hotel zo bijzonder was dat het heel veel publiek zou trekken.

De consolidatie van hun succes was voor haar heel belangrijk. Ze was inmiddels dik in de vijftig, en als je oud was, moest je wel rijk zijn, anders keken de mensen je met de nek aan. Het was het allemaal waard geweest. Ze had macht, en vrijheid, en haar gezin.

Zij had helemaal niet het gevoel dat ze haar leven was misgelopen. Absoluut niet, zelfs. Ze had het precies op tijd bij de kladden gegrepen.

Haar bodyguard deed een stap opzij toen Frank binnenstormde. De deur werd altijd voor hem opengehouden, anders smeet hij hem tegen de muur, en dat gaf maar deuken. Het kon Frank niet schelen – hij maakte graag indruk. Net een labrador, vond Sofia.

'Lieveling,' schreeuwde hij, en iets zachter vervolgde hij, omdat zij met haar hand wapperde: 'Heb je al iets van Ariel gehoord?'

'Ja, schat,' zei Sofia, die de leugen paraat had. Ze wilde niet dat Frank zich ergens druk over maakte.

Zoals ze al tegen de journalist had gezegd: 'Je moet een nieuw hotel vertroetelen als een baby. En Frank en ik zijn geweldige ouders. De allerkleinste details kunnen een enorm verschil maken. Als een gast graag een Engels ontbijt op zijn kamer wil, moet de bacon knapperig en heet zijn als roomservice het komt brengen. En dat is niet zo eenvoudig als je nagaat hoe ver het loopje is van de keuken, maar de bacon wordt knapperig en heet gebracht omdat ik daarop sta. En datzelfde geldt voor alles hier in het hotel. Roerei wordt gegarneerd met waterkers en als een of andere idioot in de keuken in plaats daarvan een stengel peterselie gebruikt en ik krijg daar lucht van – en dat krijg ik, altijd – dan kan hij vertrekken. Maar zoiets gebeurt natuurlijk nooit, want wij nemen alleen de allerbeste mensen aan.'

De journalist had geknikt en hij had alles netjes opgeschreven.

Die pennenlikker was natuurlijk maar wat tuk op alle negatieve verhalen. Zo had hij opgemerkt dat Frank 'verrassend onbehouwen' was geweest tijdens zijn laatste gesprekken met Wall Street, en Sofia realiseerde zich dat deze man hem had afgeluisterd. Soms stond ze versteld van de macht van het internet, en dan voelde ze zich oud. Ze was onrustig van de hele Bessiegeschiedenis, en dat maakte het nog erger. Haar pr-manager had de journalist het vuur na aan de schenen gelegd, had Sofia bijgepraat en zat nu bij het interview, en toch had ze het gevoel dat ze recht in zijn spervuur was gesprongen.

Het was onbeschaamd, aangezien deze verslaggever gratis logeerde in een van hun mooiste suites. En nu kwam hij ook nog met het rapport van de Nevada Gaming Control Board, het toezichthoudend orgaan van de staat, waarin stond dat de omzet op de Strip afgelopen maand gemiddeld met 14,9 procent was teruggelopen, waarbij de winst uit fruitmachines met 9 procent was gedaald... O, ja, en dat stuk land naast The Cat, hadden ze dat wel opgekocht? Of kon Castillo daar nog aan komen om er iets neer te zetten waar ze last van zouden krijgen?

Sofia onderdrukte haar eerste impuls: de journalist een klap in zijn gezicht geven. In plaats daarvan schonk ze hem een glimlach en vroeg ze of hij de Forbes Market Update: After Hours van gisteravond al had bekeken. Daarin werd aangekondigd dat Arlington Corp. samen met Citigroup het enige bedrijf was waarvan de aandelen een opleving vertoonde – 26 procent maar liefst. Misschien wilde hij de video nog even zien?

'Ik heb het rapport gelezen,' antwoordde de pennenlikker. 'Ik heb gehoord dat die opleving te maken had met de aankondiging dat een van uw topmensen niet langer bij het bedrijf in dienst is.'

'Zeker. Het doet altijd pijn om iemand te laten gaan, maar de reactie van de markt laat zien dat het een juiste beslissing was.'

'Mag ik vragen waarom...'
'Ik vrees van niet.'
'Moet u bezuinigen op personeelskosten?'
'Deze mensen zijn allemaal als familie. Als wij iemand moeten laten gaan, dan doet ons dat zeer veel verdriet.' Sofia keek op haar horloge.
'We moeten afronden,' zei de pr-dame, die zich misschien bewust was dat haar baan op het spel stond.
'Nog één laatste vraag,' zei de journalist. 'Wat vindt u van de plannen die uw zoon heeft om het bedrijf te verlaten en samen met Charlie Ping een casinohotel te openen in Macau?'

• • • • •

THE CAT, DRIE MINUTEN LATER

Sofia

Tegen de tijd dat Frank uit de lounge tevoorschijn kwam, popcorn kauwend, was de journalist weggestuurd, en was Sofia weer wat tot bedaren gekomen. Haar man, die meestal alleen zag wat hij wilde zien, zou denken dat er niets aan de hand was. Maar ze was in shock.
Frank maakte zich druk om Ariel, die als verwacht zoek was nadat ze geen promotie had gekregen, en ze had zichzelf gedwongen om hem te antwoorden: 'Ariel is misschien naar Milaan gevlogen om naar stoelen te kijken.'
In emotioneel opzicht was Frank zwakbegaafd. Hij hield van allebei zijn kinderen evenveel en toch beloonde hij Ben veel meer – en plein public, buitenproportioneel en in vernederende mate – dan Ariel, op basis van zijn idee dat Ben geschikt was voor het leiderschap en Ariel niet.
'Een seconde, schat,' zei ze tegen hem. 'Ik moet Sterling instrueren.'
Ze stormde Sterlings kantoor in en vertelde hem wat de journalist had gezegd. 'Hoe *durft* Ben mij dit aan te doen – en Frank? Het is

ongehoord! Ik heb hem nodig! Ik heb hem zelf nodig en voor het bedrijf! Hij schuift ons allemaal aan de kant voor Charlie Ping!'

Haar mond verschrompelde pruilend van ongenoegen. Charlie Ping was een ander jong zakenbrein die *haar* had moeten benaderen. Ze had Macau uitgekozen als haar volgende te veroveren territorium. Ze hadden zelfs een diner gegeven ter ere van Arnold Ping. Een voormalige president van de VS was er ook bij en had iedereen tot tranen toe verveeld met zijn verhalen. Het was een schande dat Arnold Ping, van wie werd beweerd dat hij de triades onder de duim had, niet in staat was zijn bloedeigen zoon aan banden te leggen. Sofia had haar intenties toch zonneklaar gemaakt; ze had daarbij het protocol gevolgd – en Arnold Ping had haar desondanks zo geschoffeerd!

'Ik moet ervan uitgaan dat Arnold Ping zijn goedkeuring heeft verleend aan de plannen van Ben en Charlie.' Hij had misschien zijn zoon niet zo hard nodig als zij Ben. 'Sterling, dit is een ramp. *Nog* een ramp!'

Sterlings mond was vertrokken tot een smalle streep. 'De eerste hebben we opgelost; dat zal met de tweede ook wel lukken.'

'Maar Frank dan? Hij zal er kapot van zijn als dit hem ter ore komt! En hij moet juist sterk zijn; het bedrijf is zo kwetsbaar als een kitten! Als dit uitlekt worden onze aandelen om zeep geholpen.'

O, god, dat ze Ben kwijt moest raken. Dat ze *Macau* moest kwijtraken. Nee, daar kwam niets van in. Ze zou het niet toestaan. Ze zouden samenwerken, en anders ging het hele feest niet door.

Sterling stond soepel op. 'Dit is een juridische kwestie; het draait om privacy, en om economisch privaatrecht. We zullen die journalist eens even een praatje laten maken met het Hoofd Juridische Zaken.' Hij zweeg. 'Ik zou niets tegen Frank zeggen; en ook niet tegen Ben. Op dit moment kan dat alleen maar kwaad.'

Sofia knikte. Maar in haar lichaam raasde nog de woede. Als een werkrelatie met Ben – laat staan een persoonlijke relatie – moest worden voortgezet, zou ze hem zijn ondankbaarheid moeten vergeven, en de enige manier waarop Sofia iemand kon vergeven, was door hem eerst te straffen.

Ze liep terug naar Frank en haakte haar arm door de zijne. 'Lieverd. Ariel belt heus wel als ze er klaar voor is.'

'Maar ze mag nergens heen zonder bodyguard.'

Sofia verbeet zich, anders had ze het uitgeschreeuwd: 'Dat kan me allemaal *niks schelen*!' Zelfs vóór de ontvoering van de dochter van Wynns, die toen zesentwintig was, was Frank al paranoïde als het om Ariels veiligheid ging. Daar had hij waarschijnlijk gelijk is. Ze was een leeghoofdje. Over zijn eigen veiligheid zat hij nooit in. Maar hij was als de dood dat zijn dochter het doelwit zou worden van deze of gene, want je stond altijd wel op *iemands* tenen.

Ze namen de privélift naar Tiger Beach en Sofia's gedachten dwaalden af bij Franks geklets. Daarbuiten hadden de gloeiend hete zon, de geur van zonnebrandolie, de halfnaakte lijven en de eindeloze toevoer van alcohol het gewenste effect. Het beeld deed Sofia denken aan de laatste dagen van de stad Rome. Bij het zwembad brachten serveersters in piepkleine bikini's drankjes rond. Het rook er naar pure lust.

'Ik denk dat een klein gebedje wel op zijn plaats is,' zei Frank terwijl hij zijn vrouw met een leep lachje aankeek. Hij knikte in de richting van de presidentiële cabana – ook wel de Temple of Heaven genaamd – aan het eind van het zwembadcomplex. Het stond alleen ter beschikking aan gasten met suites op de penthouseverdieping.

Sofia glimlachte. Geen gek idee. Ze was verstijfd van de spanning en yoga zou dat niet verhelpen. Ze slenterden in de richting van de overweldigende cabana, gebouwd in de stijl van een achtkantig Chinees paviljoen. De Temple of Heaven – vernoemd naar een keizerlijk offeraltaar in Beijing. Frank trok haar een van de twee kamers in, vol weelderige zijden kussens, met zijde beklede muren en een plafond waaraan honderd oranje Chinese lantaarns hingen, en zij trok hem aan zijn das naar zich toe. Hun lippen raakten elkaar en…

Sofia trok zich terug door een geluid. 'Frank,' zei ze. 'De iglo is bezet!'

Ze smoorde haar ergernis en marcheerde in de richting van de tweede kamer, 'de iglo'. In de iglo bevond zich een strakke, witte bar en een enorm waterbed. De muren waren opgebouwd uit achthoekige delen ondoorzichtig glas. Als je op een knop drukte veranderde de iglo in een storm van koude, witte 'sneeuwsoufflé'. En als die soufflé op lichaamstemperatuur kwam, versmolt hij tot zoete amandelolie.

De beste manier om de olie tot de huid te laten doordringen was door wrijving toe te passen.

En dat was precies waar het stel op het bed nu mee bezig was.

Sofia's eerste gedachte was dat ze heel mooi waren. De vrouw was een prachtige niet-natuurlijke blondine. Ze was lang, gebruind, en een en al gladde rondingen, als een dure auto. De man was lang en strak: de spieren maakten een ribbelpatroon op zijn rug. Hij had donker, rommelig haar – o, *jezus*! 'Ophouden!' riep ze. 'Dit is walgelijk! Hou hier onmiddellijk mee op!'

Frank greep haar bij de pols. 'Veel plezier nog!' riep hij terwijl hij de deur achter hen dichtsloeg. Er ontsnapten wat wolkjes witte soufflé, en Sofia zag hoe het schuim op het lakleer van haar torenhoge schoenen neerdaalde. Frank had duidelijk niet door wie ze zojuist hadden gestoord. Als er een paar Ferrari's hadden liggen rampetampen zou haar man waarschijnlijk beter hebben opgelet.

'Sofia, ben je niet goed bij je verstand?' vroeg Frank. 'Die lui zijn hier te gast! Wij verdienen onze boterham aan hun lust en hebzucht! Je moet de natuurlijke orde niet verstoren.'

'Hoe durf jij me zo toe te spreken! Met je "natuurlijke orde". Krankzinnig!'

Frank trok een wenkbrauw op en ze baalde van zichzelf. Wat amateuristisch van haar om zo uit haar slof te schieten. Dan kon ze net zo goed meteen de deuren naar haar ziel openzetten.

'Ik weet wel een plekje,' zei hij, en ze schoot in de lach, een stout lachje dit keer. Hij vond haar oprecht onweerstaanbaar. Hij vond haar mooi, ook al kon zij het zelf niet uitstaan dat ze de veertig gepasseerd was. Als je die grens eenmaal voorbij was, begon je weg te rotten. Maar Frank deed net alsof ze nog twintig was. Daardoor hield ze meer van hem dan ze eigenlijk wilde.

Tien minuten later gilde ze het uit van genot terwijl ze 230 meter boven de grond, op de zilveren dakrand van The Cat, tegen elkaar aan kleefden. Haar nagels grepen zich vast in de zijkant van het gebouw en ze keek omlaag, hysterisch en duizelig van het lachen en de kick van de angst. 'O, mijn god,' gilde ze. 'O, mijn *god*.'

Las Vegas spreidde zich in al zijn naakte glorie onder hen uit, scherp, zonovergoten en schitterend, en terwijl ze haar ogen opensperde voelde ze de zuigende zwaartekracht en gilde ze nog veel harder. Er was niets tussen haar en de grond – de impuls om zich over de rand te storten was wonderlijk sterk – en toen trok Frank haar terug, en rolden ze samen naar de veiligheid, high van de adrenaline van lust en angst. Ze lag plat op haar rug op het stoffige beton. De brute hitte van de zon boorde zich in haar huid en de warme, stevige bries blies over haar zachtjes gonzende lijf. Ze glimlachte naar Frank en greep zijn hoofd.

'Seks en de dood,' mompelde hij. 'Meer is er toch ook niet?'

De vraag sloeg als een stomp tegen haar keel en de vreugde van het moment werd uit haar geknepen. *De dood...* Ze moest beslissen of Bessie bleef leven of zou sterven.

En nu ook nog het Macauprobleem: ook al zo irritant. Sofia was in haar nopjes geweest toen het Ben was gelukt Sunshine van Castillo te stelen. Maar nu leek het erop dat Sunshine Ben van *haar* had gestolen. Het beeld van die twee in de iglo zou haar normaal niet hebben gestoord. We zijn nu eenmaal dieren. Dat verhullen we met goede manieren, wetgeving en kleding. Nee: wat haar echt angst aanjoeg was dat haar zoon en die meid niet lagen te seksen; ze waren de liefde aan het bedrijven.

Sofia was niet van plan haar zoon als zakenpartner te verliezen. En hem aan een andere vrouw kwijtraken: dat al helemaal nooit. De relatie tussen Ben en Sunshine was verdoemd, omdat Sofia er een eind aan zou maken.

• • • • •

LAS VEGAS, DE WEEK EROP, 10 FEBRUARI 2009

Lulu

Ben reed Lulu naar haar eigen huis terug van het huis van haar ouders. Die zorgden vier dagen per week voor baby Joe terwijl zij de kost verdiende. Ben keek haar van opzij aan en glimlachte. 'Jij kunt zo goed opschieten met je ouders. Jullie mogen elkaar echt! Was mijn familie maar zo.'

'Bij jouw familie staat veel meer op het spel,' antwoordde ze. 'Die van mij hebben niets om ruzie over te maken. Hooguit de kristallen asbak en mijn opa's oude camera.'

Meteen voelde ze zich er ongemakkelijk over dat ze het akelige onderwerp 'geld' had aangeroerd, maar hij moest lachen. 'Dat is veel beter,' zei hij. 'Het is deprimerend als de zaken je relaties dwarsbomen. Er is niets...' hij knikte naar Joe die in zijn autostoeltje lag te slapen – 'wat zo belangrijk is als dat. Maar dat verlies je snel uit het oog.'

Ze nam aan dat hij het over Ariel had. Hij praatte met Lulu alsof ze gelijken waren en daar kreeg ze een warm gevoel van, wat heel sneu was. Wat had ze nou beweerd: dat je van geld een beter mens werd? Hoe dan ook, ze had liever niet gehad dat hij zag waar haar ouders woonden: hun keurige huisje met het rode pannendak en de crème gestuukte muren paste in de bezemkast van de Arlingtons. Maar Ben wilde haar per se een lift geven. Ze stond op het punt om Joe bij haar ouders op te pikken, zoals iedere avond, en toen wilde haar auto niet starten. Ben kwam langsrijden toen ze bij de bushalte stond te wachten en was galant gestopt.

Haar ouders waren warm en hartelijk als altijd toen ze hen aan hem voorstelde. 'Dag, lieve jongen!' had haar moeder uitgeroepen. Lulu nam aan dat het heel lang geleden was dat iemand lieve jongen tegen Ben Arlington had gezegd.

Ben had haar vader breed grijnzend de hand geschud en haar moeder gezoend en toen had hij ook nog hun geklep over Joe's dag aangehoord. 'Hij had spaghetti bolognese voor de lunch, en hij heeft er flink van gegeten.' Lulu dacht dat het allemaal veel te kleinburgerlijk zou zijn, maar zag tot haar verbazing dat Ben geroerd was.

En nu zou hij ook nog zien waar Joe en zij woonden: een lief, maar piepklein appartementje. Ze wilde hem niet binnen vragen, want als hij ook maar het kleinste teken van misprijzen of neerbuigendheid zou tonen, zou zij zich schamen en dat trok ze niet. Ze wilde niet klein lijken in zijn ogen, en dat zou uiteraard gebeuren. Hij zou precies zien hoe gewoon zij was; wat een gewoon leven zij had in vergelijking met zijn glitterbestaan. En bovendien zou hij, als hij op haar neer zou kijken, ook in haar ogen klein lijken, en die teleurstelling zou ze ook niet aankunnen.

'Zet ons hier maar af,' zei ze.

'Woon je hier?'

'Ja, tenminste, een stukje verderop, maar het is prima zo.'

'Je kunt die zware jongen toch niet in zijn autotroon, of hoe dat ding ook maar heet, meezeulen? Laat mij toch helpen.'

Ze kon er niets meer tegen doen. Ze probeerde niet ineen te krimpen toen ze hem de trap op leidde naar haar doodgewone rode voordeur en die van het slot deed. De onvolprezen Sunshine Beam resideerde uiteraard in een gigantisch en onberispelijk ingericht landhuis. Haar paleisje had de pagina's van interieurtijdschriften gesierd, waarbij de eigenaresse onder het baldakijn van haar enorme hemelbed gedrapeerd lag tussen de woeste luipaardkussens en de draperieën.

Lulu had Sunshine door The Cat zien paraderen met de diamanten armband die Ben haar waarschijnlijk had gegeven als teken van zijn achting voor haar, en ineens had zij zich gewoontjes en saai en sneu en dom gevoeld. Daar ging de wens. Leuk hoor, dat wensen, maar wat nu als jouw wens met die van iemand anders botste? Het was duidelijk dat Sunshine in de wensenhiërarchie, net als op de meeste andere terreinen in het leven, een heel stuk hoger in rang stond dan Lulu.

Ben draaide zich om en lachte. 'Hartstikke leuk,' zei hij. 'Dit is echt zoals jij bent.'

'Je bedoelt klein en gewoontjes.'

'Nou, nee. Ik wil niet eng doen, maar ik bedoelde eigenlijk: warm en...'

'Warm en gewoontjes?'

Hij lachte en ze lachte mee.

'Warm en... *lief*.'

Lief! Ze snapte best dat een baas zijn medewerkers niet 'verrukkelijk' kon noemen, maar ze vroeg zich af of Romeo Julia ooit 'lief' had genoemd.

Ze deed net of ze het druk had met Joe losmaken uit zijn zitje. Ben knielde naast haar neer en keek toe hoe ze Joe eruit tilde.

Ze bracht Joe naar bed en liep de zitkamer in, half verwachtend dat Ben inmiddels was vertrokken. Maar hij zat op haar bank te bladeren in een van haar Agatha Christie-boeken. Nog meer bewijs van hoe weinig opwindend zij was. Nu stond hij op en slenterde naar de keuken. 'Zal ik koffie voor je zetten?' vroeg hij terwijl hij zijn hoofd grijnzend om de deurpost stak. 'Want ik merk wel dat het eerst moet vriezen op de Strip wil jij *mij* een kop koffie aanbieden.'

'Ik breng je overdag al genoeg koffie,' kaatste ze terug, en ze probeerde er streng bij te kijken.

'Dat is waar,' zei hij. Hij begon de keukenkastjes open te trekken. Fluitend. Het irriteerde haar. Het irriteerde haar dat hij een relatie had met Sunshine Beam – en die was zo serieus dat er al diamanten armbanden aan te pas kwamen – en dat hij toch met haar een *spelletje* aan het spelen was.

'Ben,' zei ze, en hij draaide zich om. 'Weet je, ik ben heel moe, en ik moet nog wat telefoontjes plegen... voor Joe,' eindigde ze vaag.

Meteen deinsde hij terug van de kastjes en stak zijn handen zogenaamd in overgave omhoog. Als hij teleurgesteld was, liet hij dat in elk geval niet merken. Hij gaf haar een zoen op de wang en zei: 'Je ziet er anders niet uit alsof je een schoonheidsslaapje nodig hebt', en weg was hij.

Ze zuchtte en deed de deur achter hem op slot. Toen slaakte ze nog een paar zuchten, sterker nog, ze bleef de hele avond zuchten omdat het lot had bepaald dat Ben Arlington een vriendelijke, goedhartige man was en geen eikel.

• • • • •

ANIMAL BAR, THE MEDICI, EEN PAAR WEKEN LATER, 1 MAART 2009

Frank

Frank leek veel sulliger dan hij was. 'Sullig' was natuurlijk een interpretatie van mensen die dachten dat je intelligent moest zijn om rijk te worden. Het bracht hen in verwarring, een 'magnaat' te zien die maar wat aanrommelde. Frank kon dat woord niet uitspreken zonder te lachen. Het was simpel zo: Frank was gelukkig! Er was niemand zo gelukkig als Frank!

En toch kon hij wel janken. De spanning in zijn kaak deed pijn aan zijn oren. Zijn nek was zo verstijfd dat het pijn deed. Als hij zijn schouders kromde om de spanning wat te verlichten, kraakten zijn gewrichten als oude vloerplanken. Hij voelde zich hol vanbinnen door de plotselinge golf van verdriet. Hij had zich sinds de dood van zijn ouders niet zo beroerd gevoeld.

Geld beschermde je tegen de hardere dingen in het leven – tot op zekere hoogte. Maar er waren momenten, en dit was er zo eentje, waarop alles wat je bezat en had bereikt van je werd weggerukt en je geestelijk kwetsbaar, trillend en weerloos achterbleef in het plotselinge besef dat je zo stom was om dat wat je had, te verwarren met dat wat je was.

Frank had geen druppel aangeraakt van de whisky-cola die zijn gastheer voor hem had besteld. Er lagen ook apennootjes in een schaaltje. Hij was al vijf keer met succes gestopt met roken, maar nu trok hij toch weer een peuk uit het doosje op tafel en liet het meisje hem voor hem aansteken. Hij zoog de rook in zijn longen met de opluchting van een duivel die weer terug is in de hel.

De woede kookte vanbinnen, en hij had zin om de tafels en stoelen omver te trappen en door de getinte ruiten te smijten. Het was bijna onmogelijk om zijn emoties in bedwang te houden door stil te zitten. Maar Frank was niet zo sullig als de mensen graag dachten.

Hij zou dit incident niet laten rapporteren, want ook al waren de media nu nog zo dol op hem, eens raakte je uit de mode en dan braken ze je af. En die dag, vond Frank, moest nog maar lang op zich laten wachten. Hij zou geen scène maken: hij had geen zin om te worden gereduceerd tot een stukje licht amusement in een roddelprogramma.

En dat had er niets mee te maken dat een sappig verhaal slecht is voor de zaken. Het zou juist geweldig zijn voor de zaken. Het volk had een onverzadigbare honger naar bewijs dat rijke mensen ondanks al hun geld ongelukkig waren. En als deze situatie één ding bewees, dan was het wel dat Frank altijd zijn best zou doen voor de Arlington Corp., wat de gevolgen voor hem persoonlijk ook waren.

Dit bood allemaal geen enkele troost. Hij voelde zich verschrikkelijk. Hij was naïef geweest. Dat was een pittige beschuldiging voor iemand van zevenenvijftig. Toen Frank het telefoontje kreeg, was hij optimistisch. Hij was namelijk altijd optimistisch. Zijn optimisme was een foutje in zijn interne bedrading dat altijd weer tot kortsluiting leidde als hij besluiten nam.

Frank haatte Luke Castillo, en toch was haat geen natuurlijke emotie voor Frank. Frank wilde geloven (wat hij opmerkelijk genoeg ook *deed* tijdens de rit in de Bentley naar de Animal Bar in The Medici), ondanks het feit dat Luke Castillo berucht was omdat hij elke haar, nagel, het kleinste stukje DNA dat ook maar iets met Arlington te maken had verachtte, dat die schurk, als hij Frank belde op zijn privélijn, luchtig en opgewekt, en hem vroeg naar zijn vrouw, hem complimenteerde met zijn nieuwe hotel, oprecht vriendschap wilde sluiten.

Hij had hem de hand geschud, had plaatsgenomen in een gemakkelijke stoel, klaar om in de watten te worden gelegd, en toen keek hij door een plotselinge beweging nog eens naar de danseres die zich om de paal slingerde in een stringetje van gouden kant, netkousen, torenhoge stiletto's en een behaatje dat geen naam mocht hebben. Ze schudde haar sappige kont en spreidde haar eindeloze benen wijduit, waarbij ze haar ranke lichaam in allerlei uitdagende poses wrong. Haar gouden haar was getoupeerd tot een Brigitte Bardotkapsel, haar enorme ogen zaten zwaar in de make-up en haar getuite lippen waren in een intense, suggestieve kleur roze gestift. Ze straalde een heerlijk soort ranzigheid uit. De mannen in de zaak waren rood aangelopen van lust, en hun ogen sprongen uit hun kassen als die van een stel moeraskikkers.

Maar ineens, toen ze zich wild om de paal slingerde, verloor het meisje haar grip en viel ze op de grond waar ze even als een kever met de pootjes omhoog bleef liggen. Vervolgens kwam ze moeizaam overeind en de mannen joelden alsof deze onhandigheid haar alleen nog maar aantrekkelijker maakte.

Het was Ariel.

Luke Castillo – die psychopathische vetklep met zijn maffiapoen – genoot van het schouwspel, zakte onderuit in zijn stoel alsof hij aan het strand zat, en kauwde op een veel te grote sigaar. Hij was nog altijd een smerige papzak, ondanks de liposuctie. Kon niet met zijn poten uit de snoeppot blijven. Nu leunde hij naar Frank over, ouwe-jongens-krentenbroodstijl, en hijgde: 'Dit is mijn nieuwe sensatie, wat een lekker wild ding, hè?'

Luke's nieuwe sensatie was weer bij de les en trok nu langzaam haar roze glitterbeha uit terwijl ze nog heftig stond te schuddebillen op de hijgerige soundtrack, en de mannen verdrongen zich om geld in haar slipje te proppen. Met een spannend lachje gleed Ariel van het podium en *gaf Frank een knipoog* terwijl ze onder luid gejoel en gefluit met haar benen wijd bij een of andere dikke, zwetende engerd op schoot kroop. Frank zag de bobbel in zijn nylon broek en hij was blij en tegelijk vol spijt dat hij geen pistool bij zich had.

De neiging om Luke Castillo zo hard in zijn gezicht te slaan dat zijn brandende sigaar zijn hersenen zou verschroeien was zo sterk, dat Frank de bittere aandrang in zijn mond kon voelen. Het werd natuurlijk van hem verwacht dat hij naar Luke uithaalde. En dan zouden Luke's mannen zich erin mengen. Luke zou het maar wat geweldig vinden als Frank dodelijk gewond zou raken voor het oog van een troep dronken gekken die allemaal zouden getuigen dat de kogel in zijn hoofd daar uit zelfverdediging in was gejaagd. Hij zou de bar waarschijnlijk omdopen tot Crime Scene en de zaak zou als een dolle lopen.

Maar Luke was dan ook een Neanderthaler. Frank was veel hoger ontwikkeld. Hij keek Luke recht in het gezicht en glimlachte zonder zijn tanden te ontbloten. 'Nooit geweten dat wij zulk talent in de familie hadden,' zei hij sissend.

Luke staarde met effen blik terug. Toen nam hij een trek van zijn sigaar en grijnsde. 'Wacht maar eens af, Frankie, wat er nou komt is pas echt geil!'

Frank stikte bijna in zijn gal en moest diep ademhalen. Hij trapte er niet in. Hij zou zowel Luke als zijn dochter trotseren. Van Luke had hij natuurlijk niet anders verwacht.

Maar *Ariel*. Die domme meid! Hoe haalde ze het in haar hoofd zich zo te verlagen? Dit waren wel heel extreme nukken. Het gaf blijk van een fout in haar persoonlijkheid dat ze zo weinig zelfrespect had dat ze zich dit aandeed – en haar *vader*! Als dit al iets duidelijk maakte dan was het wel dat Frank volkomen gelijk had haar die promotie niet te geven.

Toch kon hij nauwelijks geloven dat zij hem zo wilde kwetsen. Zij moest Luke Castillo hebben benaderd met dit voorstel. Bij de gedachte ging hij bijna over zijn nek. Ze had zich met een gevaarlijke man ingelaten. Die hele familie deugde niet. Ze waren zo trots op wat ze waren, maar hun hele imperium was gebouwd op misdaad. Die drie zonen, de moeder: allemaal vulles. Was een van die jongens geen politieman? Een *politieman*! Wat een lachertje.

Ariel was gestoord, want ze had niet alleen haar vader gestraft maar ook zichzelf vernederd doordat ze te dom was om te beseffen dat Luke Castillo haar gebruikte, in plaats van andersom. Dus leunde Frank weer achterover in zijn stoel, rookte zijn sigaret op, nipte van zijn whisky-cola en keek naar zijn dochter die op het podium kunstjes uithaalde met een andere vrouw. De glimlach zat op zijn gezicht gemetseld, en dat was *haar* straf.

Ze had verwacht – Gewild? Gehoopt? – dat haar vader brullend van woede en wroeging het podium zou bestormen om haar mee naar huis te sleuren en haar te smeken hem te vergeven en haar de baan te geven die ze wilde binnen het bedrijf, al was het alleen maar om haar bij Castillo uit de buurt te houden.

Frank zag de vijfentwintig jaar waarin hij zijn dochter op handen had gedragen nu als verspilde tijd. Hij was woedend dat zij bereid was hun relatie op deze manier te verwoesten. Sommige meiden hadden geen keuze; kinderen van wie de ouders hun ontnomen waren. Met die gedachte verantwoordde Frank zijn haat voor zijn dochter. Het was *haar* schuld. *Zij* had hem in deze verachtelijke positie gebracht, waarin hij moest toezien dat zij de hoer speelde, zonder dat hij er iets aan kon doen.

•••••

EEN HUIS IN EEN STILLE BUITENWIJK IN LAS VEGAS

Harry

Rechercheur Harry Castillo en Sherlock Bones staarden naar de foto's van de dode man op zijn computerscherm. Hank Edwards was geboren en getogen in Las Vegas, maar hij was gestorven in Mexico. Een pistoolschot onder aan de schedel. Twaalf jaar later wisten ze alleen nog maar wie hij was, en nog steeds niet wie hem had vermoord.

'Nou moet jij me eens vertellen, Sherlock,' zei Harry, 'de kans is groot dat de identiteit van het slachtoffer ons in de richting wijst van de identiteit van de dader. Als je het slachtoffer kent, ben je een stap dichter bij het begrijpen van de verdachte. De plaats delict geeft je ook altijd wel *wat* informatie – jammer dat deze is verziekt. Maar zoals ze deze hier hebben gedumpt, wat denk je, een professionele klus?'

Sherlock liet zijn kop op zijn poten rusten. Uit zijn neus kwam een lange fluittoon en hij geeuwde ongegeneerd.

Harry zuchtte. 'Dat is de meest voor de hand liggende conclusie, omdat er geen andere aanwijzingen zijn. De Mexicaanse autoriteiten hebben het afgedaan als het werk van een drugskartel, maar ik weet het nog zo net niet. Deze vent was een heel stel casino's in Las Vegas een heleboel geld verschuldigd. Mijn vader kreeg zelfs nog een miljoen van hem, Sherlock.'

Maar er waren geen getuigen; geen forensisch bewijs, geen haar en geen vingerafdruk te vinden. Bepaald geen *CSI: Las Vegas*. Jen had wel ooit een schoenafdruk gevonden en toen zei Harry: 'Hé, laten we die eens door de sneakerdatabase halen!' en toen kwamen ze niet meer bij van het lachen.

Zijn mobieltje zoemde. Hij greep ernaar als een puber die op een telefoontje van zijn liefje zit te wachten.

'Hé, man! Hoe is het nou, Oskar? Wat, dat meisje van Arlington in The Medici? Dat meen je niet. Jezus. Tuurlijk, ik ga ernaar kijken. Onofficieel. Geen moeite. *Ciao*.'

Zijn ogen vlogen terug naar het scherm. De hersenen en het bloed van de man lekten weg in het stof. Zijn voet zat in een onnatuurlijke draai en de onderkant van zijn arm lag in een plas bloed. Zijn huid had een akelige kleur geel en door de paarse strepen deed het lijk Harry denken aan blauwschimmelkaas. Harry keek naar geweldsdelicten zoals een ander naar de menukaart in een broodjeswinkel kijkt. Wat klopte hier niet?

Hij klapte zijn laptop dicht. Het was een oude zaak; het interesseerde niemand meer. En het viel strikt genomen ook niet binnen de verantwoordelijkheid van het Las Vegas Metro Police Department.

Maar *wie* was hier verantwoordelijk voor? Harry wist voor wie zijn vader werkte, maar daar kon hij verder niet veel anders aan doen dan hem uit zijn testament schrappen. Maar als zijn vader deze vent had laten omleggen, moest Harry dat weten.

En nu had zijn collega Oskar gebeld met de mededeling dat zijn vader weer iets anders in zijn schild voerde. Luke probeerde rotzooi te trappen met Frank Arlington via dat verwende dochtertje van hem. Of Harry misschien even langs wilde gaan, gewoon, om de mensen te kalmeren. Harry wist dat Oskar medelijden met hem had.

'Hij gooit me een been toe, Sherlock. Ja, ik weet het, ik ben ondankbaar.'

Maar Harry was een man van alles of niets. En nu hij gewond was geraakt tijdens het werk, en arbeidsongeschikt, was hij niets. De arts had een lijstje met oefeningen voor hem uitgeprint. Maar Harry kon zich er niet toe zetten. Arbeidsongeschikt. Een klein woordje dat inhield dat hij niet meer de straat op mocht, zodat hij het zonder die adrenalinekick moest stellen. Jen, zijn partner, was doorgegaan met haar werk.

Hij haatte het idee dat hij halfbakken op het bureau zou terugkeren, en alleen maar administratief werk zou mogen doen. Dan mocht je niet eens meer een wapen op zak hebben. Je kon ze alleen nog maar uitdelen aan collega's die dat wel mochten.

Waarom verbaasde het hem dat je leven in één in tel in puin kon liggen?

Het team had net de lunch besteld toen de oproep doorkwam via de radio. Het was ergens op een parkeerplaats; iemand had er een schot gehoord, dacht hij. Het hele team, Harry, Oskar, Jen, Jack, was in lachen uitgebarsten. Dit was de reden waarom Harry bij de politie was gegaan. Wie wilde er nou geen held zijn? Mensen belden als ze je nodig hadden en dan vroeg je nooit waarom, je liep die kogelregen in of het huis van doodgewone mensen die de allerergste dag van hun leven doormaakten.

Harry had nooit gedacht dat die dag de allerergste van zijn eigen leven zou worden. Hij deed zijn ogen dicht en zag de scène die hij altijd voor zich zag. Zijn inspecteur die uit de auto stapte, het gepiep van banden, en *klik*, het geluid van een automatisch geweer en Jack die omviel.

Terwijl hij uit de auto sprong werd hij in zijn schouder geschoten. Maar hij had mazzel. Zijn inspecteur had het niet overleefd. Tenzij je van mening was dat je verlamd en met hersenletsel nog een leven hebt. Tot zijn schande was hij nog niet bij Jack op bezoek geweest. Wat had het voor zin? Jack wist niet meer wie Harry was.

Jen had de verdachte neergeschoten en gedood terwijl Harry op de grond lag. Het had geen zin om stil te staan bij die verdachte of de zinloosheid van zijn daad; het kwaad was al geschied.

Als politieman nam je natuurlijk elke zaak mee naar huis, je dacht na over de slachtoffers, en vroeg je af of je de zaak misschien anders had kunnen aanpakken, maar je kon er niet in zwelgen, want de volgende noodoproep diende zich alweer aan. Er was altijd een volgende misdaad; 'baangarantie' noemden ze dat. Vegas was langzaam opgekropen tot Moordhoofdstad van het land. Trouwens, het was koploper in alle misdrijven.

Lang geleden had hij het vermogen ontwikkeld om een muur op te werpen tussen hem en de slachtoffers. Hij lag dan misschien nog een paar nachtjes wakker uit empathie, maar dan ebde dat weer weg. Daardoor kon hij hen *en* zichzelf beschermen. De slachtoffers zaten niet op zijn medelijden te wachten, die hadden zijn hulp nodig.

De dag waarop Jack gewond was geraakt, had Harry dat vermogen verloren. Nu zwol zijn hoofd op van elke tragedie waar hij ooit getuige van was geweest: de baby in de vuilnisbak waarvan de teentjes om een stuk kippengaas waren geklemd doordat hij doodgevroren was; het vijfjarige kind dat zijn moeder doodgeslagen had aangetroffen in de slaapkamer en die had gefluisterd: '*Papa* heeft het gedaan'; de dronken bestuurder en het kleine meisje dat bloedend op straat lag en aan hem vroeg: 'Ben jij mijn engel?' waarop Harry had geantwoord: 'Ja', zodat het meisje met een glimlach haar ogen had gesloten.

Jen wist hoe het moest. Die deed haar insigne af als ze thuiskwam, en schoot dan meteen in haar moederrol. Dan raakte ze geen sigaret meer aan; haar grootste zonde was een glaasje wijn op dinsdagavond. Het was moeilijk om je menselijkheid te bewaren, maar Jen was slim. Zij geloofde dat zij echt iets goeds deed voor de samenleving,

'Jezus, Sherlock, ik wil je niet tekortdoen, maar ik heb een vriendinnetje nodig.'

Het probleem was dat hij vierentwintig uur per dag politieman was. Tenminste, zo zag hij dat zelf. En nu kon hij niet werken. Als hij zijn werk *was*, dan betekende dat dus dat hij nu... niets was. Ze hadden hem therapie aangeboden, maar hij had geen zin om te gaan zitten janken bij een of ander kind dat net was afgestudeerd.

'Dan kun je niet meer rondrennen, nou en?' had Jen gezegd. 'Je kunt toch nog wel *nadenken*?'

Hij moest zichzelf weer in de hand zien te krijgen, want zijn hoofd ging met hem aan de haal. Het was daarbinnen net Vegas in een zeldzame sneeuwbui. De medicijnen die ze hem voorschreven stonden ergens hoog in de kast. Veel te aantrekkelijk. Je kon niet volhouden dat ze alleen de fysieke pijn wegnamen.

'Ach, *fuck it*,' zei hij. 'Sherlock, kom, dan gaan we andermans puinhoop opknappen.'

Iedereen wist dat die Arlingtonmeid ruzie had met haar ouders toen die haar geen promotie hadden willen geven. En nu gebruikte ze *zijn* vader, Franks aartsvijand, om het pappie betaald te zetten. Wat een rotmeid. Als hij daar niet snel naartoe zou gaan, werd zijn vader nog in elkaar geslagen of vermoord en dan zou zij denken dat het haar schuld was. Harry wist hoe het was om je verantwoordelijk te voelen voor dat soort tragedies, en hij wenste het niemand toe, zelfs niet zo'n overduidelijke dwaas als dat meisje Arlington. Hij had haar een keer op tv gezien, toen ze een of andere nieuwe 'strakke, stijlvolle, sexy' auto onthulde: ze had het doek van de auto mogen trekken, maar raakte toen uit balans en viel plat op haar gezicht.

Harry stond op en huiverde. Zijn kin was ruw van de stoppels.

Langzaam trok hij een spijkerbroek aan. Toen trok hij alles weer uit en ging de douche in.

Vijf minuten laten reed rechercheur Harry Castillo naar het casino van zijn vader, voor Frank iets zou beginnen wat hij niet kon afmaken. Sherlock stak zijn kop uit het raam; zijn oren flapperden in de wind. Oskar had geopperd dat hij hen voorzichtig uit elkaar zou halen voor het uit de hand kon lopen. Dit was geen werk voor een politieman, dit was meer iets voor een babysitter. Overigens was Ariel precies het soort rijkeluiskind dat hij zo verachtte. En dat zij dezelfde achtergrond hadden maakte die verachting alleen nog maar sterker. En toch merkte Harry dat hij floot toen hij het parkeerterrein van The Medici op reed.

• • • • •

ANIMAL BAR, THE MEDICI, DERTIG MINUTEN LATER

Ariel

'Heren,' zei de man die in het midden van de rokerige ruimte stond met, als haar ogen haar niet bedrogen, een heuse basset, 'ik denk dat het wel genoeg opwinding was voor een avond.' Hij keek Ariel aan zonder te glimlachen. 'Trek eens wat aan, ik breng je zo naar huis.'

'Maar mijn contract...' begon ze angstig. Ze keek naar Luke, maar die haalde alleen zijn schouders op, kwam overeind en verliet de ruimte. Frank bleef heel even staan, als bevroren, en stormde toen de nooduitgang uit.

'Jouw *wat*?' zei de man, en de hond blafte ongeduldig.

Nu Luke er niet meer bij was, begonnen een paar mensen nerveus opgelucht te lachen. Ariel rende weg, met een vuurrood gezicht. Ze voelde zich een homp vlees. Toen ze weer naar binnen sloop, in een spijkerbroek en een ruimvallende trui, haar haren in een staart, keurde niemand haar een blik waardig. Ze liep naar de man en zei mokkend: 'Wie ben jij überhaupt? Ik ga heus niet bij een wildvreemde in de auto zitten. Ik ken dat trucje met de hond.'

De man keek op haar neer. Hij was lang, met vermoeide groene ogen en blonde krullen, en hij had zich gesneden bij het scheren. Ondanks zijn strenge blik had hij lachrimpeltjes. Tot haar eigen ergernis maakte haar hart een sprongetje.

'Ik ben een politieagent die nu even geen dienst heeft, en ik ben daarnaast een bezorgde burger. Ik maak me zorgen dat jij jezelf en je familie in nesten werkt waar je niet meer zo makkelijk uitkomt.'

'Ik kan heus wel voor mezelf zorgen,' antwoordde ze.

'Ja, dat zie ik,' zei hij, en hij klemde een stevige hand om haar schouder en duwde haar in de richting van de deur.

Ze schudde hem van zich af ook al was ze hem stiekem dankbaar. 'Ik wil wel graag een identificatiebewijs zien,' zei ze.

Hij mompelde: 'Ja, de jouwe heb ik al gezien,' en hij viste zijn kaart uit zijn zak.

Ze bloosde; het was ook zo gruwelijk gênant. Ze zou het papa nooit vergeven. Ze griste de kaart uit zijn hand en haar ogen werd groot: 'Harry Castillo, o, o, o,' zei ze. 'Nou, dat verklaart een hoop.'

'Hou je mond en stap in,' zei hij. Ze hoorde hem zachtjes mopperen: 'Het trucje *met de hond*!'

'Geweldig,' zei ze. 'Dus ik zit achterin en de hond mag voorin? Aardig van je. O, mijn god, moet je al die blikjes hier zien! En al die lege verpakkingen! Het stinkt hier naar rottend eten. Dit is echt walgelijk. Heb je geen jongen die je auto wegzet? En trouwens, deze auto is *antiek*!'

De agent snoof en reed met gierende banden het parkeerterrein af. 'Bones is een werkhond. Hij verdient het om voorin te zitten. En nee, ik heb geen jongen die mijn auto wegzet. En ik heb ook geen butler, geen huishoudster, geen secretaresse en geen medewerker die mijn kont afveegt.'

Hij was zo bot dat ze nauwelijks een woord kon uitbrengen. 'Maar heb je dan tenminste een vuilnisbak?' informeerde ze ijzig.

Harry draaide zich om. 'Waar kan ik je afzetten?'

'Let op de *weg*!' gilde ze.

'Ik zou graag je adres willen weten, als je dat tenminste uit je hoofd weet, of heb je een bediende die dat soort informatie voor je opslaat?'

Ze vertelde hem waar ze woonde, zo kil mogelijk.

'*Reuze* bedankt,' zei ze vinnig toen ze het portier dichtsmeet. Ze stormde het pad naar haar appartementencomplex op en... o, shit. Ze wist dat het geen zin had, maar ze zocht, voor het geval de sleutels van haar voordeur op magische wijze uit haar locker in de Animal Bar in de zak van haar spijkerbroek waren gesprongen. Uit haar ooghoek zag ze Harry Castillo zitten wachten, met een elleboog uit het raampje gestoken. De hond keek ook toe.

'O, *ga* nou maar gewoon!' schreeuwde ze.

Wat moest ze nu? De conciërge had geen reservesleutel. Dat had Sofia bedongen, om veiligheidsredenen. Ze was al kwaad zat dat Ariel zo nodig in een gewone flat wilde wonen.

Harry toeterde. Met tegenzin keerde Ariel zich om en liep langzaam terug naar de auto.

'*Ik kan heus wel voor mezelf zorgen*,' mompelde hij, maar verder zei hij niets. Ze reden zwijgend weg, behalve dat Harry tegen de hond zei: 'Bones, kauw eens niet aan de stoel, hoe vaak ik moet dat nog zeggen?'

Ze was verbaasd toen hij parkeerde bij een keurig geel huis in een nette buitenwijk. 'Je zult wel geld hebben gekregen van je pa,' zei ze bijna zonder nadenken.

Zijn gezicht betrok van woede. 'Niet iedereen is zoals *jij*.'

Ze voelde zich rot, maar hij was ook zo onaardig, dat het niet meeviel om haar excuses aan te bieden. Ze liep gedwee achter hem aan en stapte per ongeluk op de poot van de hond. De hond jankte. 'O, Bones, het spijt me,' riep ze uit. 'Gaat het? O nee, ik heb hem pijn gedaan, en hij kijkt zo zielig.'

De hond ging zitten en zij zakte op haar hurken en aaide zijn lange, fluwelen oren. 'Zo kijkt hij altijd,' zei Harry. Hij gooide zijn sleutels opzij en liep de keuken in. Ze keek om zich heen. Binnen was het vies en rommelig, maar toch ook heel mooi. Er stonden heel veel boeken op stoffige witte planken en er waren grote, zachte banken.

Even later kwam Harry binnen met twee bekers warme chocolademelk.

'Mooi huis,' zei ze.

Hij rolde met zijn ogen. 'Maar?'

'Nou, het lijkt me duidelijk dat er weleens opgeruimd mag worden, maar je hebt niet... en je bent niet... Het is een prachtig huis, eerlijk gezegd. Ik bedoel, het is kleiner dan wat ik gewend ben, maar alles is kleiner dan wat ik gewend ben. O jee, ik...'

Ze moest giechelen om zijn gezichtsuitdrukking. Tot haar verrassing lachte hij mee. De transformatie was ronduit verbazingwekkend.

'Sorry, voor wat ik over je vader zei,' flapte ze eruit. 'Dat was heel dom. Het is duidelijk dat je er hard voor werkt. Het is alleen... ik word zenuwachtig van je. Afkeuring maakt me altijd nerveus, en dan zeg ik domme dingen.'

'Waarom denk je dat ik jou afkeur, Ariel?' Hij gebaarde dat ze op een bank moest gaan zitten. Zelf nam hij plaats op de andere bank. Toen stak hij een hand op en verdween weer. Een paar minuten later kwam hij tevoorschijn met geroosterd brood met boter.

'Je moet iets eten,' zei hij.

Ze nam een boterham en zuchtte. 'Dat heeft waarschijnlijk te maken met onze eerste ontmoeting.' Ze glimlachte. 'Ik keur mezelf af. Dus momenteel verdien ik je afkeuring. Ik heb me aangesteld. Luke zei dat ik zo uitdrukking kon geven aan mijn... maar het was alleen vernederend. Het gaf absoluut geen gevoel van macht, juist het tegendeel. Push-upbeha! Een minuscuul lapje bij wijze van onderbroek, en dan die belachelijke plateauzolen en hoge hakken! Wow, dat ik van tevoren niet kon bedenken dat het geen verdiepende ervaring voor de ziel zou worden. Ik... enfin... Bones verdient het inderdaad om voorin te zitten.'

Bij het horen van zijn naam sprong Bones op de bank. Met zijn kop stootte hij tegen haar mok, zodat ze chocolademelk over zich heen kreeg.

'O, *Bones*,' zei Harry. 'Heb je je gebrand?'

Ze glimlachte naar hem. 'Het geeft niet. Het was al lauw. Je had het waarschijnlijk...'

'Beter moeten opwarmen?'

Ze lachten. 'Kom,' zei hij. 'Ga maar even douchen. Ik heb wel een nachtshirt dat je kunt lenen. Dan laat ik je daarna de logeerkamer zien.' Hij zweeg. 'Die is niet zo *heel* vies.'

Ze zag dat Harry Castillo geen luxespullen had en ze gruwelde bij het lezen van het lijstje bestanddelen van zijn douchegel. Er zaten ongeveer negentig verschillende chemische stoffen in. Misschien zou ze een ecogel van een goed merk voor hem kopen als bedankje.

Ze droogde zich af met een gelukkig fris ruikende handdoek en trok het nachtshirt aan. Ze kon erin zwemmen, en dat vond ze wel zo prettig. Ze wilde haar lichaam voorlopig aan geen enkele man tonen.

'Harry?' riep ze met een klein stemmetje.

Hij kwam meteen, groot en geruststellend, en ineens had ze gek genoeg zin om te huilen.

'Hé, meisje, wat is er aan de hand?' zei hij op een zachtere toon dan anders.

'Mag ik misschien nu al naar bed?' vroeg ze, worstelend om de emotie niet te laten doorklinken. 'Ik ben een beetje moe.'

'Deze kant op,' zei hij. De kamer was wit en ruim en... 'Niet goed?' vroeg Harry.

'Perfect,' zei ze, en ze barstte in tranen uit. 'Sorry,' zei ze door haar opeengeklemde tanden. 'Het was alleen zo... akelig.'

'Ariel,' zei hij. 'Ach, Ariel.'

Ze huiverde door hoe hij haar naam uitsprak. Ze durfde hem niet aan te kijken, want ze verlangde zo ontzettend naar zijn armen om haar heen, en naar de streling van sterke handen over haar haren. Als ze hem nu aan zou kijken, was ze verloren. En dat zou een gruwelijke fout zijn. Want los van al het andere was hij de *zoon van Luke Castillo.*

Harry kwam niet dichterbij, nog geen stap. Maar zijn stem was als die streling.

'Je moet jezelf niet bekijken door de ogen van die eikels – en daar reken ik mijn vader ook toe. Jij bent een goed mens, Ariel. En je bent slim.'

Toen schoot ze in de lach en veegde haar gezicht af. 'Dat heeft nog nooit iemand tegen me gezegd.'

'Nou,' zei Harry, en zijn groene ogen doorboorden haar, 'dat is alleen omdat je niet met de juiste mensen omging.'

Alles wat hij zei klonk als muziek. Ze wilde hem zo graag kussen dat ze bijna flauwviel. 'Harry,' zei ze. 'Je ziet er niet zo uit, maar je bent *ongelofelijk* aardig.'

Hij keek alsof hij probeerde niet te lachen. 'Dank je,' zei hij. 'Denk ik, tenminste.'

'Mag ik je nog één ding vragen,' vroeg ze.

'U wens is mijn bevel.'

'Nou, toen ik klein was had ik een hond, een week maar, want papa was allergisch. En hij sliep bij mij op bed. De hond, bedoel ik. En dat was zo geweldig. Dus ik vroeg me af of… of Bones dat misschien zou willen. Denk je…?'

Ariel dacht dat ze even iets van teleurstelling in zijn blik zag. Toen grijnsde Harry en zei: 'Ik moet je wel waarschuwen, want het is een beetje een ranzig beest. Laat hem niet tegen je been oprijen!' Toen draaide hij zich om en floot. 'Bones! Hé, makker, je hebt mazzel!'

'Hij snurkt als een dolle,' zei Harry nog terwijl hij Bones een kontje gaf om op bed te klimmen. 'Dus schop hem er maar uit als je er klaar mee bent.'

Toen salueerde hij en liep de kamer uit, waarna hij de deur zachtjes maar stevig achter zich dichttrok.

•••••

MONT BLANC SANATORIUM, 30 MAART 2009

Gisèle

Gisèle koos de stoel die het verst bij Erichs bureau vandaan stond. De hoofdverpleegkundige was tegenwoordig heel koeltjes tegen haar, en Gisèle kon wel raden waarom. Maar schoonheid kon niet op tegen jeugd. Ze kon de golf van genot niet tegenhouden als ze terugdacht aan hoe Erichs handen over haar lichaam gleden. Hij had een kamer in een hotel: een schitterende, luxe suite met een privélift. Zijn scheiding zou er binnenkort door zijn. O, *nu* was hij er wel klaar voor.

Ze negeerde Adelheid, een meisje dat duidelijk meer belangstelling had voor mascara dan voor psychische aandoeningen. Grappig genoeg had Adelheid juist de stoel gekozen die het dichtst bij Erich stond. Droom maar lekker, meid! Het kind zat maar te kletsen, en met haar glanzende haar te zwiepen, belachelijk ingenomen met haar eigen inzichten. Maar ze snapte niets en kende geen enkele bescheidenheid. 'Ik heb wel gezien dat een van de patiënten heel erg in de war was, dokter. Het was Bessie Edwards. Ik geloof dat ik haar verleden maand ook eens heb genoemd en ik weet dat er daarop een aanpassing in de medicatie heeft plaatsgevonden maar ik vind haar toch nog erg geagiteerd. Ik beveel nogmaals een aanpassing van de medicatie aan; ze heeft iets sterkers nodig.'

Gisèle was sprakeloos; die meid had lef, zeg! – 'Ik beveel aan'! – en ze wachtte tot Erich de vloer met haar zou aanvegen. Ze was te druk met de zorg voor twee patiënten op de afdeling Psychiatrie om zich met Bessie bezig te houden. Maar het mens was zowat een zombie geworden. Als er al een probleem was, dan was het dat Erich en de hoofdverpleegkundige te veel boven op haar zaten.

Dr. Erich knikte wijs. 'Dat is heel interessant, zuster,' zei hij. 'Natalie,' – hij knikte naar de hoofdverpleegkundige – 'u hebt, meen ik mij te herinneren, verleden week ook al een onregelmatigheid gemeld?'

'Maar, dokter...' zei Gisèle. Ze kon zich niet inhouden.

'Wat wilt u zeggen, zuster?' vroeg hij scherp. Ze schrok alsof hij haar had geslagen.

'Niets, dokter,' zei ze. Hij knikte kortaf en wendde zich weer tot de hoofdverpleegkundige. 'Hoe denkt u hierover?'

'Ik ben het ermee eens,' antwoordde de vrouw. 'Het is wellicht goed om een nieuwe therapie te proberen.'

Gisèle staarde verwoed naar haar schoot. Was ze soms aan het doordraaien? Hier zaten drie collega's, en twee van hen had ze hoog zitten, die beweerden dat de aarde plat was. Waarom zou een medische professional liegen over de toestand van een patiënt? Ze voelde de misselijkheid opkomen terwijl ze de twee mogelijkheden overwoog: of ze maakten echt een fout of de dokter was corrupt.

Verdrietig liet ze haar gedachten langzaam terugglijden naar dat telefoongesprek waarin haar minnaar leek te praten over de betaling van 'één komma vijf' voor het 'faciliteren' van het 'permanent uit de weg te ruimen' van 'haar' – wie 'zij' ook mocht wezen.

Het kon niet waar zijn. Ze moest die woorden uit hun verband hebben gerukt. Bovendien was zij pas drie jaar klaar met de opleiding, terwijl Dr. Erich en de hoofdverpleegkundige samen een halve eeuw ervaring hadden! Toen de vergadering voorbij was, staarde ze Dr. Erich onzeker aan.

Hij grijnsde en gaf haar een knipoog.

Ze glimlachte terug. Maar toch: als niemand keek, zou zij nog eens gaan kijken bij Bessie. Voor de zekerheid.

• • • • •

MONT BLANC SANATORIUM, 1 APRIL 2009

Gisèle

Adelheids lichtblauwe rok zat omhoog waardoor het witte kant van haar kousen zichtbaar was. Haar lange benen hingen naar buiten als die van een ouderwetse porseleinen pop en haar witte lakschoenen – die niet bij het uniform hoorden, dacht Gisèle geschokt – staken in de lucht. Ze had haar keurige gemanicuurde nagels in Erichs strakke gebruinde derrière en gilde als een hamster. Het was weerzinwekkend.

Gisèle was per toeval de isoleercel in gelopen. De vorige dag was ze erbij geroepen om te helpen een gewelddadige, paranoïde patiënt vast te binden. Ja, het was Bessie, alweer. Tenminste, men beweerde dat ze paranoïde was. Ze had gevochten tegen de brede leren banden om haar armen en benen tot de sedatie uiteindelijk zijn werk deed. Gisèle zag dat het harde leer wondjes had gemaakt in Bessie's huid. Die was helemaal rood en ruw. Ze had thuis een bus spray om het leer van schoenen mee te verzachten en die had ze vandaag meegenomen om op de banden te spuiten.

Ze stond als aan de grond genageld met de bus leerverzachter in haar hand te kijken naar de man die haar echtgenoot had moeten worden. Erich lag Adelheids lichaam af te likken en te besnuffelen als een varken in een trog. Gisèle deed liever haar ogen dicht als ze de liefde bedreef met Erich. Hun momenten samen waren romantisch en teder. Maar met Adelheid leek hij wel een beest. Ze hadden nog gegiecheld over Adelheid en hoe ze door de gangen wiegde, met die enorme boezem die bijna uit haar uniform leek te barsten. Maar nu had Gisèle het gevoel dat zij en haar meisjesachtige emoties door een stoomwals te grazen waren genomen.

Stilletjes sloop Gisèle de kamer uit. Ze liep terug naar de zusterspost en ging zitten, met trillende benen. Toen sprong ze op en begon te rennen. Ze stopte pas toen ze buiten het sanatorium was; haar toegangspasje hield ze met trillende vingers bij elke zware deur.

Ze zeeg ineen op een bankje en staarde naar het spiegelgladde meer, de rafelige witte bergtoppen en de ijzige lucht, op zoek naar geruststelling en kalmte, maar het enige wat ze zag was een koele afkeuring van haar hysterie. Ze ademde de kille lucht in, alsof ze sneeuw inslikte. Een enorme woede maakte zich van haar meester. Hoe durfde Erich haar zo te behandelen? Hoe waagde hij het om dit te doen – hoe *durfde* hij – o, en de dingen die zij had gedaan omdat hij het gore lef had ze van haar te vragen!

Maar Adelheid – waarom zou hij Adelheid hebben uitgekozen? Kon zij, Gisèle, een man soms niet behagen? Waren het de kousen? Was het de boezem? Gisèles mond klemde zich opeen tot een boze streep. Was Erich dan zo'n seksmaniak dat hij elke zuster moest verleiden? Hij was een ambitieuze man en toen hij zei dat hij zijn carrière voor haar 'op het spel zette' was ze gevleid. Maar nu leek hij dat risico ook voor Adelheid te nemen. En als ze een gooi moest doen, zou ze zeggen dat hij het ook voor de hoofdverpleegkundige deed.

Gisèle begreep dat veel mannen lui waren. Het waren niet altijd de mooiste vrouwen aan wie ze zich vergrepen, wie voorhanden was volstond. Maar ze kende Erich goed genoeg om te weten wat hem bewoog. En dat was niet je-weet-wel, en ook niet macht. Het was geld.

Misschien was Bessie wel de sleutel tot alles.

• • • • •

HUIZE ARLINGTON, LAS VEGAS, DIEZELFDE DAG

Sofia

Frank stond in de badkamer te zingen.

Sofia lag languit op het enorme bed naar het druk bewerkte plafond te staren, met een verheerlijkte glimlach. Ze stelde zich al die arme echtparen voor die elke nacht elk aan hun eigen uiteinde van het matras in slaap vielen: losers. Meestal was dat omdat de vrouw een vet varken was geworden. Of omdat de man niets van zijn leven had weten te maken.

Ze zocht in de la van haar nachtkastje naar een sigaret. Waar was de aansteker? Stomme dienstmeid. Met tegenzin vanwege de extra energie die ze moest verspillen, rolde ze naar Franks nachtkastje. Ze rommelde er wat in en vond een klein potje met een schroefdeksel. Lekker, valium! Ze trok het potje eruit en staarde ernaar. O, mijn god. Zeg dat het niet waar is.

Die klootzak gebruikte Viagra.

•••••

RED ROCK CANYON, TIEN KILOMETER VAN LAS VEGAS, 1 MEI 2009, ZONSONDERGANG

Harry

'En, schatje,' fluisterde hij, 'was dat ook veel kleiner dan wat je gewend bent?'

Ariel giechelde. 'Eerlijk gezegd heb ik niet veel vergelijkingsmateriaal, Harry.'

Ze gilde het uit van de lach toen hij haar op de grond duwde. Bones, die dacht dat ze een eind zouden gaan wandelen, draaide zich vol walging om. God wist wat een beroerd idee dit was, dacht Harry. Maar ze had zijn hart doen smelten. Ze woelde met haar handen door zijn haar en sloeg haar lange benen om hem heen. 'Ariel,' mompelde hij, en hij voelde de hitte door zijn aderen pompen, 'wat doe je me aan?'

'Harry,' zuchtte ze. 'Je bent zo ontzettend aantrekkelijk. Hou nou maar je mond en kus me.'

Ze was onweerstaanbaar. Zo had hij zich al niet meer gevoeld sinds... zo had hij zich nog nooit gevoeld. Ariel had een betoverende onschuld over zich die hem enorm trok. Ondanks alles wat ze had, was ze een simpel meisje, en daarmee bedoelde hij niet simpel als in 'dom'. Ze had eerlijke normen en waarden. En hij had nog nooit zo'n natuurlijke schoonheid gezien. Hij vond haar adembenemend. Als zij lachte, was hij gelukkig, ook al wist hij dat het gevaarlijk was. Hij wilde er liever niet aan denken hoe zijn vader zou reageren als hij hoorde van zijn relatie met de dochter van Frank Arlington.

'Weet je wel dat ik de moeite heb genomen om een picknick mee te nemen?' zei hij.

'Ja, dat weet ik, want we hebben net een worstenbroodje genomen.'

'Wat ben jij *erg*,' antwoordde hij.

Ze ging rechtop zitten, en schaamde zich meteen. Haar wangen waren roze, en de ondergaande zon wierp een stralenkans van licht om haar lange blonde haar. 'Met anderen ben ik nooit zo,' zei ze.

'Momenteel?'

Ze grijnsde. 'Ooit.'

Ze had zand in haar haar en op haar rok. Al die dingen maakten dat hij zo gek op haar was.

Dat dit echt een relatie was, verbaasde niemand meer dan Harry zelf. Ze hadden het er niet eens ooit over gehad. Ze hoorden bij elkaar, dat zagen ze allebei. De ochtend nadat hij haar uit de Animal Bar had meegetroond was zij tegen hem opgebotst toen hij uit de douche kwam, met een handdoek om zijn middel geslagen. Ze was nog warm van de slaap en haar haren zaten in de war, en hij had zijn hele lijf voelen gonzen van verlangen.

Hij had snel een andere kant op gekeken. 'Lekker geslapen?' had hij gevraagd, met zijn blik op de grond gericht.

'Ja, prima,' antwoordde ze. 'En hoe heb *jij* geslapen?'

'Redelijk,' zei hij. 'Mijn schouder is niet helemaal top.'

Toen was ze dicht bij hem komen staan en had ze heel voorzichtig met haar vinger aan zijn litteken gevoeld. 'Oei,' had ze gefluisterd. 'Dat zal nog wel flink pijn doen.'

Hij durfde zich niet te verroeren. Hij knikte en kon geen woord uitbrengen. 'Dat was geen leuke dag,' fluisterde hij uiteindelijk.

En toen ging ze op haar tenen staan en kuste ze het litteken en zijn huid leek te ontvlammen bij de aanraking van haar lippen – en plotseling stonden ze te zoenen. Hij dacht aan wat ze had gezegd, na afloop, toen ze zijn haar streelde en in zijn ogen staarde: 'Ik maak het wel beter, Harry.'

Hij was weerloos. Hij was verliefd. Hij kon zich er niet tegen verzetten.

'Kom,' zei hij. 'Laten we nog een stukje naar boven klimmen.'

Harry floot naar Bones, die moeizaam overeind kwam. Net als Ariel. Ze liet haar hand in de zijne glijden, en hij drukte er een kus op.

Ze stopten met praten terwijl ze een rotsachtig pad bestegen. Bones hijgde. 'O, mijn god, moet je kijken,' zei Ariel ademloos.

De zandstenen rotsen en ravijnen staken rood, grijs en wit af tegen de enorme lege vlaktes van de Mojavewoestijn. Onder hen was het land bespikkeld met bosjes en rode papavers en in de verte zagen de bergen roze van de bloemen.

'Dat is een heel ander universum,' zei Harry.

De hemel was intens blauw en vermengd met stukken paars, geel en oranje, en de zon zelf was een rode vuurbal. Harry en Ariel stonden op een van de toppen en Ariel spreidde haar armen uit en ademde de afgekoelde lucht in. Las Vegas was een glorieus twinkelend lichtje in de verte en leek wel miljoenen kilometers bij hen vandaan.

'Vanhier af zou je denken dat er geen enkel probleem bestaat,' zei Ariel.

'Ja,' zei Harry instemmend. 'Als je eenmaal aan de stad bent ontsnapt, ligt de hele wereld voor je.'

'Als je eenmaal aan je familie bent ontsnapt,' antwoordde ze.

'Dat is niet waar,' zei hij. 'Mijn familie is misschien door en door verrot, maar die van jou is best oké.'

Ariel was stil.

'Ik geef niets meer om mijn familie,' voegde hij eraan toe. 'Jij geeft nog wel steeds om de jouwe.'

'Waarschijnlijk heb je gelijk,' zei ze. 'En het doet pijn dat ze me zo veroordelen. Niet mijn broer, hoor – ik weet best dat Ben gek op me is – maar papa. Het is net of hij niets meer om me geeft.'

'Dat doet hij wel,' zei Harry. 'Hij is alleen... kwaad.'

'Dat zal wel,' zei Ariel.

'In tegenstelling tot mijn vader, want hij is gewoon echt een slecht mens.'

Harry slaakte een zucht en hij hoorde hoe zij met hem mee zuchtte. Hij trok haar dicht tegen zich aan en verwonderde zich erover dat zij elkaar hadden gevonden. Gek eigenlijk, want hij was helemaal niet romantisch aangelegd. Waarom zou het eigenlijk geen reden voor een feestje zijn als je zo verliefd was? Waarom konden mensen niet gewoon blij zijn voor jou in plaats van zich te sappel te maken over wat het voor *hen* betekende? Harry zag niet in waarom dit een probleem zou moeten zijn voor Frank of voor Luke. Het ging hun verder niets aan, vooral aangezien niemand met elkaar praatte. Toch had Harry het onprettige vermoeden dat Luke het zich wel degelijk aan zou trekken.

•••••

TURTLE EGG ISLAND, DE BAHAMA'S, DIEZELFDE DAG

Sofia

Terwijl de speedboot over de turkooizen zee stuiterde in de richting van het eiland, spreidde Sofia haar armen wijduit om zich als een koningin door het zeewater te laten zalven. Ze voelde zich altijd goddelijk als ze vlak bij hun huis op Turtle Egg was. Hier heerste stilte en rust; hier kon je ademen. Het enige geluid kwam van het zachte geklots van de golven en het milde briesje dat de bladeren van de palmbomen deed ritselen. Ze had er altijd op gestaan dat het huis werd onderhouden 'alsof er magie in het spel was', dus zonder dat je merkte dat iemand zich ergens voor hoefde in te spannen.

Maar vandaag was het anders. Turtle Egg Island was een conferentieoord, een plek waar zaken werden gedaan. Ze haatte het idee, maar ze had geen keuze. Ze hield zo van haar leventje; en ze wilde dat niet kwijt. Daarom had ze een vergadering belegd om de kwestie Macau te bespreken, gevolgd door een klein banket 'ter ere' van Arnold Ping. Het was onmogelijk om de man ergens anders naartoe te laten komen. Als je een algemene uitnodiging verstuurde zou hij denken dat je hem als een hond ontbood. Bovendien opereerde Ping nooit op korte termijn. Kortgeleden had ze Ping nog uitgenodigd voor de preparty van de officiële opening. Hij had iemand van zijn management afgevaardigd om een en ander voor te koken. En Ping had ingestemd om nadere details omtrent het voorstel uit haar eigen mond te vernemen.

De locatie was bedoeld als lokkertje. Het grote huis was prachtig: ze had het zelf ontworpen. Het had de vorm van een enorme opgekrulde schelp, en het had de paarlemoeren kleuren van het strand en de zee. Buiten de directe familie en het personeel werd hier nooit iemand uitgenodigd. Het was een offer om haar heiligdom te moeten delen, maar op dit moment was ze tot alles in staat.

Frank zou erbij zijn, hoewel Sofia Sterlings raad had opgevolgd en hem niet had verteld van Bens plannen. Ze wist dat Frank er kapot van zou zijn, maar dat hij hem niet tot de orde zou roepen. Wat Frank betrof was deze vergadering een routinematige stap in de langdurige pogingen om Ping over te halen. The Cat was een groot succes, en als ze die truc in Macau wilde herhalen, hadden ze de goedkeuring nodig van de koning van Macau, een oude Chinees zonder wiens instemming daar nooit iets van de grond kwam.

De boot naderde de aanlegsteiger, waar het personeel op een rijtje stond te wachten. Sofia knikte ter begroeting en liep toen naar het huis om de voorbereidingen te inspecteren. Sterling marcheerde direct achter haar. Elk detail, tot en met het laatste grassprietje, was perfect, onberispelijk. Sofia wreef in haar nek. 'Ik heb zo'n vreselijke last van mijn nek,' zei ze.

Sterling wierp een blik op het zwembad. Het spiegelende oppervlak rimpelde door een briesje. 'Misschien even een duik?' opperde hij. 'Gevolgd door een massage?'

Sofia glimlachte. Jammer dat Sterling homo was, want in elk ander opzicht was hij de perfecte partner. Hij stamde uit een oude Amerikaanse familie van wie de enorme rijkdom en breed uitgemeten liefdadigheid hem in staat stelden om de baas te spelen aan de Oostkust. Sterling begreep haar.

Ze liet zich in het warme water glijden. Sterling liep met haar mee langs de rand.

'Sterling, denk je dat Frank de vergadering misschien zou kunnen missen?'

'Dat kan wel, maar Ping zou het als een belediging opvatten, Sofia.'

Op dat moment verachtte Sofia Frank met de felle, schroeiende haat die plotseling bovenkomt in een huwelijk, om vervolgens als een zeepbel uiteen te spatten, of te fermenteren als gist. Sofia hield van het cachet dat het haar gaf om mevrouw Arlington te zijn. Pas veel later begon het te dagen dat het nadeel daarvan was dat er ook een *meneer* Arlington was. Zodra ze Frank een mannelijke erfgenaam had geschonken, zat Sofia niet in over de maîtresses, ook al ging het gerucht dat Frank daar nauwelijks aan deed. Enfin, ze wist inmiddels waarom niet. Hij kreeg hem niet omhoog zonder chemische hulp! Het was ronduit beledigend.

Ze was zelf maîtresse geweest en ze was zich bewust van hun gebrek aan macht. Sofia wilde altijd liever nummer één zijn, en dat was ze ook. Toch had hij iets bedacht om haar te kunnen belazeren. Ze dacht eraan hoe hij stiekem van die blauwe pilletjes in zijn mond stak en ze had zin om hem te kelen.

'Hij is mij helemaal niet waard!' hijgde ze terwijl ze met snelle slagen door het water schoot, terwijl Sterling met haar mee holde. 'Ik heb dit huwelijk altijd *gerespecteerd*. Ik heb het gerespecteerd als basis van mijn geluk, en ik heb dat zwijn onderhouden als een heel dure auto. Ik heb altijd zo veel tijd en aandacht aan hem besteed; ik heb hem precies gegeven wat hij nodig had om prima te kunnen functioneren. En als dank daarvoor...'

Ze haalde per ongeluk adem terwijl ze net onderdook, en verslikte zich in het water.

'En als dank daarvoor,' zei ze proestend, 'geeft hij mij het gevoel dat ik een dikke, ouwe, lelijke, walgelijke vrouw ben.'

'Onmogelijk,' mompelde Sterling. 'Jij bent een juweel.' Hij begeleidde haar aan de arm naar een zonnebed. 'Jij hebt een paar zeer stressvolle maanden achter de rug. Maar dit topoverleg met Arnold Ping zal een nieuw begin zijn. Jouw zorgen zijn voorbij. We hebben het probleem van die vrouw en haar zielige dreigementen opgelost. Dr. Erich heeft me in de kliniek verzekerd dat alles volgens plan verloopt. Die journalist van de *Times* is het zwijgen opgelegd door onze advocaten.'

Sofia zuchtte. 'En hoe zit het dan met Ariel en... dat vriendje?'

Sterling maakte een honend geluid, tegen de grens van het beleefde aan. 'Sofia, net zoals veel overbeschermde dochters uit rijke families rebelleert ze nu tegen alle familiewaarden die ze maar kan verzinnen. Dat verlangen om jullie te irriteren zal snel genoeg verdwijnen als ze de eerste strenge brief van haar bankmanager ontvangt. Zelfs Luke Castillo zal dat begrijpen.'

'Ja,' kreunde Sofia. 'Maar Ariel heeft kennelijk zelf een idee voor een bedrijf. Hotel*consultancy*. Dat geloof je toch niet! En dat vriendje is *politieagent*.'

Sofia vertrouwde de politie niet. Je wist maar nooit of ze invloed hadden op de Raad voor de Kansspelen. En een van *die* klootzakken kon zomaar op oudejaarsavond je casino binnen wandelen en al je tafels stilleggen als hij daar zin in had. Misschien was Frank vergeten zijn kansspelvergunning die ochtend in zijn jasje te stoppen. Of er zat niet genoeg geld in de kluis. Dan had je wel je limieten verhoogd, maar niet je reserves. Boem! Dan moesten de fruitmachines weer acht uur uit.

'Ik zou het Ariel nog wel kunnen vergeven dat ze iets met een agent had,' voegde ze toe. 'Maar ik kan het haar niet vergeven dat ze de agent heeft uitgekozen die de zoon is van Luke Castillo.'

Sofia huiverde toen Sterling haar schouders begon te masseren en ze sloot haar ogen. Luke en Harry verachtten elkaar, maar ze waren nog altijd bloedverwanten, en Luke zou het niet tolereren dat Harry het bed deelde met de vijand – vooral niet als de vijand hem zijn Sunshine al afhandig had gemaakt. Hij zou zich willen wreken, maar hoe?

Ze kwam met een schok overeind op het zonnebed, waarbij ze de fles Marokkaanse rozenolie bijna uit Sterlings handen sloeg. 'Wat als

Luke mijn geheim kent? Denk je dat hij Bessie kan hebben opgesnord en haar hiertoe hebben aangezet? Hij zou haar betaald kunnen hebben om mijn leven te ruïneren!'

Zachtjes maar dringend drukte Sterling haar verstijfde lijf terug op het zonnebed. 'Sofia,' zei hij. 'Dat is onmogelijk, want hoe zou hij dat kunnen *weten*?'

Uit het niets wenkte hij een bediende met een glas ijskoude Cola light. Sofia zoog het op door een roze rietje en keek naar een libelle zo groot als haar hand die op zijn gazen vleugels over het water scheerde als een klein watervliegtuigje.

'Blijf nu maar kalm,' mompelde Sterling. 'Dat Ariel voor Harry heeft gekozen zou ook een brug tussen de families kunnen slaan. Jullie hoeven elkaar niet te mogen, maar jullie kunnen toch best het protocol in acht nemen.'

'Misschien,' zei Sofia terwijl de bubbels prettig prikten in haar keel.

Sterling hoestte beschaafd. 'De situatie in Macau is een interessant voorbeeld.'

Dat was waar. Ping was miljardair, en de meest invloedrijke man op het eiland. Zolang Ping er de scepter zwaaide en de vrede tussen de rivaliserende triades wist te bewaren door ervoor te zorgen dat elke groep iets kreeg (en dat hij er zelf steeds iets meer aan overhield), verdiende iedereen geld; iedereen tolereerde iedereen.

Ping was de perfecte man om haar te adviseren op het gebied van diplomatie.

'Je hebt natuurlijk gelijk. Ik zou de oude man om raad kunnen vragen. Dat is niet te kruiperig, want wat Ping betreft kun je hem niet genoeg vleien. Na het privédiner dat ik voor hem gaf, heeft hij mij bedankt, maar zo zachtjes – en met zo'n vals lachje, dat het leek alsof hij een binnenpretje had – dat het wel duidelijk was dat hij het volkomen terecht vond dat mensen zich zo voor hem uitsloofden en dat hij daar geen dankbaarheid voor hoefde te tonen.'

'Die man is een lastpak. Maar wat hij te bieden heeft is wel wat hielengelik waard.'

Sterling had gelijk; ze zou doorzetten. Meneer Ping zou hier prompt acht uur per helikopter arriveren. Frank vloog direct in vanuit Las Vegas. Hij zou iets vóór Ping aankomen met een loyale, betrouwbare secretaresse, waarschijnlijk Gloria-Beth. Het enige wat Sofia hoefde te doen was zich ontspannen, haar aantekeningen doornemen en zorgen dat ze er mooi uitzag. De dresscode was glamorous maar vertrouwenwekkend: misschien iets van Donna Karan. Wat kon er misgaan?

• • • • •

TURTLE EGG ISLAND, ACHT UUR EN VIJFTIEN MINUTEN LATER

Lulu

Turtle Egg Island: alleen de naam al deed haar glimlachen. Stel je voor dat ze Joe mee kon nemen naar zo'n magische plek als dit; dat ze zandkastelen zouden bouwen van het kristallen zand en dat ze zouden rondspetteren in de felblauwe zee. Het viel niet mee om hem achter te laten; goddank had ze haar ouders. In de tussentijd had ze het gevoel dat ze door de spiegel in een andere werkelijkheid was gestapt. Ze had niet tegen Frank gezegd dat dit de eerste keer was dat ze in een Gulfstream had gereisd. Supercool, ook al was het een beetje belachelijk.

Ze was uit het vliegtuig gestapt en had breeduit moeten glimlachen om de exotische omgeving. Die glimlach was verdwenen bij de aanblik van mevrouw Arlington. Die had Frank bij de mouw gegrepen en gesist: 'Je bent *te laat*; hoe kun je nou *te laat* komen?'

Meneer Arlington had zijn mond geopend om te antwoorden, maar zijn vrouw legde hem het zwijgen op. 'Ping is er al. Die is tien minuten geleden aangekomen, en je kunt met hem niet over koetjes en kalfjes praten. En waar is Gloria-Beth? Zij kan toch niet – dit is – waarom heb je *haar* meegenomen?'

Lulu deed alsof ze het druk had met de bagage van haar werkgever. Maar het was onmogelijk om niet te luisteren naar meneer Arlington die uitlegde dat Gloria-Beth niet werkte vanwege een wortelkanaalontsteking en dat hij 'het secretariaat' in gelopen was en dat hij daar 'de mooiste' had uitgekozen. Ah, dank u, meneer Arlington, dan zijn al die jaren op de universiteit niet voor niets geweest. Als ze zin had om hem een proces aan te doen, zou ze aan dit praatje al genoeg hebben gehad.

Mevrouw Arlington keek hatelijk. 'Loop jij maar vast vooruit,' zei ze snibbig tegen haar echtgenoot. 'Ik heb hem gezegd dat jij helaas vertraging hebt opgelopen door familiezaken, dus kom niet met een ander smoesje. We zitten op de veranda: dat is beschaafd en kalm, en zo wil ik het graag houden, dus, Frank, alsjeblieft, onthou goed wat de regels zijn. Zíjn regels – zíjn etiquette – en wees niet zo *luidruchtig*.'

Meneer Arlington streek zijn haar glad en ging er haastig vandoor.

Lulu voelde hoe mevrouw Arlington haar bovenarm vastgreep. 'Frank heeft een fout begaan door jou mee te nemen. Maar we hebben een notuliste nodig. Goed: deze vergadering is topgeheim. Het gaat hier om miljarden, en als Ben ook maar één woord te horen krijgt van wat hier wordt besproken, sleep ik jou voor de rechter wegens schending van een geheimhoudingsovereenkomst. Ben ik duidelijk?'

Haar hart ging tekeer. Meneer Arlington had uitgelegd dat het ging om een vergadering met Arnold Ping over een project in Macau. Ben, haar baas, was senior executive. Hij zat in de Raad van Bestuur. Waarom wist hij hier dan niet vanaf? Enfin, Ben kon goed voor zichzelf zorgen. Zij hoefde niet voor hem te zorgen. Dat deed zijn vriendin wel, Sunshine Beam. En trouwens, als zij haar baan zou verliezen, zaten Joe en zij in de nesten.

'Ja, mevrouw Arlington.'

Meneer Ping reisde met een bescheiden entourage: twee medewerkers, zijn huidige vrouw, een Russisch meisje met lange benen en een assistente van middelbare leeftijd. Ze zaten allemaal op zachte loungestoelen met uitzicht op het zwembad. Toen zij hen naderden, slaakte mevrouw Arlington een gilletje en Lulu schrok.

Meneer Arlington schudde meneer Ping de hand; een stevige, hartelijke handdruk. Het leek wel of meneer Ping, kort van stuk en mager, door die handdruk op en neer werd geschud als een verkreukelde papieren zak die door de wind wordt opgenomen.

Mevrouw Arlington liep er snel heen en boog; Lulu volgde haar voorbeeld. Mevrouw Arlington nam niet de moeite haar voor te stellen, maar dat vond ze niet erg. Zij wist wie *hij* was, en daar ging het om. Ze ging op haar plek zitten, een eindje buiten de kring, en zette haar laptop aan. Het viel niet mee om rechtop te blijven zitten in de zachte kussens en ze vroeg zich af of meneer Ping zich even ongemakkelijk voelde als zij. Meneer Ping leek iemand die niet hield van in stoelen hangen.

De butler van mevrouw Arlington had al hapjes en drankjes geserveerd. De tuin stond volop in bloei; er was veel moeite gedaan om de gasten zich welkom te laten voelen. Mevrouw Ping was een enorm boeket aangeboden, dat lag nu nutteloos op de grond naast haar te verwelken in de hete zon. Lulu herinnerde zich vaag iets over bloemen. Mocht je Chinese gasten wel bloemen aanbieden, of stonden die voor hen symbool voor de dood? Deze bloemen deden dat in elk geval inmiddels wel; haar handen jeukten om ze in het water te zetten.

Mevrouw Arlington praatte veel. Meneer Ping luisterde. 'Het is zo jammer dat u de officiële opening van The Cat niet kon bijwonen, meneer Ping, maar uw partner, meneer Leong, was zeer onder de indruk van Xiqing, ons uitstekende restaurant, met een sterrenkok. We hopen dat we, als we The Cat in Macau openen, ons restaurant daar Ping mogen noemen, met uw welnemen uiteraard. En u zou natuurlijk eerst zelf het eten daar moeten proberen, zodat u zeker weet dat wij de mensen niet uit uw naam vergiftigen!

Lulu keek naar de tolk. Ze vroeg zich af of dat meisje ook was uitgekozen omdat ze 'de mooiste' was. Meneer Ping trok zijn wenkbrauwen op, een heel klein stukje maar, bij haar vertaling van de speech. Hij zweeg zo lang dat het ongemakkelijk werd. Toen antwoordde hij eindelijk, langzaam en nadrukkelijk, in het Kantonees.

'U moet niet zo vriendelijk zijn,' zei de tolk.

'U bent te vriendelijk,' typte Lulu, en ze probeerde niet te giechelen, wat haar lukte. Ze wist het niet zeker, maar ze had het vermoeden dat meneer Ping, die ouwe bok, naar haar benen zat te staren.

Mevrouw Arlington was even stil. 'Wij zouden ons casino het liefst in het oude Macau bouwen. We vinden de Cotai Strip een beetje... off-Broadway!'

Lulu vroeg zich af wat de tolk zou doen met deze beeldspraak. Het jonge ding kletste erop los zonder aarzeling of hapering. Ze was ofwel heel goed, of heel slecht.

Meneer Ping kneep zijn ogen bijna dicht. Maar mevrouw Arlington was politiek: natuurlijk zou ze akkoord gaan met een plek op de Cotai Strip. Het was hoffelijk om meneer Ping de mogelijkheid te geven om de onderhandeling zwaar in te zetten. Dit was iets anders dan een conflict, want dat was onbeschoft. Onderhandelen draaide erom je tegenstander het gevoel te geven dat hij je tot een concessie had weten om te praten. Lulu was onder de indruk. Dit kon weleens goed aflopen voor de Arlingtons.

'Wij zouden deze samenwerking tussen onze families toejuichen, als u de suggestie niet al te brutaal vindt. Wij hebben bijvoorbeeld grote bewondering voor uw jongste zoon, Harold, en voor zijn werk aan het, eh, het moderne toneel. We zouden zeer vereerd zijn als hij een rol in het senior management zou accepteren bij onze entertainmentdivisie.'

Lulu vond dit een wel heel genereus aanbod, aangezien Harold Ping vooral bekendstond om zijn niet onaanzienlijke cocaïneverslaving en omdat hij nogal losbandig leefde.

Mevrouw Ping was hier duidelijk mee in haar nopjes – nou ja, niet duidelijk, maar Lulu meende dat ze haar wel met haar hoofd zag neigen. Meneer Ping nipte van zijn groene thee. 'De Cotai Strip is zeer gewild,' stotterde de tolk. 'Ik zal uw genereuze aanbod aan mijn derde zoon overbrengen.'

Lulu vroeg zich af of dit niet wat erg kortaf was, maar misschien was meneer Ping een man van weinig woorden.

'We hoopten eigenlijk dat wij begin volgend jaar een kansspelvergunning zouden kunnen krijgen, maar ik heb begrepen dat de bureaucratie in Macau erg traag werkt,' zei mevrouw Arlington. 'Ik heb miljoenen dollars gereserveerd voor leges en dergelijke.'

Lulu zag dat de tolk mevrouw Arlington even aankeek, en dat ze haar hoofd boog. Het meisje sprak zacht. Zo zacht dat meneer Ping haar in het Chinees afblafte en het meisje opschrok. Hij ratelde een antwoord.

'Zegt u mij eens,' zei het meisje toen ze weer haar stalen gezicht had aangenomen. 'Wie hebt u in gedachten om uw casino in mijn nederige koninkrijkje te leiden? U hebt het wellicht nog niet besloten aangezien het plan in nog zo'n pril stadium verkeert en u, zoals u zegt, nog geen kansspelvergunning hebt. Maar uw zoon, Ben, heeft blijk gegeven van veel zakelijk inzicht, en hij weet hoe het is om in China te wonen, althans, op het vasteland.'

Lulu verstijfde. O, g*od*. Hou je mond, Ping. Ben had het prima naar zijn zin in Vegas. Maar ja, wat had zij ermee te maken waar Ben het naar zijn zin had? Hij was toch al bezet, waar hij ook zou wonen.

Lulu keek niet naar mevrouw Arlington, ook al wilde ze het liefst opspringen en tegen haar gillen: 'Zeg dan iets!'

Mevrouw Arlingtons stem klonk vlak, en ze hield haar emotie zorgvuldig binnen. 'Ik weet zeker,' zei ze langzaam, 'dat Ben zich wel zou schikken in een rol als senior manager, als zijn betrokkenheid gewenst is.' Ze zweeg. 'Het is misschien een goed moment voor mijn zoon om Las Vegas achter zich te laten. Hij heeft onlangs Luke Castillo's beste gastvrouw aan zich weten te binden, een juffrouw genaamd Sunshine Beam – ach, mevrouw Ping, u weet wel hoe zoons zijn als ze een mooi meisje zien! De situatie heeft kwaad bloed gezet en men heeft liever geen problemen in zijn eigen achtertuin. Meneer Castillo is niet iemand die men zomaar kan dwarsbomen. Wij kunnen dit misschien neerzetten als een *verbanning*... Ach hemel, ik kan nauwelijks geloven dat ik tot zoiets genoodzaakt ben.' Mevrouw Arlington keek de tolk fel aan. 'Dat laatste hoef je niet te vertalen.'

Sunshine Beam was nou ook weer niet *zo* mooi. Ze had de vereiste grote tieten, het geblondeerde haar, de hese lach en de levendige allure – maar ze was zelfingenomen. Ze was slim, maar ze was niet *aardig*. Als Lulu haar voorbij zag stevenen, die mix van Barbarella en Scarlett Johansson, had ze zin om haar voet uit te steken zodat ze zou struikelen. Het verbaasde Lulu dat Ben viel voor zo'n oppervlakkig mens als Sunshine.

'Ik heb gehoord van juffrouw Beam; zij is een waardevolle aanwinst.'

'Zeker, meneer Ping. Sunshine is goud waard. Sinds Sunshine voor ons bedrijf is komen werken – en ze is slechts in één casino werkzaam – zijn onze *gaming*inkomsten daar met zes procent omhooggeschoten. Ze trekt grote spelers als konijnen uit haar hoge hoed. We zouden zeker overwegen om haar als consultant naar The Cat in Macau te sturen, wellicht een paar dagen per maand. Ze zou een heleboel winstgevende *traffic* voor het eiland genereren.'

Lulu rolde inwendig met haar ogen. Die geniale Sunshine. Die waadde door het moeras van personal assistants ('Ik heb die kaartjes voor de bokswedstrijd die hij wilde, eerste rij, maar als hij interesse heeft moet hij me wel binnen het uur terugbellen.') tot ze haar vis aan de haak had. Ze deed grondig onderzoek naar elke speler: welk spel hij het liefst speelde, wat zijn gebruikelijke strategie was, wat hij gemiddeld inzette en wat hij gemiddeld verloor, wat zijn grootste verlies was en zijn hoogste winst. Ze wist wie winstgevend was en hoe winstgevend precies. 'Ik wil losers!' zei ze dan. Maar ze wist hun het gevoel te geven dat ze koning waren. Ja, dat was haar werk. Ze was een vertegenwoordiger, opdringerig als de hel, met dubieuze normen en waarden. Sunshine was niet te vertrouwen. Ze was alleen uit op haar eigen belang.

De tolk schraapte haar keel. 'We zouden het als een teken van goodwill zien als juffrouw Beam permanent in Macau gestationeerd zou worden.'

Mevrouw Arlington wilde net reageren, toen meneer Arlington tussenbeide kwam. 'Dat zou ook kunnen. Zoals u weet, meneer Ping, kwam ik vandaag te laat – en daar wil ik mij graag nogmaals voor verontschuldigen. De reden hiervoor was dat mijn zoon nieuws voor mij had, goed nieuws weliswaar, maar toch nieuws dat voor mij als vader moeilijk te accepteren is.' Frank glimlachte bedroefd, vond Lulu, en hij vervolgde: 'Als wij op elkaar lijken, meneer Ping' – meneer Ping boog het hoofd – 'dan vindt u het ook prettig om onze appels dicht bij de boom te houden.'

'Wat?' kreet mevrouw Arlington, die meneer Ping tot zwijgen maande met een lichte aanraking van zijn onderarm. 'Heeft Ben je verteld dat hij weggaat bij het bedrijf?'

'Wat zeg je nou?' vroeg meneer Arlington. 'Nee! Wie heeft het daarover? Heeft hij jou verteld dat hij weg wil? Ik heb hem net promotie gegeven!'

Ging Ben *weg*?

Meneer Arlington brabbelde door terwijl meneer Ping er zwijgend bij zat. 'Waarom heb je me dat dan niet verteld, mens? Hoelang weet je dit al?'

'Ik probeerde het zelf op te lossen, Frank, omdat het onze plannen dwarsboomt – en nu...'

Mevrouw Arlington viel stil terwijl meneer Ping opstond. 'Meneer Arlington,' zei hij aarzelend maar in onberispelijk Engels. 'Mijn oudste zoon, Charlie Ping, heeft uw zoon uitgenodigd om een casino op te zetten in Macau, als een gezamenlijke onderneming, en ik heb begrepen dat hij het aanbod serieus overweegt. U bent beledigd dat hij dit niet aan u heeft verteld, maar misschien wil hij dat u uw ambities nastreeft zonder met die van hem te hoeven rekenen. Uw zoon is een kapitalist; hij gelooft ongetwijfeld in gezonde concurrentie.' Meneer Ping boog. 'U bent uitermate gastvrij geweest, meneer en mevrouw Arlington en ik dank u hartelijk voor uw vriendelijkheid. Er is echter een Chinees gezegde – eentje dat ik zelf heb bedacht: zorg dat je een veilige fundering voor je dak bouwt.'

Lulu's mond viel open terwijl mevrouw Ping, het Russische meisje, de medewerkers en de assistente als één man opstonden.

Terwijl ze haastig richting landingsbaan liepen, riep mevrouw Arlington uit: 'Meneer Ping, alstublieft! We kunnen hier toch uitkomen! Dit is een misverstand...' Ze zweeg en staarde meneer Pings entourage in de verte na.

Toen draaide ze zich woedend om naar Frank. 'Nou, Frank,' zei ze sarcastisch, 'vertel dan nu maar welk nieuws de deal heeft verneukt waar ik de afgelopen twee jaar van mijn leven naartoe heb gewerkt.'

Meneer Arlington keek haar woedend aan, en zijn gezicht stond op storm. 'Schuif dit mij maar niet in de schoenen, *baby*. Jouw machiavellistische spelletje heeft deze deal om zeep geholpen. Ping denkt nu dat jij niet te vertrouwen bent. En wat het nieuws betreft waardoor ik vertraagd was: Ben heeft me vanochtend verteld dat hij zich met Sunshine heeft verloofd.'

Terwijl Sofia uitriep: '*Wat!*', kostte het Lulu al haar kracht om niet ook '*Wat!*' te roepen. Maar niemand zag haar ontsteltenis; op dat moment waren de Arlingtons doof en blind voor alle anderen behalve elkaar.

Lulu stond op, mompelde iets van 'toilet' zonder dat iemand er acht op sloeg en strompelde weg. Ze kon nauwelijks lopen. Haar benen voelden als van rubber. Ze vond een buitentoilet, waarvan de spiegels waren versierd met gele lelies en ze wierp er een ongelukkige blik in. De crèmekleurige jurk die ze zo vol opwinding had uitgekozen voor deze gelegenheid zag er gekreukt en smoezelig uit. Haar haar zat in een staart, maar kroesde rond de oren. Haar wangen waren onplezierig rood en er vormden zich onaantrekkelijke zweetdruppels op haar bovenlip. Ze zag er gebroken uit.

•••••

EEN KLEIN APPARTEMENT, LAS VEGAS, EEN MAAND LATER, 1 JUNI 2009

Lulu

'O, schatje! Geef me een kus – ik hou zo veel van jou!' Het was vijf voor halfzeven in de ochtend, en Lulu lag in bed met de belangrijkste man in haar leven.

Het had geen zin; baby Joe gleed het bed uit, waggelde naar de deur en brulde: 'Melk! Ikke melk!'

Ze had zijn luier verschoond, een flesje gemaakt en zijn haar gestreeld terwijl hij dronk. Over precies een uur zou haar moeder hier komen, en dan had ze nog een kwartier om zich toonbaar te maken en twintig minuten om naar haar werk te gaan. Dat gaf haar niet veel tijd om te zwelgen in haar gebroken hart.

De telefoon ging. Toen ze haar moeders stem hoorde – schor en hees – voelde ze de moed in haar schoenen zakken. 'Het voelt als een keelontsteking. Papa moet vandaag werken, maar ik denk niet dat ik...'

'Je klinkt vreselijk, mama, en natuurlijk moet pap gewoon naar zijn werk. Arm schaap. Maak je maar geen zorgen, ga maar lekker uitrusten. Ik regel wel iets.'

Dat was gemakkelijker gezegd dan gedaan. Ze had ooit eens een meisje gehad via een uitzendbureau, maar die had het één dag uitgehouden. Ze had tegen Lulu gezegd dat ze met Joe naar het park was gegaan, maar de manier waarop ze dat zei had Lulu zo geërgerd: – 'Daar was hij een uurtje zoet mee.' – dat ze al snel genoeg had van het kind. Ze wilde niet dat er iemand op Joe paste die hem niet ook een wonder vond.

En ze wist wat dat inhield.

De meiden op kantoor gingen uit hun dak. Joe werd toegezongen, er werd met hem rondgedanst en ze waren heel druk met hem. Toch was het gênant, alsof ze geen grip op haar leven had. En dat had ze eerlijk gezegd ook niet. Ze was drieëntwintig en ze had wel een kind maar geen partner. Ze had geen sociaal leven, en ze ging alleen uit als haar moeder haar smeekte dat te doen (waarbij ze de wens dat ze 'eens iemand ontmoette' onuitgesproken liet). Haar vriendinnen regelden soms afspraakjes voor haar, maar dat waren kerels met wie ze zelf nooit uit zou gaan. Soms besefte Lulu dat ze was vergeten wat zij ook alweer leuk vond en dan moest ze zich dat nadrukkelijk in herinnering roepen. Ze hield van een welverdiend happy end; ze hield van dansen tot ze buiten adem was; ze hield van haar bed; ze zong graag mee met Scott Walkers zieligste liedjes. Ze hield van de beste kwaliteit chocola en van Franse frietjes en van haar eerste kopje koffie van de dag; ze stond graag onder een bijna *te* hete douche; ze hield ervan haar zoontje aan het lachen te maken en om zijn zijdezachte bolle wangetje net zolang te zoenen tot hij zei: 'Afblijven!' Ze hield van *Seinfeld* en *Arrested Development*; ze hield van mensen die naar je glimlachten omdat ze aardig voor je wilden zijn. De gekte van een casino in Las Vegas vond ze amusant, maar ze voelde er evenveel haat als liefde voor. Het was niet het echte leven. En wat mannen betrof...

'Joe! Hé, man, geef me eens een high five!'

Haar zoontje wurmde zich uit de armen van een collega en rende op Ben Arlington af. Ben zwaaide hem de lucht in en het mannetje gilde van plezier. 'Wat ben je al groot,' zei Ben. Hij grijnsde naar Lulu. 'Nog even en we kunnen samen gaan surfen.'

Lulu zag dat alle vrouwen op kantoor vertederd toekeken. Zij was alleen niet onder de indruk. Ben kletste wel charmant, maar hij zou gaan trouwen met Sunshine Beam, en door *haar* uit te kiezen – zo laag en smakeloos, al was ze nog zo intelligent – had hij alle vrouwen hier verraden. Sunshine was opzichtig en ordinair (mannen noemden dat levendig), maar moest je zo onuitstaanbaar met jezelf ingenomen zijn om in aanmerking te komen als zijn levensgezel?

Lulu werkte voor Ben maar de laatste maanden was ze zijn vriendin geworden, en als hij bij haar thuis op bezoek was, zette hij altijd koffie. Zijn vriendschap was haar dierbaar; ze pakte wat ze pakken kon. Ze vleide zich met de gedachte dat hij kon ontspannen bij haar, omdat zij hem behandelde als een doodgewone kerel.

Ze praatte veel met Ben over Joe. Joe's vader was een tijdelijke foute flirt geweest die in het niets was opgelost. Ben probeerde een rolmodel te zijn in Joe's leven, en niet uit verheven liefdadigheid maar omdat hij Joe een geweldig ventje vond. Ze probeerde om het niet over Joe te hebben, en oké, ze hadden het ook weleens over andere dingen – bijvoorbeeld, hoe kon iemand een schoolcarrière doorlopen zonder te weten wat een 'menora' was, of de vraag of je nieuwe tandarts een *slechte* tandarts was omdat hij niet zo complimenteus over je gebit was als je oude tandarts – maar het gesprek kwam uiteindelijk toch altijd weer uit op haar zoon.

'Ik hoop dat je geen medelijden met me hebt,' zei ze op een avond toen Joe een virusje te pakken had en haar twee keer had onder gespuugd (en haar bed ook een keer).

'Waarom zou ik,' had Ben toen geantwoord, en er klonk iets kils door in zijn stem. 'Wat een rotopmerking. Jij hebt een droomleven. Zo zie jij dat zelf misschien niet, maar je hebt een prachtig, gezond kind, en je bent nog jong. Je hebt ouders die stapelgek op je zijn, stapels vrienden, een baan, een huis. Je bent supermooi, grappig, slim en je bent in wezen vrij. En dat weet je zelf ook best. Jij bent een gelukkig mens. En als ik al iets denk, dan is het andersom, namelijk dat jij medelijden zou moeten hebben met mij.'

'Doe niet zo belachelijk,' had ze bits geantwoord.

'Hoezo?' zei hij. 'Wat is er dan zo belachelijk?'

'Kom nou toch, Ben.'

'Gaat het soms om het geld?' had hij gevraagd, en zijn stem klonk ijzig.

Ze was in de lach geschoten, ook al ging haar hart tekeer vanwege haar lef. 'Ben, mensen met geld zeggen altijd dat het er niet toe doet en dat het je niet gelukkig maakt. En dat is een belediging voor iemand die de hartverscheurende angst kent van het niet in staat zijn je rekeningen te betalen, en niet te weten wat er dan met je zal gebeuren, of wat je er in godsnaam aan kunt doen.'

'Ik heb nooit gezegd dat geld er niet toe doet. Ik ben niet gek. Het is duidelijk wat geld je kan bieden, maar als je het niet hebt, heb je geen idee wat het je allemaal niet kan bieden. Geluk is niet te vinden in de showroom van Maserati. Dat vind je alleen in contact met anderen – en weet je wat dat soort contact meestal verziekt? Je kunt nooit meer een eerlijke eerste indruk op iemand maken – die indruk hebben ze al. Dat is heel eenzaam. Het is een ongelofelijk bevoorrecht leven, maar het is ook heel vaak heel erg... *kil*.'

Ze pakte zijn hand en kneep erin, en alle animositeit was weer uit de lucht. Het was ook zo: Ben had een raar leven, ontzettend oppervlakkig, showbizzachtig en supersnel, en toch was dat maar een heel klein deel van wie hij werkelijk was.

'Nou,' had ze gezegd. 'Dan is dit heel goed voor jou, blijf je lekker normaal van.' En ze had hem Joe overhandigd die keurig een vierde keer overgaf, in *Exorcist*-stijl.

Ben deed de dingetjes met Joe waar zij nooit aan zou denken, zoals hem zo hoog in de lucht gooien dat hij bijna het plafond raakte. Dan liep zij zenuwachtig rond en gilde: 'Voorzichtig!' terwijl Joe het uitkraaide van plezier. Maar hij las Joe ook graag voor. Hun favoriete boek had Ben meegebracht van zijn laatste tripje naar Engeland, *Tatty Ratty*. Ben noemde het altijd *Ratty Tatty*, of *Fatty Ratty*, en dat vond Joe hilarisch. Dan zaten ze samen te giebelen, en Lulu had net het gevoel of ze een echt gezinnetje waren. Het was een van de zeldzame momenten dat ze dat soort gedachten toeliet en het was vreemd om zich te realiseren wie hij buiten haar appartement was. Daarbuiten was Ben van iedereen behalve van haar, maar hierbinnen was hij de hare.

Nu Sunshine de baas was, was er van die onzin geen sprake meer. Lulu had overwogen om Ben te vragen of hij Joe's peetvader wilde worden, om de liefde tussen hen officieel te maken, maar hoewel ze wist dat Ben zich vereerd zou voelen, wist ze ook hoe anderen dit zouden opvatten.

Ben nam haar in vertrouwen. Nog geen week geleden had hij haar verteld dat hij zich rot voelde over Ariel. Ariel weigerde contact met de hele familie, en hij was al drie keer bij haar langsgegaan, maar ze was nooit thuis. Lulu zei dat Ariel waarschijnlijk wat ruimte nodig had om volwassen te worden en tot haar positieven te komen. Tot ieders verbazing had Ariel een soort van baan. Ze had zichzelf uitgeroepen tot 'hospitality consultant', wat inhield dat hotels haar betaalden om hun faciliteiten te testen en te becommentariëren; niet slecht. 'Ik denk dat jij je echt geen zorgen hoeft te maken om Ariel,' had ze tegen hem gezegd, en hij was in de lach geschoten.

Besprak hij dit soort gevoelige onderwerpen ook al die tijd al met Sunshine? Lulu betwijfelde of Sunshine het wel over andere vrouwen wilde hebben als zij samen in bed lagen, laat staan over Bens zusje. Sunshine was niet zo attent. Haar aandacht ging nooit verder dan haar eigenbelang.

Lulu had ooit eens samen met Sunshine in een auto met chauffeur gezeten en toen had Sunshine een stuk kauwgom in haar mond gestopt en *het papiertje uit het raam gegooid*. Wat Lulu betrof was er niet zo'n groot verschil tussen een straatvervuiler en een seriemoordenaar. Nu zij Joe had, dacht ze aan de toekomst van de planeet, en als ze Sunshine haar troep van zich af zag gooien, zag ze Joe als volwassen man zich door een zee van afval worstelen.

'Hebt u al een trouwdatum geprikt, meneer Arlington,' vroeg een van de wat dapperder secretaresses. 'En waar u naartoe gaat op huwelijksreis?'

'Bella, wil jij soms graag van mij af?'

Terwijl iedereen er giechelend bij kwam staan, wist Lulu zeker dat geen van de meiden hier geïnteresseerd was in Sunshine Beam, maar dat ze de gelegenheid te baat namen om geintjes te maken met Ben Arlington en een paar tellen deden alsof hij daar voor hen alleen was. O, Lulu, zielige ouwe vrijster, de druiven zijn zuur omdat jij niemand hebt.

'Geeft u nog een verlovingsfeest, meneer Arlington?' vroeg een van de secretaresses giechelend.

'O, god, nee zeg, ik moet er niet aan denken. Ik...'

'Ben, lieveling – o, hemel, is dat een *kind*? Wat moet dat hier, hier wordt toch *gewerkt*?' Bij het horen van die stem bevroor de warme sfeer direct, en schuifelde iedereen haastig terug naar zijn bureau. Sofia Arlington keek Lulu even aan, en Lulu's hart kromp ineen van angst.

'*Lulu?*' vroeg ze. 'Is dit van jou?'

'Ja, mevrouw Arlington. Het spijt me. Ik heb anders kinderopvang, maar helaas kon hij daar vandaag niet terecht en dus moest ik hem mee naar het werk nemen. Delilah van de crèche bij de spa wil hem vanmiddag opvangen, dus... Het is nog nooit eerder gebeurd, maar...'

Sofia glimlachte naar Ben, een snelle, professionele glimlach. 'Enfin, schat, dan mag jij je over het kind ontfermen, want ik heb een bijzondere opdracht voor Lulu!'

'O ja?'

Sofia glimlachte opnieuw. 'Ja, schat, *natuurlijk* krijgen jullie een verlovingsfeestje. Je vader en ik zouden vreselijk teleurgesteld zijn als...'

'Moeder, ik...'

'Ben, toe, voor mijn plezier. Het zou me erg gelukkig maken.'

Lulu keek naar Bens gezicht. Sofia speelde op zijn schuldgevoel, omdat hij wegging, zeker weten.

'Goed dan, natuurlijk, dankjewel.'

Sofia klapte in haar handen. 'Geweldig! Er zijn een paar data in augustus die zouden kunnen – laat me maar weten wanneer het jullie goed uitkomt. Ik heb besloten om het op Turtle Egg Island te houden, omdat dit, hopelijk, maar één keer in je leven voor zal komen. Je kunt je wel voorstellen wat het in de media losmaakt. Enfin, geen publiciteit is slechte publiciteit, en de liefde overwint alles – zelfs helikopters die je vaders eindeloze speeches verstoren. Er zullen natuurlijk wel bepaalde zakenrelaties uitgenodigd moeten worden.'

'Uiteraard,' zei Ben droogjes.

'En het is ook een uitstekende gelegenheid om kennis te maken met Sunshine's moeder.'

Ben trok zijn moeder opzij. Lulu hoorde hem mompelen: 'Sunshine praat al een hele poos niet meer met haar moeder. Ik geloof niet dat het nodig is om ze te herenigen. Volgens mij weet Sunshine niet eens waar haar moeder is – ze heeft de neiging nogal eens te verdwijnen. Haar vader is dood. Mam, ik heb echt geen zin in een enorme toestand. En waar heb je Lulu voor nodig?'

Sofia knipte met haar vingers terwijl Ben haar woedend aankeek. 'Sorry, Lulu,' zei hij.

Lulu glimlachte en liep op hen af.

'Voor administratieve zaken, Ben. Ik heb haar nodig voor administratieve zaken. Lulu gaat mij adviseren wat betreft de gastenlijst. Wie jouw meest dierbare vrienden zijn. Kom mee,' zei mevrouw Arlington. 'Kindje,' zei ze toen ze buiten gehoorsafstand waren. 'Ik weet dat ik jou kan vertrouwen. En ik weet dat jij loyaal bent aan Ben. Ten eerste wil ik inderdaad dat jij Gloria-Beth helpt bij het opstellen van de gastenlijst – Bens vrienden moeten natuurlijk op het feest aanwezig zijn. Maar zo eenvoudig is het niet helemaal: jij moet bepaalde mensen voor mij opspeuren – Sunshine's familie, bijvoorbeeld. Ik nodig zelf tweehonderd van onze beste vrienden uit, en veel van hen zijn publieke figuren, dus heb ik iemand nodig met gezond verstand en doorzettingsvermogen, die absoluut discreet kan zijn.'

Lulu knikte.

Mevrouw Arlington schraapte haar keel. 'En dan is er nog iets, Lulu. Het spijt me dat ik het moet zeggen, maar ik ken ook iemand die *niet* zo loyaal is aan Ben.'

Ja, *jij*, dacht Lulu. Ze voelde zich nog altijd rot over de ontmoeting met meneer Ping op Turtle Egg Island, maar gelukkig was er verder niets ergs van gekomen. Dat was tenminste een troost. Ben wist niet hoe vals zijn moeder was geweest, en hoe ze haar best had gedaan om zijn plannen te dwarsbomen. Maar omdat dat niet was gelukt, had Lulu het gevoel dat op haar niet de morele verantwoordelijkheid rustte om hem daarvan op de hoogte te brengen.

'En omdat hij mijn zoon is, kan ik niet aanzien dat hij gekwetst wordt. En ik wil al helemaal niet dat hij met de *verkeerde vrouw* trouwt.'

O, hemel! Dat wilde Lulu ook niet! Lulu hoopte dat ze niet bloosde. Maar ze begreep het gevoel. Ze kon zich niets vreselijkers indenken dan dat baby Joe met de verkeerde vrouw zou trouwen… een spijkerharde, egocentrische tante die niet lief voor hem zou zijn. Het was een vreselijk idee dat je zoon een slechte relatie zou kunnen krijgen.

'Dus dit verlovingsfeest moet niet alleen een uitbundig, fantastisch, indrukwekkend, publiek en luxefeest van de liefde worden, het zal ook een test zijn... de aanstaande bruid moet op de proef worden gesteld. En, mijn lieve Lulu' – mevrouw Arlington schonk haar een glimlach. Haar rode lippenstift was ongebruikelijk vlekkerig en Lulu moest heel even denken aan Heath Ledger als de Joker – 'daar heb ik jouw hulp voor nodig. Wil jij die geven?'

Alsof ze een keus had. 'Ja, die wil ik geven, mevrouw Arlington,' zei Lulu. De waarheid was dat zij ook niet wilde dat Ben met Sunshine zou trouwen – en diep vanbinnen wist ze dat dat niet alleen maar met baby Joe te maken had. Sunshine was niet goed genoeg voor Ben; zij zou hem niet gelukkig maken – tenminste, niet langer dan een week, en uit wat mevrouw Arlington net zei, maakte ze op dat ze hem misschien nu al bedroog.

En ook al vertrouwde Lulu mevrouw Arlington voor geen meter, en ook al wist ze dat mevrouw Arlington stiekem woedend op Ben was vanwege het Macau-fiasco, de waarheid was dat Lulu zelf zinloos en hopeloos verliefd was op Ben, en dat ze hem niet wilde verliezen, en zeker niet aan zo'n ijdel, oppervlakkig wicht dat hem niet verdiende. Ze zou zich vastklampen aan de allerkleinste, allerdunste strohalm als ze nog een kans had, hoe onwaarschijnlijk en belachelijk ook, dat Ben Arlington ooit van haar zou houden.

Al leken de kaarten niet in haar voordeel geschud, toch hield Lulu vast aan de hoop dat haar krankzinnige, buitensporige wens nog altijd uit zou kunnen komen.

•••••

ISOLEERCEL, MONT BLANC SANATORIUM, TWEE MAANDEN LATER, 28 JULI 2009

Gisèle

'Zo, Bessie.' Gisèle pakte het kleine potje en telde de pillen uit in Bessie's hand. 'Hoe voel je je?'

Gisèle keek toe terwijl Bessie nadacht. 'Ik weet het niet,' zei ze uiteindelijk. 'Ik weet niet hoe ik me voel.' Er viel een lange stilte. 'Deze smaken naar tandpasta. Ik ben een klein iemand in een kleine wereld.'

Het was inderdaad Bessie die hier was geplaatst omdat Dr. Erich was omgekocht met 'één komma vijf'. Gisèle wist het zeker. Toch intrigeerde het haar waarom deze vrouw voor iemand een bedreiging zou kunnen zijn. In haar status stond dat ze schizofreen was, maar daar zag Gisèle niets van. Het was normaal dat patiënten die opgenomen waren op de afdeling Psychiatrie beweerden dat slechte mensen tegen hen samenzwoeren door te zeggen dat ze gek waren, maar Bessie was volgens Gisèle de enige die daar weleens gelijk in zou kunnen hebben.

Als 'onstabiele' patiënt moest Bessie in het openbaar te allen tijde vergezeld worden van een verpleegkundige. Ze werd daarnaast zwaar onder de kalmerende middelen gehouden, zo erg zelfs dat ze niet kon deelnemen aan een gesprek of activiteit. Gisèle had zich voorgenomen hier iets aan te doen.

Dr. Erich had een medicijn uitgekozen voor Bessie dat geen enkele andere patiënt kreeg. Het enige wat Gisèle hoefde te doen was Bessie's pillen om te ruilen voor een placebo. Aangezien alle medicijnen achter slot en grendel zaten, moest ze twee weken wachten voor zich een mogelijkheid voordeed om dat te doen. Het gebeurde een keer tijdens de lunch; het was vrij eenvoudig, want iemand had de sleutel in de deur laten zitten. In elk potje zat genoeg voor een maand. Gisèle ruilde in het potje voor de eerste maand, april, maar een paar pillen om. Daarna hoefde ze een maandlang niets te doen: de apotheek zou Bessie's recept aanvullen en de verpleging zou de pillen elke dag in haar mond stoppen.

In mei ruilde ze de helft van alle pillen om voor een placebo – pepermuntjes. In juni driekwart, en uiteindelijk, in juli, *alles*. Vier weken daarvoor had Gisèle gemerkt, zowel tot haar vreugde als met enige angst, dat Bessie cognitief bijna volledig ongeschonden was. Maar het was van groot belang dat niemand anders dat ook zou opmerken. Dus had ze tijdens de bespreking met de arts plompverloren geopperd dat Bessie wellicht baat zou hebben bij een milde benzodiazepine. Ze zag dat Dr. Erich de neiging moest onderdrukken om uit te roepen: 'Hoe meer pillen, hoe beter!'

En dus slikte Bessie nu Zopiclone – kortwerkend, maar wel dusdanig slaapverwekkend dat het leek alsof ze de echt zware medicijnen voor haar zogenaamde gevaarlijke psychose nog altijd slikte.

Maar, dacht Gisèle huiverend, de slaperigheid kon de wanhoop in haar ogen niet verhullen. Ze wilde dolgraag weten wat Bessie op haar kerfstok had. Misschien zou Bessie haar ooit haar verhaal uit de doeken doen bij een beker warme chocolademelk, terwijl Dr. Erich wegkwijnde *in de gevangenis*.

Gisèle ging in haar stoel zitten. 'Bessie, ik denk dat we ons allemaal weleens klein voelen in het leven.'

Bessie draaide een lok haar om haar vingers, tenminste, ze deed alsof, want haar haar was kortgeknipt en dus draaide ze nu in het niets. Ze keek uit het raam, naar het bed, naar de grond, maar niet naar Gisèle. 'Ik vraag me af waar ik ben.'

'O, Bessie,' zei Gisèle. 'Het leven kan zwaar zijn, maar ik denk dat we hier allemaal met een bepaald doel zijn.'

Bessie barstte in lachen uit. 'Ik bedoelde niet wat de zin is van de schepping,' zei ze, terwijl ze Gisèle intens aanstaarde. 'Ik wilde weten waarom ik in dit gesticht zit.'

Gisèle knikte, maar ze kon de opkomende grijns nauwelijks onderdrukken. Ze was zowel extatisch als doodsbang. 'Ik denk,' zei ze voorzichtig, 'dat iemand jou hierin gestopt heeft.'

Bessie keek geschrokken. De hand waarmee ze in de lucht zat te draaien ging nog drukker tekeer. Het leek alsof ze kleine duivelshoorntjes maakte met een vinger, steeds maar weer. Gisèle voelde plotseling een golf van misselijkheid. Stel dat Bessie wel gek was en er een onschuldige verklaring was voor Erichs 'één komma vijf'?

'Kijk eens wat ik voor je heb,' fluisterde ze om Bessie uit haar trance te halen. Ze had een roddelblad voor Bessie meegebracht. Misschien dat daarmee haar geheugen werd gestimuleerd, doordat het haar wat context gaf. Maar toen ze haar hand uitstak om de smokkelwaar te overhandigen, klonk er een klik. Gisèle gooide het tijdschrift onder het bed. Ze was buiten adem van angst.

De deur ging open en Dr. Erich schreed de kamer in.

Gisèle bood Bessie een glas water aan – alles om haar schuldgevoel te maskeren.

Sinds Gisèle hem had betrapt met Adelheid, was ze nog zeven keer met hem naar bed geweest, ook al griezelde ze van zijn aanraking terwijl *hij* dacht dat ze huiverde van genot. Zijn ego was haar enige bescherming. Hij zou niet geloven dat een *nobody* als zij hem ineens niet meer aanbad.

Hij wist natuurlijk niet dat zij hem met Adelheid had gezien. En toch ging haar hart nu tekeer van angst.

'Goedemorgen, Bessie. Zuster, u had ik hier niet verwacht.'

Gisèle glimlachte flauwtjes terwijl Erich Bessie's status bekeek.

'Ik was benieuwd naar de vorderingen bij deze patiënt,' stamelde ze. 'Ik heb bewondering voor uw werk, dokter, en ik wil er zo graag van leren.'

Dr. Erich glimlachte. 'Wacht op me in mijn kantoortje, zuster.'

'Ja, dokter.'

Gisèle haastte zich naar de eerste verdieping. Ze knikte naar Erichs secretaresse, van wie het gedrag en de tanden haar deden denken aan Cerberus, de hellehond. Mont Blanc was een strak, wit, hygiënisch streng gebouw, maar Erichs kantoor was verfijnd, kleurloos chic. Het besloeg een heel atrium, met witglimmende vloerdelen en enorme ramen, en Cerberus zat aan een wit bureau in een hoekje. Binnen leek het heiligdom meer op een appartement dan op een kantoor: er waren banken, planten, sfeerverlichting, een douche en een bed. Gisèle ging op de rand van de harde designbank zitten en bad dat Bessie niets tegen Erich zou zeggen.

Ze sprong op toen de deur openging.

Hij keek haar aan, en ze wist niet hoe ze moest terugkijken.

Hij wenkte haar om naar hem toe te komen, en dat deed ze. Ze voelde hoe zijn vingers zich voorzichtig vervlochten met het haar achter in haar nek; hij boog zijn hoofd en wreef met zijn lippen tegen haar oor.

Adelheid was de slet du jour, maar Erich was zo politiek dat hij Gisèle niet zomaar wilde opgeven. De week dat zij had geopperd om Bessie op een benzodiazepine te zetten, had hij haar een armband cadeau gedaan! Het was een beeldschoon ding: diamanten, robijnen, goud. Gisèle dacht terug aan de kerst dat haar vader een mooi schort aan haar moeder had gegeven. Dr. Erich zou nooit zo'n elementaire fout begaan.

Ze drukte haar misprijzen de kop in en klemde zich aan zijn borst. Een withete steek van pijn schoot door haar oor en ze gilde, wankelde naar achter en greep met ingehouden adem naar de zijkant van haar hoofd terwijl het bloed door haar vingers drupte. Erich had haar oorbel er met zijn tanden uitgerukt!

Ze staarde hem in doodsangst aan terwijl hij haar bloed uitspoog op de gelakte, antiek eiken vloer. Hij haalde een gesteven zakdoek uit zijn broekzak en bette zijn mond.

'Zuster,' zei hij. 'U bent consciëntieus, maar treed niet buiten uw zorgtaken. Uw vriendin Bessie is een hoogst onstabiele gek, en ze lijdt aan ernstige psychotische wanen. Ik ben hier de enige die haar adequate zorg kan bieden. Het is voor uw eigen veiligheid van het allergrootste belang dat u niet meer bij haar in de buurt komt. Ze kan gewelddadig worden' – hij knikte naar haar gescheurde oor – 'en als u zich niet aan de voorschriften houdt, staat de kliniek helaas niet in voor de gevolgen.'

Hij glimlachte en bood haar zijn zakdoek aan. 'U begrijpt mij wel?'

Ze pakte de zakdoek uit zijn hand, drukte die tegen haar bloedende oor en vluchtte weg.

•••••

MONT BLANC SANATORIUM, LATER DIE DAG

Bessie

Nadat hij de zuster had opgedragen op hem te wachten in zijn kantoor, had de man Bessie zwijgend aangestaard. Ze was bang dat hij haar gedachten kon lezen. Hij zette een stap in haar richting, mompelde iets en vertrok.

Ze moest hier weg, maar een bang voorgevoel overviel haar als de duistere nacht. Die jonge zuster was er op de een of andere manier achter gekomen, en wilde haar helpen. Maar ze was bang – en daar had ze alle reden toe. Bessie zou haar tot actie moeten aanzetten, want ze vreesde met grote vrezen dat ze hier zou sterven als ze niet binnen een paar dagen weg zou zijn.

Ze rolde van het bed af en pakte het roddelblaadje op. Het was een Duitstalig blad, maar er stonden heel veel foto's in. Die bestudeerde ze verwonderd. *Jemig*. Wat een levendigheid, wat een vrolijke kleuren, wat een geluk! Er waren zo veel gezichten die ze herkende; misschien kende ze deze mensen persoonlijk, of had ze hen in films gezien?

En toen sloeg ze een pagina om en zag ze een beeldschone, elegant geklede familie afgebeeld op het dak van een hoog, glimmend gebouw, tegen een waanzinnige achtergrond: een piramide, de Eiffeltoren en woestijn. Haar hoofd liep over van deze plotselinge overvloed aan informatie. Zo veel ineens kon ze niet verwerken. Haar hersenen deden pijn. Langzaam en voorzichtig liet ze een vinger glijden over de gezichten van Frank Arlington, Ben Arlington, een beeldschoon schepsel dat volgens het onderschrift 'Miss Sunshine Beam' heette, en tot slot Sofia Arlington. Bessie stak haar nagel in het papier en maakte er een scheur in. Toen bedekte ze haar ogen met haar handen en schudde van het lachen, dat al snel omsloeg in huilen.

De deur ging open met een klik. Ze propte het tijdschrift onder haar dekens. Het was een van de zaalwachten. 'Tijd voor therapie,' zei de vrouw, die niet eens de moeite nam haar te begroeten.

Bessie wreef in haar ogen. Haar hart bonkte van opwinding, maar ze schuifelde zonder iets te zeggen naast de vrouw naar de therapieruimte. Als ze maar een paar meter liep was ze al doodmoe. Ze zat ineengezakt en lusteloos naast de zaalwacht, die de tijd verdreef met nagelbijten. De man was er ook, en zijn priemende ogen leken haar te vervloeken. En o, goddank, de zuster was er ook.

Het kostte al haar wilskracht geen oogcontact te maken, want ze wilde dat niet doen waar de man bij was. De zuster bewoog zich anders dan net. Ze leek schrikachtig, bang en Bessie zag tot haar ontzetting wat hij met haar had gedaan. Dat kon niet. Dit meisje was haar enige hoop. Ze zou moeten vechten.

De man bleef het grootste deel van de tijd ben hen, en Bessie voelde zijn kille blik meer dan eens op haar rusten. Ze reageerde niet, zat daar maar in zichzelf te mompelen. Jij wilt me gek, dan krijg je me gek.

Toen de therapie over was, hielp Gisèle de therapeut bij het uitdelen van plastic bekertjes met sterk verdunde limonade.

'Alsjeblieft,' zei ze tegen Bessie. 'Vind je lekker, toch, limonade?'

Bessie staarde naar het bekertje en begon snel en met lage stem te praten, waarbij ze heen en weer schommelde, met haar hand voor haar mond, een toonbeeld van een gestoorde psychoot die onzin uitkraamde. Maar haar woorden, die alleen Gisèle kon verstaan, waren duidelijk: 'Ik heb drie kinderen,' zei Bessie, 'twee jongens en een meisje. En ik weet waarom Sofia Arlington mij hier heeft gestopt. Ik kan alles bewijzen. Ik smeek je, haal me hier uit. Het kan me niet schelen hoe.'

Gisèle glimlachte en liep weg zonder nog naar Bessie te kijken. Bessie sprong op, waarbij ze haar limonade over haar tuniek morste, en iemand greep haar bij de schouder.

'Wat kletsen we vandaag veel, Bessie?' zei de man met een gezicht als van graniet.

'Ik lust geen sinaasappellimonade, ik zei toch tegen haar dat ik daar een hekel aan heb! Ik wil een gin-tonic, maar ze luistert niet.'

Zijn ogen doorboorden haar, vol ongeloof. Hij glimlachte en zei: 'Jij krijgt huisarrest, Bessie. Voor de rest van je leven.'

Hij draaide haar in de richting van de afdeling Psychiatrie en liep met haar naar haar kamer. Ze strompelde in zigzagbewegingen, en met een dode blik in de ogen. Of hij daar intrapte, wist ze niet.

'Dit is voortaan jouw leven,' zei hij, en hij duwde haar ruw op het bed. 'Je hebt nog geluk dat jouw sponsor je in leven wil houden.'

Ze keek hem aan met een glazige blik en fluisterde: 'Ja, dokter, dank u, dokter.'

'Stom rund,' mompelde hij, en hij stampte de kamer uit.

Langzaam begon de mist op te trekken en Bessie wist dat ze dat aan het meisje te danken had. Het probleem was alleen dat de man dat ook wist.

•••••

PARKEERPLAATS VOOR HET PERSONEEL VAN HET MONT BLANC SANATORIUM, DIE AVOND

Dr. Erich

Dr. Erich zat in zijn Mercedes Benz en zag in zijn linkerzijspiegel dat Gisèle het sanatorium uit kwam. Ze liep gehaast, met gebogen hoofd, zodat haar keurige bob haar gescheurde oor bedekte. Dr. Erich veegde zijn grijze lokken uit zijn ogen. Het was stom van hem dat hij zich had laten gaan. Het was haar eigen schuld, had ze maar niet zo nieuwsgierig moeten zijn. Wist ze iets? Zijn schuldbewustheid maakte hem achterdochtig. Maar achterdocht was doorgaans terecht.

Gisèle was een lastpak. Haar veronderstellingen wat hun 'relatie' betrof waren beledigend. Het kon hem niet schelen dat ze had gezien hoe hij Adelheid had genomen. Hij was ervan uitgegaan dat ze nu haar plaats wel zou weten, en dat ze had gezien hoe een vrouw zich tijdens de paringsdaad diende te gedragen.

Maar in plaats van beter haar best te doen, was Gisèle verongelijkt gaan doen. Dr. Erich balde zijn hand tot een vuist. Nog een fout. Zij voelde zich tekortgedaan; ze was boos, en zon op wraak. Godallemachtig! Als Sofia Arlington er lucht van kreeg dat er een lek zat in haar waterdichte oplossing, dan waren de gevangenis en als arts uit het register geschrapt worden nog de minste van zijn problemen. Want als hij dit geen halt kon toeroepen zou hij sterven in plaats van

Bessie. Sofia Arlington zou achter de waarheid komen en... hij moest zorgen dat hij zich ruim voor dat moment uit de voeten had gemaakt.

De armband die hij Gisèle had gegeven was van een inmiddels overleden patiënt. Dat was allemaal in orde – ze had hem de armband per testament nagelaten. Dat gebeurde zo vaak. Er waren wel regels, maar daar kon je ook omheen leven. Bij Gisèle kon er nauwelijks een lachje af toen ze hem kreeg: ondankbaar nest. Enfin, dat deed er niet toe. Ze had hem maar te leen.

Dr. Erich nam een flinke trek van zijn sigaret, blies de rook langzaam en sissend door zijn tanden uit, en startte de motor.

•••••

MONT BLANC SANATORIUM, DRIE DAGEN LATER, 31 JULI 2009

Gisèle

Uit gewoonte streek ze haar haren achter haar oor, maar liet het snel weer terugvallen. Ze had haar oorlel ingespoten met een antiseptisch middel, maar toch was het gaan ontsteken. Ze weigerde om dit als een slecht voorteken te zien.

Nu ze een band had met Bessie, nam ze dit risico niet meer alleen uit wraak – het leven van deze vrouw stond op het spel. Niettemin schepte ze er een rancuneus genoegen in dat ze Dr. Erich zou ruïneren als ze Bessie vrij zou krijgen.

Bessie zou de zon weer zien, want vanavond zou Gisèle haar helpen te ontsnappen, of, zoals ze het hier noemden, 'impulsief te vertrekken'.

Ze kende de naam 'Sofia Arlington' wel. Als je van Las Vegas had gehoord, dan kende je de Arlingtons. Deze Sofia Arlington had zeer zeker de middelen om Dr. Erich 'een komma vijf' te betalen om een ongewenst persoon op te sluiten. Maar toch: zou het echt zo zijn?

Gisèle had het bange vermoeden dat Sofia Arlington in het roddelblad stond dat ze Bessie's kamer had binnengesmokkeld. Het kon zijn dat Bessie een naam uit haar kortetermijngeheugen had genoemd – dat ze net zo goed had kunnen zeggen: 'Ik zit hier dankzij Homer Simpson.'

Maar Gisèle vertrouwde Bessie – al was het alleen maar omdat ze Erich niet vertrouwde. En ze moest snel handelen. Ze was verbannen van de isoleercellen, en het zou goed kunnen dat Dr. Erich tijdens de volgende patiëntbespreking besloot om Bessie's medicatie aan te passen. Als Gisèle Bessie hier nu niet uit kon krijgen, zou ze binnenkort weer opgaan in haar medicamenteuze mist.

Gisèles dienst zat erop en ze wist dat Dr. Erich haar bespiedde vanuit zijn auto. Ze zorgde ervoor dat ze alleen overstak als er een andere voetganger naast haar stond. Dr. Erich was gevaarlijk, maar zij was slimmer dan hij. Ze zou ervoor zorgen dat hij haar naar de tramhalte zag lopen, en dat ze instapte zoals altijd.

Ze ging links in de tram zitten en zag zijn zilveren wagen voorbij zoeven.

Zoals verwacht, ging haar telefoon op dat moment, en ze glimlachte. Het was haar direct leidinggevende. 'Gisèle, het spijt me, maar je moet weer terugkomen naar het werk. Ik heb een of ander virus. Peter en Colette zijn al ziek naar huis gegaan. Ik zou het je anders niet vragen, maar we zitten zo krap in het personeel.'

Ze stapte uit bij de volgende halte, en ging terug naar het sanatorium. Ze had allerlei krankzinnige plannen overwogen die ze aan speelfilms had ontleend, maar toen had ze besloten om gewoon gebruik te maken van de middelen die ze tot haar beschikking had.

Ze had deze avond uitgekozen omdat Dr. Erich naar het zomerbal van de universiteit ging. Dr. Erich was een van de wetenschappers die er zou worden gelauwerd met een eredoctoraat. Het ging duidelijk bergafwaarts met het onderwijs. Hij was zo ijdel dat hij deze gelegenheid niet aan zijn neus voorbij liet gaan.

Eerder die dag had zij thee gezet voor haar collega's – dat deden ze om de beurt – en ze had vloeibaar laxeermiddel in twee van de bekers gedaan: in die van Peter, omdat hij rookte en zijn thee meestal snel achteroversloeg, en Colette, omdat die verkouden was. Geen van tweeën zou de eventueel verdachte geur daarom ruiken. Daarbij hadden zij allebei toegang tot de unit met de isoleercellen. Ze was als de dood toen ze ook de thee van haar leidinggevende van laxeermiddel voorzag, maar Dr. Harris was niet geïnteresseerd in eten en smaken, want zij hield zich alleen met belangrijke zaken bezig. Niettemin hield Gisèle toch haar vingers gekruist.

Ze klokte in en haastte zich naar de zusterspost. Haar leidinggevende schonk haar een flauw glimlachje.

'Wat fijn. Hemel, wat voel ik me beroerd. Het lijkt erop dat er een virus rondwaart onder het personeel.'

'Dr. Harris, u weet dat ik geen toegang heb tot de isoleercellen. Wat nu als...?'

Dr. Harris rommelde in haar tas. 'Neem mijn kaart maar. Dat kan wel voor een avondje.' Gisèle keek toe terwijl Dr. Harris de code van die dag neerkrabbelde en toen richting de deur strompelde. Ze voelde hoe het klamme zweet haar uitbrak.

Over een kwartier zou ze bij Bessie gaan 'kijken' en bij de andere patiënten, en dan zou ze doen wat er moest gebeuren. Een halfuur later zou ze nog eens de ronde doen en dan trad de hoofdfase van haar plan in werking. Alles was voorbereid. Het was wel een wonderlijk gelukje dat Mont Blanc tijdelijk niet voldeed aan haar wetenschappelijke, klinische en verpleegkundige idealen. De brochure repte dan wel van een chef-kok die op Michelin-niveau kookte, maar hun medisch instrumentarium was minder indrukwekkend.

Maanden eerder had Gisèle eens tegen Dr. Erich gezegd dat de Crash Cart bij de isoleercellen niet fatsoenlijk was ingericht. Als er een code blauw zou zijn, en er dus een gezichtsmasker nodig was, zaten ze behoorlijk in de nesten. Bovendien bevatte de zuurstoftank niet de vereiste hoeveelheid gas. En de la voor de extra noodmiddelen wilde niet open. Ze wilde zo graag bewijzen dat ze een goed meisje was. Maar hij wilde juist liever het slechte meisje in haar zien.

Dat zou hij nu berouwen.

Ze glimlachte naar de bewaker, die teruglachte, en ze haalde de toegangspas van Dr. Harris langs het oog. Toen ging ze kort kijken bij de andere patiënten voor ze Bessie's kamer binnen ging.

'Bessie,' zei ze, 'hoe gaat het met je? Tijd voor je pil! Ik zou zeggen, slik hem maar lekker, en ga dan even liggen. Ik kom snel weer terug.'

Het viel niet mee om de volle dertig minuten te wachten en te doen alsof ze notities maakte, koffie nipte en zich nergens druk om maakte. Maar toen was het eindelijk zover. Gisèle stond langzaam op en liep naar de isoleercellen. Ze maakte Bessie's deur open, en durfde nauwelijks te kijken. Bessie lag languit op bed en hapte naar lucht. 'O, god, ik voel me zo beroerd. Zwak, misselijk, alsof ik flauw ga vallen.'

Gisèle drukte twee vingers in Bessie's hals. 'Je bloeddruk is abnormaal laag.' Ze hoorde hoe ze die woorden als een robot uitsprak. Als ze tests gingen doen, zouden ze erachter komen dat deze patiënt acebutolol had geslikt, een medicijn om de bloeddruk te verlagen. Maar er zouden geen tests worden gedaan.

Gisèle deed haar ogen een fractie van een seconde dicht, en drukte toch op haar pieper. *Code blauw*. Een paar minuten later keek ze toe naar twee collega's die stonden te worstelen om het zuurstofmasker los te krijgen. De Crash Cart was een grote bende: een schande.

'Dit slaat nergens op. We moeten nu iets doen, ze moet naar het ziekenhuis,' zei ze dringend. 'Bel maar.'

De ene collega keek haar verslagen aan.

'Wat denk je dat Dr. Erich ervan zou denken als een van zijn patienten het loodje legt terwijl hij aan de champagne zit op een feestje? Bel een ambulance!'

Het zat mee dat het vrijdagavond was. Los van de humanresourcesmanager was er geen enkele leidinggevende meer in het pand aanwezig. De hr-manager kwam de gang in met wapperende handen terwijl het ambulancepersoneel van het City Hospital het gebouw in stormde, maar Gisèle wist dat ze geen bezwaar zou maken – ze bezat geen medische kwalificaties en ze was zelf ook als de dood haar baan te verliezen.

'Ik ga wel mee, ik ken haar voorgeschiedenis,' zei Gisèle tegen de hr-manager terwijl ze in de ambulance klom. 'Dr. Erich weet van de situatie,' voegde ze er nog aan toe. 'Hij heeft de opdracht gegeven om dit niet bekend te laten worden, om het binnenskamers te houden.'

'Er is extra beveiliging vereist voor patiënten uit de isoleer, ' antwoordde de hr-manager. 'Helmut zal jullie begeleiden.'

Gisèle knikte, alsof het haar niet kon schelen dat de zwijgzame bewaker, een knots van een vent met handboeien aan zijn riem, de ambulance binnen stapte, maar de hemel zij dank werd hij tegengehouden door de ambulancebroeder. 'U moet maar achter ons aan rijden, er is niet genoeg plaats.'

Helmut keek de hr-manager aan.

'We moeten gaan voor we haar kwijtraken,' zei Gisèle fel. 'Ze is bewusteloos, dus ze vormt geen enkel risico.'

De hr-manager wenkte Helmut met een gespannen, boos gebaar. Helmut haalde zijn schouders op en stapte uit, waarop de ambulancebroeder de portiers dichtgooide. Een paar tellen later racete de ambulance over de snelweg, de vrijheid tegemoet. Gisèle hield haar blik op de grond gericht; ze was bang dat anders iemand de triomf in haar ogen zou zien. Bessie was weg uit Mont Blanc, en het plan was nu al bijna geslaagd.

•••••

CITY HOSPITAL, GENÈVE, ZWITSERLAND, DIE AVOND

Gisèle

'Haar bloeddruk is stabiel,' zei de arts. 'Maar ik wil graag dat ze vannacht hier blijft ter observatie. We zullen haar in een eenpersoonskamer leggen. Ik neem aan dat ze verzekerd is?'

'Ja,' zei Gisèle. 'Mont Blanc zal contact opnemen met uw administratie, geen probleem. Dank u, dokter.'

De kamer die voor Bessie was uitgekozen lag aan het eind van een gang. De zusterspost was aan de andere kant. Tussen de kamer en de post waren een lift en een trappenhuis: perfect.

Niet zo perfect was Helmut, de bewaker; hij was ambtshalve immuun voor charmes, en hij stond als een robot buiten de kamer.

Gisèle wierp een blik op Bessie. Ze was nog wat slaperig van de narcose. Gisèle tintelde van ongeduld toen de zuster de patiënt aan een infuus legde en haar bloeddruk nog eens opnam. Eindelijk, *eindelijk* waren ze alleen.

'Bessie,' siste ze haar in het oor. 'Word wakker. Je ligt in het City Hospital. Dit is je kans.'

Bessie ogen sprongen wijd open. 'Wat moet ik doen?' vroeg ze, en ze greep Gisèles pols met verbluffend veel kracht.

Gisèle legde het uit en ze lachte. 'Dat is waanzin.'

'Nee, dat is het niet. Je bent afgevallen; we zijn bijna even lang. Je moet vooral zelfvertrouwen uitstralen. En goed luisteren naar wat ik zeg.'

Vijf minuten later lag Gisèle uitgeput in de dikke kussens van het ziekenhuisbed. Ze was duizelig van blijdschap. Helmut, die zo afstandelijk was, had nauwelijks gekeken naar de zuster die kordaat door de gang stapte met een karretje voor zich uit. De sleutels en de routebeschrijving naar haar appartement zaten in de stalen waskom.

Gisèle had Bessie genoeg geld gegeven voor de korte tramrit naar haar huis. Daar zou ze schone kleren kunnen pakken en nog wat meer geld, genoeg om daarnaartoe te gaan waar ze naartoe moest. Wat Bessie's paspoort betrof had ze niets kunnen doen – dat was ongetwijfeld door Erich in beslag genomen – maar Bessie kon haar telefoon en computer gebruiken en de rest moest ze zelf regelen.

Nu kwam het moeilijkste stukje: Gisèle stond op, deed haar ogen dicht en beet in haar hand om te zorgen dat ze het niet uitgilde terwijl ze hard aan haar gescheurde oor trok. Terwijl ze het uitschreeuwde van de pijn, drupte het bloed gewillig op de vloer. Voorzichtig ging ze zo liggen dat het leek of de patiënt haar had aangevallen en zij was flauwgevallen van de pijn. Er zaten natuurlijk gaten in haar verhaal, maar niemand zou iets kunnen bewijzen.

Ze lag niet prettig; kwam er maar iemand bij haar kijken. Eindelijk ging de deur open. Ze deed net of ze buiten bewustzijn was en verroerde zich niet. Ze bleef slap hangen terwijl ze op het bed werd getild. Ze had van kleding geruild met Bessie en voelde zich bloot in het ziekenhuishemd. Nog even en haar redder zou om ondersteuning roepen; dit was dus een goed moment om weer bij te komen.

Ze rook de whisky-adem op haar gezicht terwijl twee warme handen zich om haar hals sloten en begonnen te knijpen. Haar ogen schoten open. Een lange, knappe, grijsharige man in een smokingjasje keek op haar neer. *Dr. Erich.*

'Nee,' zei ze gesmoord, warrig van de shock. 'Ik ben het, Gisèle!'

Hij trok zijn handen weg. 'Neem me niet kwalijk, Gisèle, ik ben waarschijnlijk dronken van al die champagne. Ik dacht dat jij Bessie was.'

Een golf oplichting overspoelde haar. 'Ze heeft me, denk ik, aangevallen, dokter. Ik...'

'Ze heeft je ook aangevallen, Gisèle. Ze heeft je gewurgd; zo triest. Stil nu maar, meisje; het is tijd om je mond te houden en te sterven.'

• • • • •

HARRY'S HUIS, LAS VEGAS, VIER DAGEN VOOR HET VERLOVINGSFEEST VAN BEN EN SUNSHINE, 27 AUGUSTUS 2009

Harry

Harry slenterde fluitend de keuken in en gaf Ariel een kus in haar nek.

'Ariel, ik wil je iets laten zien. Een vroeg verjaardagscadeautje. Hé, heb je dat stuk in de krant gezien over dat feest van je broer? Er staat een foto bij van het meisje waarmee hij gaat trouwen, Sunshine Beam. Ze lijkt een beetje op jou.'

'Wat! Ze lijkt helemaal niet op mij.'

'Ja, jij bent natuurlijk veel mooier. Zou je er niet naartoe willen?'

'Niet echt.'

'Je kunt nog van gedachte veranderen, ook al moet je er op een armoedige manier heen, met een gewoon vliegtuig.'

'Harry, ik ga niet.'

'Jammer. Hij heeft je wel uitgenodigd. Het is toch een mooie gelegenheid om het goed te maken?'

'Nee, ik vind het *geen* mooie gelegenheid om het goed te maken. Dat feestje is bedoeld om te vieren dat ze verloofd zijn, niet om hun gasten de gelegenheid te bieden hun grieven te spuien.'

'Ach, toe nou, Ariel. Zo zal Ben dat niet zien. Hij zal blij zijn dat je er bent.'

'Je weet niet hoe hij het zal zien, en hoe mijn vader en moeder zullen reageren.'

'Jullie hebben wat goed te maken, en ik vind dat je moet gaan. Waarom ben je toch zo koppig?'

'Wil je erover ophouden, Harry? Het is irritant. Ik wil er niet heen!'

'Waarom niet? Hij is je broer! Je mist hem. Ik begrijp niet dat je niet naar zijn verlovingsfeestje gaat terwijl hij je heeft uitgenodigd! Hij heeft je eindeloos vaak gebeld, en ik snap niet waarom jij nog steeds zit te simmen.'

'Ik heb er geen zin in, oké? Mag ik hier soms niet mijn eigen gevoel bij hebben? Ik mag haar niet, dat mens met wie hij gaat trouwen. Sterker nog, ik haat haar!'

'Je hebt haar nog nooit ontmoet.'

'Nou, ze lijkt me vreselijk. Ik *wil* helemaal niet vieren dat zij bij mijn familie gaat horen.'

'Het gaat helemaal niet om haar; het gaat om loyaliteit aan je broer.'

'En hoe zit het dan met de loyaliteit van mijn familie aan *mij*? Oké, misschien verdiende ik geen promotie, zoals Ben. Ik denk dat we inmiddels allemaal wel inzien wat mijn beperkingen zijn op zakelijk gebied, ook al red ik het vrij aardig in mijn eentje. Ach ja, dat is natuurlijk gewoon mazzel! Maar mijn vader heeft mij vernederd. En ja, ik heb me aangesteld en ik heb iets gedaan wat ik nooit had moeten doen, maar godallemachtig! Ik ben zesentwintig jaar lang een braaf meisje geweest, dus het werd weleens tijd.'

'Goed, je vader was onvriendelijk en onredelijk, maar daar kan Ben toch niets aan doen?'

'Ik schaam me, Harry! En ik heb nu geen ruimte in mijn hoofd voor alle emotionele plek die mijn familie opeist! Ik wil niet als de boze fee op Turtle Egg komen opdagen, en dat iedereen dan gaat staren en roddelen.'

'Nu ben je smoesjes aan het verzinnen.'

'O, alsof jij alles zo keurig op een rijtje hebt, Harry! Ik heb jou nu, wat zal het zijn, vijf keer de oefeningen zien doen die je van de fysiotherapeut moet doen. In een halfjaar! Je bent down omdat je zo niet kunt werken, maar je ontloopt je verantwoordelijkheden...'

'Bullshit, Ariel! Wat weet jij nou van verantwoordelijkheden? Jij hebt in je hele leven nog nooit ergens verantwoordelijkheid voor genomen!'

'Hoe durf je! Jij weet heel goed hoe hard ik werk. Laten we het eens over *jou* hebben, en dat je bevroren bent omdat je gek bent van schuldgevoel omdat je baas is doodgeschoten. Terwijl, jeetje, wie zijn schuld was het eigenlijk? Nou, ik denk van de man die het schot heeft gelost! En jij zorgt er zelf voor dat je niet beter wordt en weer terug kunt naar de baan waar je zo van houdt, omdat jij het in je domme dwarse kop hebt gehaald dat je dat niet verdient!'

'Hou je mond, ja! Wat een onzin!'

'Nee, Harry, je moet naar me luisteren.'

'Ik meen het, Ariel, hou je kop.'

'Jij kunt niet tegen mij zeggen dat ik mijn kop moet houden nu ik hier ook deel van uitmaak. Wij zitten hier samen in. Het is nu ook onderdeel van míjn leven. Als jij het voelt, voel ik het ook.'

'Jij hebt geen idee wat ik voel. Daar kun je je geen voorstelling van maken. Dat kan niemand.'

'Bespaar me je zelfmedelijden, Harry.'

'Ja, zelfmedelijden heb jij zelf genoeg. Laat me nou maar met rust.'

'Prima, zal ik doen. Ik ga wel weg.'

'Ga dan maar.'

'Ik ga, en denk maar niet dat ik nog terugkom.'

'*Whatever.*'

'Dit was het dus, Harry.'

'Doei!'

'Wat ben jij een… eikel!'

Ariel barstte in tranen uit en smeet de deur van het appartement achter zich dicht. Harry haalde de diamanten ring uit zijn zak en smeet die door de kamer.

•••••

MACAU, DRIE DAGEN VOOR HET VERLOVINGSFEEST, 28 AUGUSTUS 2009

Ben

Toen hij de voetstappen van de man in de gang hoorde, liep er een straaltje zweet over zijn rug. De zware houten deuren gingen open. Ben stond op en boog toen Ping binnenkwam. Hij gaf Ping een kort knikje en schudde zijn hand licht en snel. Hij overhandigde Ping zijn visitekaartje met gouden opdruk, de Chinese kant boven.

Als hij zich maar niet als een onbehouwen Amerikaan gedroeg, zou deze bijeenkomst een succes worden.

Toen schroeide hij een vinger aan de sigaret die Ping tot op het filter had opgerookt. Hij trok zijn hand net iets te snel terug, en hoopte dat Ping het niet had opgemerkt. Er was geen airconditioning, en de rook gaf een bittere smaak in zijn mond. Hij snakte naar een glas water, maar het zou een belediging voor zijn gastheer zijn om ernaar te vragen, want dat suggereerde dat deze tekortschoot.

Het zou ook een teken van zwakte zijn. Alle aanwezigen – van Pings mannen die op de banken hingen tot de Russische hoeren die beeldig stonden te snateren in een hoekje – wisten dat Ben zwak was. Bens enige kracht was zijn jeugd, en daar was met een pistoolschot een eind aan te maken. Ben ging nog liever dood van dorst dan dat hij om water zou piepen.

Op advies had hij bescherming meegebracht, Tom Hawk, voormalig luchtmachtman, die een Stanleymes in zijn riem had gestoken. Ben stelde Tom voor als zijn 'salesmanager'. Iedereen wist hoe het zat; iedereen speelde het spelletje mee.

Ping zat stijf rechtop en zonder glimlach in een donkerblauw pak. Zijn antieke stoel was als een troon. Ben zag het ingewikkelde houtsnijwerk, ingelegd met paarlemoer, dat veldslagen verbeeldde. Pings persoonlijke smaak verschilde sterk van zijn casino's, die enorm groot waren en heel opzichtig versierd met gele fluorescerende lotusbloemen en draken die licht gaven in het donker.

Een van de meisjes beende op hem af en goot een blikje Fanta bij Arnold Pings glas met Château Pétrus uit 1945. Haar lange bruine haar hing neer als een zijden doek. Haar hand trilde bij het schenken.

Ben ging verzitten op de bank. Die zakte in en was laag, en dwong hem om op te kijken naar Ping. Bens gevoel voor eigenwaarde werd niet beïnvloed door wat andere mensen zeiden of door hoe ze hem behandelden. Er was een Chinees gezegde dat hem aansprak: 'Je kunt de kop van een koe niet omlaag duwen behalve als zij uit vrije wil water drinkt.' Buigen voor het ego van de ander, en dan konden er zaken worden gedaan.

Ben zei in het Kantonees: 'Dit is een prachtige ruimte.'

Hij herinnerde Ping er op die manier beleefd aan dat mocht hij een van zijn medewerkers in het Kantonees toespreken, Ben zou verstaan wat hij zei. En het was ook een adembenemend mooie kamer. Hij bevond zich op de negende verdieping van een van Pings gebouwen, en het bood een weids uitzicht over de zee, die vandaag verbazend strakblauw was. Er was geen muur, alleen een raam: een enkele ruit van gewelfd glas, minstens twintig meter lang.

Ping knikte koeltjes.

Zijn mannen stonden verspreid op de achtergrond, en droegen donkere *Top Gun*-zonnebrillen en glimmende *Miami Vice*-pakken, waarbij hun pistolen de lijn van de jasjes verpestte. Ben zag hier en daar een glimp van een mes onder een riem en voelde zich niet op zijn gemak. Voor het eerst kwam bij hem de gedachte op dat Ping hem misschien niet zag als mogelijke investeerder in het eiland, maar als bedreiging.

Bens overhemd plakte aan zijn rug. Hij kon zich niet indenken dat de airconditioning kapot was; iemand had hem uitgezet. De zon verwarmde de kamer alsof het een kas was. Zelfs de Russische hoeren vielen stil. Een roze Nintendo DS lag onaangeroerd op een tafeltje, en een van de meisjes hield een lippenstift in de hand, roerloos als een standbeeld.

Ben bad dat hij niet de allerlaatste fout van zijn leven maakte en zei: 'Meneer Hawk, als u het niet erg vindt, zou ik graag alleen met de heer Ping spreken.'

Hawk wierp een blik op Ben. Zijn ogen zeiden: slecht plan. 'Alstublieft, meneer Hawk. De botanische tuinen hier zijn schitterend.'

Hawk stond op en boog. 'Excuseert u mij, heren,' zei hij met nauwelijks merkbaar sarcasme. 'De heer Arlington is van mening dat ik geen weerstand kan bieden aan roze azalea's.'

Ping nipte van zijn drankje.

Ben wachtte af.

'Dus, meneer Arlington,' zei Ping in het Engels. 'Las Vegas is diep in de recessie. Macau heeft zes miljard winst gedraaid. Los van hebzucht, wat is het dat u zo aantrekt in Macau?'

Ben glimlachte, hoewel Pings besluit om over te gaan op het Engels bedoeld was om hem te schofferen: hij moest vooral niet vergeten dat hij nog altijd een buitenlander was.

'Als ik door hebzucht werd gedreven,' zei Ben. 'Zou ik in Vegas zijn gebleven om daar een luizenleventje te leiden. Mijn vader en moeder zijn zo vriendelijk te geloven dat ik de zaak tot nut ben en ze blijven mij promoveren, ook al zijn er kandidaten die dat meer verdienen, en ze bedelven me onder het geld en de privileges.'

Hij haalde diep adem. 'Ik heb het als een voorrecht ervaren om naast mijn vader te mogen werken. Maar u begrijpt wellicht hoe het eraan toe gaat in een familiebedrijf. Mijn collega's behandelen mij als een Ming-vaas. Ik heb heel veel geleerd ondanks mijn situatie, niet dankzij. Ik ga anders te werk dan mijn ouders en ik zou graag onafhankelijk willen zijn. Ik wil bekendstaan om wie ik ben, niet om van wie ik een kind ben.'

Pings gezicht was uitdrukkingsloos. 'Misschien,' zei hij, 'wilt u wel van het ene vergulde lelieblad naar het andere springen. U weet dat mijn zoon connecties heeft en u wilt daarop meevaren.'

Ben zweeg kort. 'Meneer Ping, ik wil graag met uw zoon in zaken omdat wij dezelfde zakelijke visie hebben, en omdat ik hem graag mag en hem respecteer. Hij en ik zouden een sterk team kunnen worden. Als zakenman heeft hij zich bewezen zonder hulp van anderen. Hij is buitengewoon succesvol.'

Charlie was zeker veel meer dan een van zijn 'connecties'. Charlie was naar Eton geweest, had een MBA van de London School of Economics en hij sprak Engels met een bekakt Brits accent. Hij droeg een honkbalpetje over zijn glanzende donkere haar en was uitzonderlijk slim en had een walgelijk gevoel voor humor. Hij had de nodige tijd doorgebracht in het bedrijf van zijn familie en hij had geld verdiend met de verkoop van derivaten in Hongkong.

'U geeft dus toe dat hij de betere kandidaat is, meneer Arlington.'

'Zonder twijfel,' antwoordde Ben met een glimlach. 'Aangezien hij zijn vleugels al heeft uitgeslagen en heel succesvol is.' Ben weigerde om Ping eraan te herinneren dat Charlie het voordeel van zijn leeftijd had; hij was tweeëndertig. Lulu zou daarom lachen; het idee dat Ben zou piepen: 'Maar hij is zeven jaar ouder dan ik!' Hij hoopte maar dat hij de kans nog kreeg om haar het verhaal te vertellen.

Maar potdomme, als Ping spirit toonde, dan zou hij dat ook doen. Dus Ben voegde eraan toe: 'Wall Street schat mijn waarde voor de kansspelindustrie op twintig miljoen dollar. En Macau kan daar best iets van gebruiken. Het mag dan de meest populaire casinomarkt van het moment zijn, en het mag dan een winst hebben gemaakt van zes miljard dollar, veel van de projecten op de Cotai Strip verkeren in nood. Projectontwikkelaars hebben veel moeite om financiers te vinden. Ik ben niet arrogant, maar Charlie en ik hebben een slim businessplan en ik denk niet dat wij dat soort problemen zullen ondervinden.'

Ook al zie ik wel hoe dom ik ben, nu ik hier zo met u zit te praten, voegde Ben daar in zijn hoofd aan toe. Charlie opereerde niet onafhankelijk. Hij kwam uit een hechte gemeenschap; hij wilde zelf zijn boterham verdienen binnen het koninkrijk van zijn vader, en dus zou Arnold Ping deze match wel goed moeten keuren. Maar wat als hij hem al afgekeurd had? Ben zag nu dat Charlie's woord voor zijn vader niets betekende. Arnold Ping maakte zelf wel uit wat hij ervan vond. Charlie's relatie met zijn vader was er een die leunde op nederigheid, indruk maken op Ping, Ping van nut zijn, Pings vertrouwen winnen. Ping verwachtte van zijn zoon dat hij in zijn eentje succes zou hebben.

Misschien vond Ping dat Charlie had laten zien dat hij niet oordeelkundig was door met Ben te willen werken.

Ben stak zijn kin in de lucht. Hij keek Ping in de ogen en wendde toen beleefd zijn blik af. Het Amerikaanse idee van kracht – een ferme hand, een aanhoudende blik – viel vaak precies samen met wat Chinezen vulgair vonden.

'Vindt u dan niet dat u mij ronduit beledigt door naar mijn eiland te komen en mij mijn handel af te pakken en ook nog mijn zoon te ronselen om u te helpen?'

Ben merkte dat de onrustige gangsters hun wapens uit hun riem los begonnen te maken.

'Meneer,' zei Ben, 'als ik u zou willen beledigen, gelooft u mij, dan zou ik dat vanaf grote afstand doen. Charlie en ik zijn er zeker van dat er genoeg ruimte is voor succes voor ons allemaal. Mijn ouders zouden nog altijd hun droom in Macau in vervulling kunnen laten gaan, al zou ik mijn hotel recht tegenover dat van hen bouwen. In China leven één komma drie miljard mensen, en er zijn hier maar eenendertig casino's. Terwijl in Vegas zevenhonderd casino's zijn die driehonderd miljoen Amerikanen bedienen. Verdere investeringen in de Cotai Strip zullen het eiland alleen nog maar aantrekkelijker maken en zullen de omzet doen stijgen.'

Ping liet niet merken of hij had geluisterd. Een ander hoertje, een meisje met staartjes in haar haar, stak weer een sigaret voor hem op. Ping knikte naar haar. Tot Bens verbazing kwam ze terug met een glas en een fles mineraalwater, al geopend, die ze voor Ben neerzette nadat ze het glas had ingeschonken. Ben voelde Pings ogen priemen. Het was alweer een test, maar wat voor test? Als hij het water nu opdronk om te laten zien dat hij Ping vertrouwde, wat bewees hij dan: dat hij dapper was of juist heel dom?

Ben had dorst. Hij hief zijn glas en dronk.

'Ik hoor wel dat u niet erg politiek bent,' zei Ping. 'Weet u, de mensen hier zijn snel beledigd.'

Ben zuchtte. 'Dat klopt. Ik ben geen diplomaat, ik ben een zakenman en zelf heb ik gemerkt dat het helpt om heel direct te zijn tegen de mensen met wie ik werk. Mensen weten dat ik hun altijd de waarheid zeg. Liegen is tijd verspillen, en het leidt tot problemen. Als je stroop smeert, zijn mensen maar heel even tevreden. Daarna komen ze zelf achter de waarheid. En dus beledig je hen niet één, maar twee keer.'

Ping bekeek hem alsof hij een stuk vuil was. 'Ik heb het over uw concurrenten in deze bedrijfstak. Ik heb gehoord dat u snel vijanden maakt onder hen. Dat duidt erop dat u onbesuisd bent, een heethoofd.'

'Aha,' antwoordde Ben, 'u denkt aan Luke Castillo.' Hij zweeg. 'Zelfs al zou ik proberen om het hem naar de zin te maken, zou hij nog wel een aanleiding vinden om mij te verachten. Het heeft geen enkele zin om je gedrag aan te passen en iemand te sussen die een vulkaan van woede is. Wat ik ook doe, Luke Castillo zal mij altijd haten, dus doe ik wat het beste is voor mij en mijn familie.'

'Denkt u niet dat dat gevolgen zal hebben? Mensen die Luke Castillo dwarsbomen hebben de neiging van de aardbodem te verdwijnen.'

Ben wilde Ping niet schofferen, maar het lukte hem niet de hoon uit zijn stem te houden. 'Als er gevolgen zijn, zal ik die onder ogen zien. Maar ondanks zijn reputatie is Luke een voorzichtig man. Hij zou misschien wel willen dat ik van de aardbodem verdween, maar hij heeft geen trek in de problemen die hem dat oplevert.'

Hij voelde zijn hart tekeergaan toen hij over Luke sprak, ook al had hij zich nog zo voorgenomen kalm te blijven. Het punt was dat Ben nooit echt had gedacht dat Luke hem daadwerkelijk zou *straffen* omdat hij Sunshine had afgepakt. Luke had te veel te verliezen. Maar Pings vraag verontrustte hem. Misschien had hij dit toch niet in zich. Hij wenste half dat een van zijn handlangers nu zijn pistool zou trekken, dan was dit tenminste voorbij.

Door een wolk van sigarettenrook kondigde Ping aan: 'Ik ben van plan zelf een casino te openen tegenover de City of Gold. Waarom zou *ik* jou niet van de aardbodem laten verdwijnen vanwege jouw stoutmoedigheid?'

'Wij hebben een heel ander bedrijf voor ogen,' antwoordde Ben kalm. 'Men hoeft elkaar niet altijd als dolle stieren te bestrijden. Soms kan men elkaar ook helpen zoals een vlinder een bloem helpt.'

Ping leek het zilveren behang te bestuderen. 'Ik denk,' zei hij, 'dat u een jongeman bent die opbloeit bij gevaar. En misschien ziet u de bedreiging onder uw neus niet omdat u niet bang bent.'

Ben slikte. Was er dan een bedreiging? 'Het is zo dat er veiliger zaken zijn om bij op te bloeien. Sport, meditatie, frisse lucht. Misschien zou ik er tevreden mee moeten zijn dat ik mijn vader mag opvolgen. Maar het is verstikkend, meneer Ping. Ik snak naar vrijheid. Het is misschien dom van me dat ik die *hier* zoek. Ik begrijp dat ik compromissen zal moeten sluiten. Maar ik geloof ook dat een man van zichzelf uit moet gaan. Meer dan dat kan ik niet doen.'

Ping keek Ben aan. De mannen om Ping heen spraken zachtjes met elkaar, maar Ben wist dat zij elk woord van hun gesprek volgden. Hij weerstond de verleiding om aan zijn boord te trekken. Hij stikte bijna van de hitte. En hij had geen flauw benul wat Pings volgende stap zou zijn.

Ping stak een hand op en er kwam een man naar hem toe geparadeerd met een grijns op zijn gezicht. Ben keek onbewogen toen Ping hem iets in het oor fluisterde.

De gangster liep langzaam weg, opende een kastje dat in de muur was gebouwd, en haalde er iets uit. Waarschijnlijk haalt hij er een mooi, klein pistooltje uit, dacht Ben somber, eentje dat geen lelijk gat in het behang zou maken of het dure raam aan barrels zou schieten. Er klonk een scherpe *klik*, en hij keek even naar Arnold Ping, zichzelf dwingend geen blijk te geven van zijn angst.

'Lekker koel,' zei Ping, en Ben voelde de verfrissende streling van de airconditioning die in actie kwam en die achter in zijn nek kriebelde.

Hij glimlachte opgelucht naar Arnold Ping, die tot zijn verbazing begon te lachen. 'Tatyana,' zei hij, 'schenk meneer Arlington eens een drankje in.'

Ben keek toe hoe de lange blondine parmantig op hem af liep met de fles Pétrus uit 1945. Ping zat nog te grinniken toen het donkerrode vocht als vloeibare robijn in het glas kolkte en Ben de heerlijke geur opsnoof. Vervolgens maakte het meisje handig een blikje Fanta open, en goot een flinke scheut van het feloranje bocht bij de alcohol. Ze vermengde het met een roerstaafje in de vorm van een dollarteken en duwde hem het glas in de hand met een boosaardige blik.

Ping leunde voorover en klonk zijn glas tegen dat van Ben. 'Op je gezondheid!'

En ook al smaakte de combinatie van de Pétrus met Fanta ondanks de enorme opluchting nog steeds smerig, het was het allerbeste drankje dat Ben ooit in zijn leven had gedronken.

• • • • •

LULU'S APPARTEMENT, LAS VEGAS, TWEE DAGEN VOOR HET VERLOVINGSFEEST, 29 AUGUSTUS 2009

Lulu

'Je kunt hier wel logeren,' zei Lulu. 'Ik weet dat je anders gewend bent...'

'Het is prachtig,' zei Ariel. 'Je hebt het heel mooi ingericht. En het zou fantastisch zijn als ik hier mocht logeren. Ik trek het gewoon niet om naar mijn eigen appartement te gaan. Gisteren heb ik mijn verjaardag in mijn eentje doorgebracht in een hotel! Ik...' Ze sloeg haar handen voor haar gezicht. Haar hele lichaam schudde. 'Ik schaam me zo. Ik ben zo stom! Wat ik heb gedaan! Paaldansen was belachelijk. Ik voelde me helemaal niet ironisch postfeministisch. Wat ik allemaal heb gezegd! En nu... Harry en ik zijn uit elkaar... ik weet niet wat ik zonder hem moet.'

Lulu sloeg haar armen om Ariel heen, en bewonderde ondertussen haar designer T-shirt. Het leek een doodgewoon T-shirt maar je wist toch dat ze het voor vierhonderd dollar had gekocht bij Kitson in LA. Arm schaap. Ariel was drie jaar ouder dan Lulu, maar ze was zo vreselijk *jong*. Lulu kon het bijna niet geloven toen ze haar telefoontje kreeg – Ariel Arlington die Lulu smeekte om langs te mogen komen!

Lulu had met tegenzin haar adres gegeven. Bij aankomst had Ariel haar vanaf haar mobieltje gebeld om te controleren of ze de goede straat had. Lulu, die uit het raam naar buiten keek, zag hoe Ariel uit de taxi gluurde met haar telefoontje tegen haar poezelige oortje gedrukt. Ze kon kennelijk niet geloven dat niet *alle* medewerkers van Arlington Corp. in gigantische luxepenthouses woonden.

Zodra ze de waarheid had vastgesteld, had Ariel zich snel aangepast. 'O, Lulu,' verzuchtte ze terwijl ze op haar tenen door de hal liep alsof ze een elfenhuisje betrad. 'Het is *zo* heerlijk om jouw lieve gezicht te zien. Ik ben net bij Harry weg. Niet dat ik dat wilde, maar ik ben er min of meer toe gedwongen. Ken je dat? Dat je een man probeert te dwingen om te zeggen: "Nee, blijf, ik hou van je!" en dat het dan precies andersom uitpakt? Nou, we kregen dus een gigantische ruzie, over de familie. Weet je wel, dat hij zei dat het belachelijk is dat ik Ben niet heb gebeld, maar zelf doet hij ook helemaal niets om zijn eigen shit op te ruimen! Natuurlijk wil ik het bijleggen met Ben, maar ik schaam me te erg. En ik mag Sunshine niet zo. Ik weet best dat dat gemeen van me is, aangezien ik haar nog nooit heb ontmoet, maar alleen van haar uiterlijk krijg ik het al Spaans benauwd. Ik wil helemaal niet dat ze bij de familie gaat horen, en ik weet best dat dat egoïstisch is, maar ik kan er niets aan doen.' Ze glimlachte bedroefd. 'Lulu, jij bent de enige die ik ken die close is met Ben en die mij niet zou veroordelen en lelijke dingen over me denkt.'

'Ariel, bel hem dan. Ik weet dat hij dolgraag iets van je zou horen. Het kan hem niet schelen wat er allemaal is gebeurd, en ik geloof dat hij de beslissing van je vader afschuwelijk vond. Hij zou graag willen dat jij op het verlovingsfeest aanwezig bent, dat weet ik zeker.'

Ariel staarde haar aan. Ze was heel mooi, een breekbare schoonheid, vond Lulu. 'Ik weet niet. Ik durf mijn ouders niet onder ogen te komen. Ik wil graag nog een poosje ondergedoken blijven. En ik ben zo verdrietig om Harry, zonder hem ben ik *verloren*. Ik trek dat helemaal niet, zo'n belangrijke sociale gebeurtenis. Maar zou jij tegen Ben willen zeggen dat ik van hem hou? Als hij weer in de stad is, zal ik hem wel bellen. Dan maak ik het goed.'

Lulu knikte. Het meisje zat er goed doorheen. Lulu vond haar een beetje een raadsel. Ze had alle mogelijke voorsprong gekregen in het leven, en toch lag dat leven nu in puin. Dat je durfde te zeggen dat je verloren was zonder een man! Ja, zonder de man van wie je hield was je misschien minder mans, dat wel. Zelf was Lulu ook stom geweest. Ze had altijd maar aangenomen dat Ariel en Ben immuun waren voor de druk en de stress waar zij onder gebukt ging, omdat ze rijke ouders hadden. Dat was naïef. Lulu koesterde haar familie, maar hun familie maakte alleen maar ruzie. Het was verschrikkelijk. Onbetamelijk. Ze vond het naar voor Ben en Ariel dat hun ouders zo opgingen in hun egocentrische ambitie dat ze bereid waren het geluk van hun kinderen te vernietigen als hun wensen botsten met hun eigen behoeften. Zij had onmetelijk veel geluk, dat hadden de Arlingtons haar wel doen inzien.

'Ariel,' zei Lulu, 'blijf hier en doe of je thuis bent. Er ligt eten in de vriezer. Voornamelijk pasta bolognese. Eet dat maar gewoon. Joe logeert en paar dagen bij mijn ouders, dus hier is verder niemand thuis. Bel me maar als je iets nodig hebt. En, hoor eens...' Ze zweeg. 'Je moet niet verdrietig zijn om Harry. Als jullie van elkaar houden – en zo te horen is dat het geval – komt het wel weer goed. Als jullie voor elkaar bestemd zijn, komt het goed met jullie.' En bloemrijk voegde ze daaraan toe: 'Want zo zit de wereld in elkaar!'

Haar beloning voor het uitspreken van dit onwaarschijnlijke sprookje was een welgemeend kneepje van Ariel, die 'dankjewel' fluisterde. Lulu glimlachte zo goed en zo kwaad als het ging, en mompelde dat ze moest gaan pakken. Toen ze de badkamer in liep, keek ze haar spiegelbeeld woedend aan. *Als jullie voor elkaar bestemd zijn, komt het goed met jullie.* Tuurlijk zat de wereld zo in elkaar. Ja, dat kon zij weten, aangezien ze dadelijk op het vliegtuig zou stappen om de verloving te vieren van de liefde van *haar* leven met Sunshine Beam.

*****

ONDERWEG NAAR TURTLE EGG ISLAND, DE OCHTEND VAN HET VERLOVINGSFEEST, 31 AUGUSTUS 2009

Lily

De strak vormgegeven privéjet suisde over een groepje piepkleine eilandjes die wit en groen verspreid lagen over een topaasblauwe zee. Sunshine's moeder, Lily Fairweather, zette haar zonnebril recht en glimlachte. Een heftig gerommel in de verte deed denken aan donderslagen, maar dat moest heel ver hiervandaan zijn. Voor zover zij kon zien, was de hemel blauw.

Ze hield niet van vliegen, maar bracht zichzelf in herinnering dat dit kleine beetje ellende haar een hele hoop zou opleveren. Een verlovingsfeest is normaal iets wat je moet uitzitten en niet iets waar je van kunt genieten, maar *dit* verlovingsfeestje werd subliem.

Ze huiverde van de voorpret (of van angst?) en frunnikte aan haar uitnodiging (gouden letters op een dikke, crèmekleurige, hartvormige kaart, met een hologram om te zorgen dat niet iedere gek toegang kreeg). Ze had in de roddelbladen gelezen dat Sofia Arlington wilde dat de enveloppen per postduif zouden worden bezorgd, wat een snoezig idee was, dat verworpen moest worden wegens vogelgrieppparanoia.

Lily dacht terug aan het moment dat ze hoorde van de verloving. Ze was helemaal over haar toeren geraakt. Maar na de eerste schok voelde ze zich rustig, alsof het zo had moeten zijn; alsof het huwelijk tussen Ben en Sunshine niets anders was dan onderdeel van een wens die werd ingewilligd.

Dat ze een uitnodiging ontving had haar zeer verbaasd, vooral omdat zij en Sunshine elkaar nooit meer spraken. Ze hadden elkaar al niet meer gezien sinds een zogenaamd spaweekend eind vorig jaar. En toch werd er een topkwaliteit envelop geadresseerd aan Lily Fairweather persoonlijk bezorgd namens de heer en mevrouw Frank Arlington.

Lily lachte bij zichzelf. De officiële verloving van Ben Arlington met Sunshine Beam – Sunshine *Beam*! Die meid was zo ontzettend Vegas! – zou een spektakel worden, en zij was van plan een hoofdrol te spelen in dat spektakel. Toen ze met Sunshine in dat hotel in Engeland logeerde, en vruchteloze pogingen ondernam om iets te vinden wat moeder en dochter gemeen hadden, was Lily nog een hoop ellende geweest; te dik en sneu.

Ze kon niet wachten om Sunshine's gezicht te zien als ze straks uit het vliegtuig stapte. Haar dochter verwachtte een moddervet, junkvoedsel etend, kettingrokend drankorgel: ongetwijfeld had ze haar aanstaande schoonouders verteld dat haar moeder... *anders* was.

Nou. Dat was ze absoluut niet meer.

Lily keek naar haar slanke, elegante benen, en spande haar buik aan, gewoon omdat ze er genoegen in schepte dat de getrainde spieren gehoorzaam straktrokken als vioolsnaren. Haar rossige haar was modieus kort geknipt, in tegenstelling tot de keer dat Sunshine haar voor het laatst zag, toen het in morsige slierten om haar hoofd hing. Haar enige accessoire was een gouden armband die met diamanten en robijnen bezet was. Haar jurkje was wit, zodat haar gespierde, zonnebankbruine armen mooi afstaken. Dit was per slot van rekening geen *bruiloft*.

Lily wenkte de beeldschone steward en vroeg hem hoe laat het was. Ze droeg geen horloge omdat ze geen horloge bezat.

'Ik heb de tijd voor u, mevrouw,' zei de steward met een zekere blik. Lily besloot er niet op in te gaan, want dit was niet de plek en dit was niet de tijd. En na een korte stilte zei hij gladjes: 'Het is tien over elf in de ochtend.'

'Dank je.'

De jongeman knikte. 'Kan ik u misschien nog iets te drinken brengen, mevrouw?'

Ze schonk hem een genadige glimlach. 'Graag, dank je.'

Lily zakte terug in de zachte luxe van de slaapstoel, duwde het assortiment reis- en modetijdschriften aan de kant en slaakte een zucht. Het vliegtuig maakte een hopje en ze greep de armleuning vast, licht verontwaardigd: wat was het toch akelig, zo'n vlucht. Maar goed. Over twee uur en tien minuten zou het vliegtuig landen op Turtle Egg Island en dan zou ze haar kind weer zien – en haar kind zou *haar* zien.

• • • • •

TURTLE EGG ISLAND, DE MIDDAG VAN HET VERLOVINGSFEEST

Sofia

Door de storm moest het vliegtuig waarin Sunshine's moeder zat uitwijken naar Hongkong. Sofia kon niet geloven dat er hogere machten waren die roet in *haar* eten gooiden.

Ze wilde Sunshine's moeder dolgraag ontmoeten en ze wilde dat vast kwam te staan dat *zij* bovenaan in de pikorde stond wat schoonouders betrof. Het irriteerde Sofia dat Sunshine niet eens een foto van haar moeder had, maar Sofia twijfelde er niet aan dat het een onopvallende muis was, en dat ze eerbiedig dankbaar zou zijn dat ze zich bij de royalty van Vegas mocht voegen.

Dus was ze woedend dat dat mens de verlovingsceremonie had gemist. En dat dat op 'het weer' werd geschoven! Te laat komen suggereerde dat die Lily zichzelf belangrijker vond dan alle andere aanwezigen. Terwijl ze een *nobody* was – de arme tak!

Sofia haalde diep adem. Enfin, het mens was nu onderweg, en ze zou nog op tijd zijn voor het aansnijden van de negen lagen tellende chocoladetaart. Sofia was niet van plan haar een kennismaking te gunnen.

Ze moest maar zo'n beetje mee hobbelen.

Het feest was, als verwacht, spectaculair. Sofia's instructie voor de organisatoren luidde: 'Ik wil een feest waarvan Marie Antoinette nog zou blozen.'

De persmuskieten waren overgebracht naar het dichtstbijzijnde stuk vasteland en probeerde daar helikopters te regelen, maar er was maar één charterbedrijf, en Frank had hun hele vloot al ingehuurd. Daarbij was er een tweemijlszone rondom het eiland waar niemand mocht komen. Dus vierden Ben en Sunshine hun verloving op het roze zandstrand, mooi omlijst door palmbomen, terwijl de golven zachtjes aan land spoelden, zonder dat de paparazzi boven hun hoofd gonsden. Ach, nou ja; Sofia had een bedrag van twee miljoen dollar ontvangen van *Vanity Fair* voor de exclusieve rechten. Die zouden het nieuws over Ben en Sunshine's gênante breuk wel wereldkundig maken.

De flora op het eiland was wat al te subtiel voor de gelegenheid en dus waren er duizenden viooltjes ingevlogen uit Europa.

'Je ziet er beeldschoon uit,' zei Frank. Heel even dacht Sofia dat Frank het tegen haar had, tot ze zich geïrriteerd realiseerde dat hij Sunshine bedoelde.

'Dat mag ook wel, die roze Dior-jurk is speciaal voor haar ontworpen door Galliano,' zei Sofia luchtig glimlachend tegen Sunshine.

Sunshine glimlachte hard terug. Ben had haar een 15 karaats diamanten verlovingsring gegeven van Graff; Sofia schatte dat het ding tussen de één en de anderhalf miljoen had gekost. Ja, hoor, liefje, die mag je houden.

De verloofde was zeker beeldschoon; het was jammer dat deze dag met zo'n publieke vernedering van hen beiden zou eindigen. Maar Ben was nu eenmaal onacceptabel ondankbaar naar Sofia geweest. Hij had geen idee wat zij allemaal voor hem had gedaan, als zijn moeder, en het was volkomen terecht dat hij zijn lesje zou leren. Tegen het einde van dit weekend zou hij er wel achter zijn dat hij niet altijd maar zijn zin kon krijgen. Hij zou naar Macau gaan om daar een casino te openen zonder zijn familie als hij dat zo nodig wilde, maar dan wel als een alleenstaande, iets nederiger man.

Ben droeg een wit pak van Armani met diamanten manchetknopen. Zijn boord stond open; hij had zijn das maar een paar tellen omgehad. Ze had altijd al gezegd dat hij een hartenbreker zou worden; nou, *haar* hart had hij inderdaad gebroken. Hij moest dus maar eens voelen hoeveel pijn zij leed.

Hoe hoger je vloog, des te harder je viel, zeiden ze toch altijd. Met deze moraal in gedachten had Sofia een diner geregeld voor haar gasten bestaande uit een krabsalade en met lavendel gegrilde ossenhaas, door hun eigen chef-kok bereid. Later zou Cher voor hen optreden, want ook al rolden de mensen soms met hun ogen, die vrouw was meer dat super, en de kranten vraten haar. Sofia wilde dat elk overdadig detail in de krant kwam te staan. Ben had een lieve speech gegeven, waarna Sunshine werd toegezongen door het Christ's College Boys Choir uit Engeland. Dat was vanwege de Britse roots van haar moeder, niet dat het mens het zou waarderen, want ze was er niet eens bij om het te horen.

'Wat weten we eigenlijk precies over mevrouw Sunshine senior?' mompelde Frank. 'Komt ze uit Vegas, of is ze import, zoals wij allemaal? Is ze een van ons, of is ze… een van *hen*?'

Sofia nipte van haar cocktail. 'Ik betwijfel of ze een van ons is, Frank. Sunshine heeft zich uit hun obscure leven omhoog weten te werken en ze heeft haar moeder daarbij achter zich gelaten, net als de rest van haar familie. Ik denk dat die vrouw een saaie burgertrien is, voor wie het wekelijkse hoogtepunt een bezoekje aan de supermarkt is, vooral als die hun schappen net opnieuw ingericht hebben. Een feest zoals dit vindt ze waarschijnlijk doodeng, en ons ook. Lulu heeft haar gevonden – volgens mij woont ze in een *stacaravan*, ergens aan de rand van de stad. Ik heb Lulu opgedragen om haar met een jet op te halen, dus daar zal ze zich wel te pletter van geschrokken zijn, maar als ik dat niet had gedaan, zou ze waarschijnlijk helemaal niet komen opdagen. En het mag duidelijk zijn dat wij haar moeten ontmoeten, al was het alleen maar om eens te zien wat voor vlees we in de kuip hebben. Als ze te bizar is, kunnen we ons van haar distantiëren, maar dat lijkt me geen probleem. De meeste beroemdheden hebben wel een familielid voor wie ze zich schamen. Dat is nu eenmaal de prijs van de roem.'

Frank knikte. 'Nou, als ze niet helemaal fris is doet ze na deze week wat haar eigen dochter doet, en laten we haar verder links liggen.' Hij grijnsde. 'Maar wie weet is het wel een leukerd.'

Sofia drukte haar lippen opeen en draaide zich om. Sterling kwam op haar af, onberispelijk in zijn standaard zwarte pak, immuun voor in welk klimaat je hem ook neerzette. 'Juffrouw Fairweathers vliegtuig zal over drie minuten landen; dan is ze hier over tien minuten.'

Sofia knikte. Het was niet bij haar opgekomen dat ze Lily Fairweather ook weleens leuk zou kunnen vinden, hoewel het wel bij haar opgekomen was dat ze weleens 'een leukerd' zou kunnen zijn. Sofia beschouwde alle vrouwen als concurrenten. Sofia zou zich dus pas weer kunnen ontspannen als ze Lily Fairweather had gezien. Ze moest weten of Sunshine's moeder lelijker/armer/dikker/ouder/dommer was dan zij, en als iemand het in zijn hoofd haalde om de twee 'schoonmoeders' met elkaar te vergelijken, Lily het altijd zou afleggen.

'Goed,' zei ze, met alle waardigheid die ze op kon brengen. 'Ik zie ernaar uit haar te ontmoeten.'

• • • • •

TURTLE EGG ISLAND,
DE AVOND VAN HET VERLOVINGSFEEST

Lily

Lily kon een grijns niet onderdrukken toen ze het hemelse avondlicht op het eiland instapte. De piloot had over de radio gemeld dat ze eraan kwamen, en er stond een klein welkomstcomité klaar op de landingsbaan. Sunshine zag er engelachtig uit in haar jurk, maar waar was de verloofde? Lily nam aan dat het getuigde van slechte manieren als hij de gasten alleen zou laten.

Ze hield haar gezicht zorgvuldig afgeschermd tegen de felle avondzon met een enorme wit met gouden hoed van Philip Treacy en haar ogen waren beschermd door een goud met witte zonnebril van Chanel. Zo daalde ze van de vliegtuigtrap af, en zo gaf ze haar verloofde dochter een kus. 'Je ziet er geweldig uit, lieverd.'

Sunshine keek stomverbaasd. 'Jemig, mam, jij anders ook!'

Lily glimlachte genadig.

Sunshine vervolgde. 'Mam, dit is Frank, Bens papa.'

'Wat geweldig om u eindelijk eens te ontmoeten, meneer Arlington,' mompelde ze.

'Frank, Frank,' bulderde de man. 'En het genoegen is geheel wederzijds. Welkom in onze familie!'

Hij was verpletterend aantrekkelijk voor een man op puntschoenen.

'En dit is mijn aanstaande schoonmoeder, mevrouw Arlington.'

De vrouw. Zo koud en dun als een ijspriem, stak haar hand uit. 'Noem mij maar Sofia.'

Lily lachte. Ze zette haar zonnebril af, en toen haar hoed, en greep Sofia's hand vast. 'Sofia,' zei ze. 'Wat ontzettend heerlijk om jou' – ze liet een betekenisvolle stilte vallen – '*weer* te zien. Ik ben Lily Fairweather. Maar mijn vrienden noemen me Bessie.'

• • • • •

BOEK TWEE

PORTSMOUTH, ENGELAND, FEBRUARI 1963

Sofia

Sofia was niet het soort kind dat smeekte of bad, maar dat maakte ook niet uit: in geen miljoen jaar zou haar moeder toestaan dat een visstick huize Kirsch binnen kwam.

Sofia had mensen weleens horen praten over vissticks – de heerlijke oranje korst, het licht smeuïge daaronder en de zachte witte binnenkant. 'Ze smaken *totaal* niet naar vis,' had haar vriendin Daisy verwonderd verteld. Daisy's moeder stond ook ver boven vissticks, maar Daisy had het enorme geluk dat ze bij haar tante Doreen en oom Paul in Golders Green op bezoek mocht. Oom Paul deed het goed in de kledingbranche en ze waren rijk, maar – Daisy had haar neusje delicaat opgehaald – ze hadden totaal geen klasse.

'Alef, Bet, Gimmel, Duled, Chey,' mimeden Sofia en Daisy terwijl de rest van de klas het Hebreeuwse alfabet opdreunde. Juf Feinstein was een heel beroerde lerares. Ze was 104, stonk verschrikkelijk uit haar mond en ze legde nooit iets uit, maar stond alleen te schreeuwen. Sofia's tweelingbroer, Jonathan, kon zo goed leren dat hij bij de oudere kinderen was gezet. Maar elke zondagmorgen ging Sofia naar het Joodse klasje in de synagoge en leerde er niets. Al vijf jaar, niets geleerd.

Het was alsof haar hersens officieel gesloten waren voor de Hebreeuwse taal. Ze lazen week in week uit in het Joodse gebedenboek. Sofia kon er geen touw aan vastknopen. Het enige voordeel dat ze ervan had het domste meisje van de klas te zijn, was dat ze 'extra leesles' kreeg van de studenten die er vrijwilligerswerk deden.

Er werd op de deur geklopt en – hoera! – Zach stak zijn hoofd om de deur.

Juf Feinstein gaf Sofia een kort knikje. Sofia probeerde niet te glimlachen.

Zach was haar favoriete vrijwilliger. Hij had bruin haar en hij was een ontzettend stuk – echt een super MM. 'MM' was de geheime code die zij en Daisy gebruikten voor 'mooie man', maar Zach was meer dan een MM, hij was een *driedubbele* MM.

Ze gingen altijd buiten op de gang zitten, waar het stonk naar bleekmiddel en olie, en een beetje naar zweet. Dan zaten ze naast elkaar op de harde houten stoeltjes en Zach verbeterde haar vriendelijk als ze een fout maakte. Hij droeg een spijkerbroek en een rode trui die overduidelijk door zijn oma was gebreid, maar toch was hij superknap. Hij had haar een keer zonder iets te zeggen een roze vliegende schotel gegeven. Ze had hem in haar mond laten smelten en prikken, grinnikend van geluk.

Ze wilde hem vertellen dat ze maar twee straten bij hem vandaan woonde. Ze had hem een keer uit zijn huis zien komen toen ze met haar ouders voorbijreden in hun Rover 3-liter Coupé. Het was een automaat en hij kostte maar liefst 1.662 pond! Haar vader was gek op die wagen. Hij waste en poetste hem elke zondagochtend en elke avond dekte hij hem af met zwart zeildoek. Maar Sofia liet niets blijken. Ze ging nog liever dood dan dat Zach iets zo merken van haar verliefdheid. Ze was tenslotte al tien. Dubbele cijfers; dus niet echt heel jong meer.

Ze vond het afschuwelijk dat haar moeder zo streng was. Elke vrijdagmiddag na school moest Sofia tafeldekken voor de vrijdagavond, met hun mooiste zilver, dat ze moest oppoetsen tot het glom. Voor haar verjaardag had Sofia de *Valentine Pop Special* gevraagd, maar in plaats daarvan had haar moeder haar een *Kijk- en Leerboek voor Meisjes* gegeven – zo verschrikkelijk saai dat ze het niet eens had opengeslagen.

Ze hadden een prachtig huis, maar wat kon dat schelen? De muurlampen, in kroonluchterstijl, het crèmekleurige gestreepte behang, de antieke houten leunstoelen, de vaas met de diepgele rozen, de kleine porseleinen beeldjes en bustes, de met rode en gouden zijde beklede stoelen en banken met de elegante klauwenpootjes, de uitbundige vloerkleden – al die dingen kocht haar moeder wel, maar ze weigerde om een televisie te kopen! Daisy's ouders hadden er wel een. Die hadden in avondkleding naar de eerste uitzending zitten kijken!

Zij waren leuk. Daisy's ouders hadden een keer op de achterbank van hun Fordje gezeten en toen deden ze net of ze ruzie hadden, zoals Daisy en haar broertje. Dat soort gedrag ging Sofia's fantasie bijna te boven. Sofia's vader was iets belangrijks in de gemeenschap, eigenlijk stond alleen de rabbi nog boven hem. Haar moeder genoot van dat prestige, en ze vond het daarom ook nodig om te allen tijde humorloos te zijn.

Het enige aardige dat Sofia's ouders ooit voor haar hadden gedaan was Noodle voor haar kopen. Noodle was haar poedel. Hij was wit en donzig en ze was stapelgek op hem. Het maakte niet uit dat Noodle er alleen maar was gekomen omdat Sofia's vader zelf zo gek op honden was. Noodle stond altijd op haar te wachten als ze thuiskwam, en dan likte hij haar gezicht, ook al zei haar moeder altijd boos: 'Hoe vaak moet ik je nog zeggen dat die hond je gezicht niet mag likken!'

Ze zou zo graag willen dat Noodle aan het voeteneind van haar bed mocht slapen, maar hij had een kartonnen doos in de keuken en hij mocht niet boven komen. De eerste week had hij elke nacht, de hele nacht, gejankt en gejammerd. Hij was nog maar zo klein, zes weken oud. Maar haar moeder had gezegd: 'Hij moet het maar leren.'

Haar moeder wist aan elke situatie alle plezier te onttrekken, alsof ze het sap uit een citroen perste.

'Aan hen die u heiligen hebt u uw heiligheid gewijd,' zei Sofia vlak, vanwege haar gebrek aan interesse. Zach knikte, onderdrukte een geeuw en wees naar de volgende regel. O, god, ze verveelde hem. Ze staarde naar zijn hand en stelde zich voor hoe het zou zijn als hij haar haren zou strelen. Sofia was blij dat Zach een zelfgebreide trui droeg. Daardoor voelde ze zich minder rot over haar eigen kleren. Ze droeg een crèmekleurige overgooier en een witte coltrui die kriebelde, met een rode maillot. Ze zag er waarschijnlijk uit als een kind van zes.

Haar moeder had ook een jas voor haar gekocht van een Schotse ruit, met grote witte knopen. Er hoorde ook een cape bij, maar die was te erg, en dus was Sofia die kwijtgeraakt.

Haar moeder wist precies wat Sofia had gedaan maar ze noemde haar alleen 'slordig' en 'verwend' en voegde daar nog aan toe dat 'het geld hen niet op de rug groeide'. Verder kon ze er niets aan doen. Het kon Sofia niets schelen als ze een standje kreeg. Dat was het wel waard. Een tienjarige met een cape was *idioot*. Het was raar, alsof zij en haar moeder in een heimelijke oorlog waren verwikkeld. Sofia had geen idee waar die vijandigheid vandaan kwam, maar zij zou het gevecht niet schuwen.

Sofia zuchtte diep. Zach liet haar tenminste in het Engels lezen, ook al wisten ze allebei dat het tijdverspilling was, aangezien het idee van hun samenzijn was dat zij Hebreeuws zou leren. Hij had medelijden met haar, het was gênant. Ze wilde geen medelijden. En hoe durfde hij te geeuwen!

Ze ging een beetje dichter bij hem zitten, en beet hard op haar lippen om ze te laten opzwellen. Daisy had wat lippenstift mee naar school gesmokkeld. Ze had een piepklein stukje van de lippenstift die haar moeder het minst vaak gebruikte, afgeschraapt en hem toen weer glad gestreken. Sofia's lippen waren mooi roze, hoewel ze maar een piepklein beetje hadden durven gebruiken, omdat ze ongenadig op hun kop zouden krijgen als juf Feinstein zou ontdekken dat zij make-up ophadden. Ze ademde in: Zach rook goddelijk, zo schoon en fris, maar zo *mannelijk*.

Sofia wist dat ze mooi was. Maar zag Zach dat ook, zelfs maar een beetje? Ze dacht echt dat ze met hem wilde trouwen. Niet *nu* al, natuurlijk, maar over tien jaar. Het enige wat ze nu al moest doen, was zorgen dat hij haar opmerkte. Ze had nog tijd genoeg. Zach ging voorlopig nergens naartoe. Dit was maar een kleine gemeenschap en er was nul competitie. Daisy zag er leuk uit, maar ze was dik. Beverley Michaels zat altijd naar Zach te staren, maar Beverley Michaels had zwart haar op haar armen, net een man.

Nou, Sofia zou er wel voor zorgen dat Zach haar zag. Ze schudde haar glanzend blonde haren los uit haar paardenstaart, en mompelde: 'Ik kreeg hoofdpijn van die staart'. Toen vervolgde ze met een zwoel stemmetje à la Marilyn Monroe: 'En de Heiland zij geprezen… door hen die… *eeeh*… geheiligd zijn.' Ze zweeg en keek naar Zach. Die deed zijn best om niet te lachen. Ze smoorde een triomfantelijke giechel. 'Daarom, o Heer…moge uw naam...'

Ze zweeg abrupt toen de deur van het lokaal openzwaaide. Juf

Feinsteins hoofd dat veel weg had van een waterspuwer gluurde de gang in. Ze had een vreemde uitdrukking op haar gezicht die Sofia nog niet eerder had gezien. Ze... *glimlachte.*

'Sofia, Zach, komen jullie terug naar de klas! Er is nieuws!'

Geweldig, net nu ze vorderingen maakte met Zach. O, ze kon niet wachten om het Daisy te vertellen – die zou het besterven!

Roze van triomf marcheerde Sofia het lokaal weer in, en ze viel met een plof op haar stoeltje. Vijf minuten voor één. Bijna vrij. Ze trok een gezicht naar Daisy en rolde haar ogen naar Juf Feinstein, die in haar handen klapte om de aandacht op te eisen.

'We moeten iemand feliciteren,' baste ze met haar vette Poolse accent, waar in geen twintig jaar iets aan verbeterd was. 'Sofia gaat op *aliyah*!'

De woorden vervormden in haar oren, als in een droom, en Sofia voelde hoe haar hoofd verbijsterd en ontzet omdraaide terwijl Daisy zich, als in een spiegelbeeld van verdriet en ongeloof, naar haar omkeerde. Werd het mens nu echt seniel? Was dit soms een grap? Was er een andere Sofia hier op Joodse les van wie Sofia nog nooit had gehoord?

Maar als bevroren staarde ze haar juf aan, die haar warrige oude hoofd knikte en haar gele tanden ontblootte, en die *haar* recht aankeek.

Sofia stond op, waarbij ze haar stoeltje omvergooide. 'Juf Feinstein,' zei ze, met een hese stem van de schok. 'Ik denk dat... ik ga niet... ik bedoel... u bedoelt toch niet dat...'

'Jij en jouw familie gaan in Israël wonen! Je vader vertelde het gisteren in de sjoel aan de rabbi. Mazzeltof, Sofia! Nu zul je eindelijk Hebreeuws leren, na al die jaren van verzet!'

•••••

PORTSMOUTH, TWEE WEKEN LATER, MAART 1963

Sofia

Sofia zag hoe haar moeder een kleine bruine weekendtas voor haar neergooide. 'Dit is jouw koffer. Wat erin past mag je meenemen.'

Sofia keek haar moeder aan, maar mevrouw Kirsch meed haar blik en liep de kamer uit. Sofia wierp zich op haar bed en bedekte haar ogen. Ze was duizelig. Haar mond hing open. Haar hele lichaam leek te kloppen en te bonzen. *Het was dus echt waar.*

'We gaan in Israël wonen,' had haar vader bij de lunch gezegd.

Sofia zweeg, en keek haar tweelingbroer aan. Jonathan keek guitig terug, zodat de klap minder hard aankwam. Toen legde hij zijn mes en vork neer en vroeg: 'Wanneer?'

Dat was de enige toelaatbare reactie, aangezien het berusting inhield. *Waarom?* zou als heiligschennis worden gezien.

'Over drie weken.'

Verder was hun niets verteld. Sofia voelde zich verdoofd van ellende omdat ze weggerukt werd bij alles wat haar dierbaar was. Nu pas besefte ze hoeveel ze hield van haar vriendin Daisy; ze hield van de meisjesschool waar ze op zat en van de lieve juffen. Ze hield van de uitstapjes die ze in het weekend met het gezin maakten naar kastelen. Ze hield van – o, god – wat hield ze van Noodle; en ze hield van Zach.

Haar moeder had gezegd dat Noodle werd weggeven aan een andere familie. Hoe konden ze dat nou doen? Noodle hield van hen; *zij* waren zijn familie! Sofia werd ziek van de gedachte afscheid van hem te moeten nemen. Diep vanbinnen voelde ze zijn pijn die, omdat hij niet kon begrijpen waarom, des te heviger zou zijn. Het was alsof ze een klein kind in de steek lieten. Het verdriet was zo hevig dat ze zich ervoor afsloot.

En Zach zou ze ook nooit meer zien. Het was ondraaglijk.

Israël! Ze wist niets over Israël behalve uit de Bijbelverhalen. Israël bestond uit woestijnen, kamelen, tenten, waterputten en mensen met zwarte sluiers. Israël was duizenden kilometers hiervandaan, zover als het verleden, en toen haar vader zei: 'Het wordt geweldig,' keek ze hem aan alsof hij een buitenaards wezen was.

'Sofia!' riep haar moeder. 'Schiet eens op! We gaan uit koffiedrinken!'

Jonathan mocht niet mee. Lusteloos trok ze haar geruite jas aan en sjokte ze naast haar moeder voort. Ze spraken niet. Haar moeder zei pas weer iets toen ze haar vriendinnen Bernice en Maureen begroette bij de lunchroom.

Sofia ging aan het tafeltje zitten en staarde naar haar chocolade-eclair, en ze probeerde blij te kijken. Ze mocht nooit ontevreden kijken van haar moeder. Ze pakte de eclair op en nam een hapje. Normaal was ze dol op eclairs, maar vandaag smaakte de room zuur en weigerde de chocolade te smelten op haar tong. Sofia zag dat Bernice naar haar zat te lachen.

'Pardon?' vroeg ze.

'Je gaat in Israël wonen,' zei ze. Ze was mooi, maar haar rode lippenstift was doorgelopen in de plooitjes om haar mond. Sofia vroeg zich af of ze dat niet wist of dat het haar niet kon schelen.

'Ja,' zei Sofia.

'Wat vind je daarvan?'

'Ik wil niet weg,' zei Sofia. Ze was zo verbaasd dat haar deze vraag werd gesteld, dat de waarheid er zomaar uitrolde. Dan klonk ze maar onbeleefd. Haar leven lag in duigen. Alles wat haar dierbaar was, werd haar ontnomen.

Terwijl de dames zuchtten uit machteloos medeleven, zag Sofia een verandering in de gezichtsuitdrukking van haar moeder. Verder zag niemand het – waarom zouden ze ook?

Sofia telde af in gedachten terwijl ze afscheid namen, handen schudden en gekust werden, tot het Uur U, en zij en haar moeder weer alleen waren.

'Ik wens *nooit* meer zoiets uit jouw mond te horen,' zei mevrouw Kirsch. Ze gaf Sofia een tik op haar arm en zei: 'Jij gaat daar *heel* erg gelukkig worden.'

• • • • •

JERUZALEM, ISRAËL, APRIL 1963

Sofia

Terwijl Sofia naar de sinaasappelbomen staarde, vulde de geur van de witte bloesem de vrachtwagen met een heerlijk parfum. En toen die geur vervaagde, kwam er de stank van mest voor in de plaats. Alles *stonk* hier. Ze voelde zich als een blad dat van haar boom was gewaaid. Duizenden beelden stormden door haar hoofd, vechtend om aandacht: de ooms en tantes die stonden te huilen op het vliegveld; het enorme vliegtuig; het beangstigende geluid van de motoren; het met een plof landen op de landingsbaan terwijl mannen met zwarte hoeden klapten en zongen van: '*Avenu shalom alechem*.'

'Ik voel me niet lekker,' zei ze hijgend tegen de juf. Ze was snel wagenziek, zelfs op de zachte achterbank van de Rover, als haar vader maar twintig kilometer per uur reed. Hier, hobbelend achter in een stoffige oude legertruck als een stuk vee, voelde ze zich wee omdat ze moest overgeven. Geen van de kinderen in haar klas sprak Engels – Hebreeuws, Frans, Arabisch, dat wel, maar Engels, nee – en de juffen weigerden haar te begrijpen. Maar een groen gezicht behoefde geen vertaling. Juf Sachs duwde een doorgesneden citroen onder haar neus en zei: 'Likken, likken!'

Ze stak haar tong uit en likte aan de vrucht. Tot haar verbijstering voelde ze de misselijkheid wegtrekken. Ze glimlachte flauwtjes. Juf Sachs knikte en zei: '*Tov*.'

Goed.

Niets was goed. Sofia kon er niet bij hoe ruw haar nieuwe leven was. Hiervoor was alles zo gecontroleerd, zo comfortabel; mooie jurkjes en prachtige schoentjes. Nu zat ze in de laadbak van een open vrachtwagen met een hele kudde buitenlanders. Het waren geen Israëli's. Iedereen kwam ergens anders vandaan: Marokko, Roemenië, Duitsland, Irak. Eerst dacht ze dat de jongens hun hoofd hadden geschoren vanwege de hitte, totdat Jonathan uitlegde dat het was vanwege de luizen.

Op haar Engelse schooltje zaten twintig meisjes met staartjes en gladgestreken bloesjes en glimmende schoenen geboeid naar de juf te luisteren terwijl die lesgaf. Hier was het een grote chaos: veertig kinderen in een vies klein lokaal, en totaal geen discipline. Ze had haar moeder gevraagd of er een uniform was, en toen had haar moeder gelachen.

Veel van de kinderen liepen in lompen. Ze woonden in Jeruzalem, vlak bij het Absorptiecentrum. Hun huis bestond uit een paar kamertjes in een bouwval. Er lag geen vloerbedekking; de vloeren waren van steen, en er waren spinnen. Sofia was niet bang voor insecten, maar ze haatte wat de spinnen *betekenden*.

De eerste keer dat ze door een kind op school was uitgenodigd om te komen spelen, was ze geschokt te zien dat daar één vuil matras op de grond lag, voor zo veel mensen. Kennelijk woonde iedereen hier samen met zijn moeder, vader en ten minste een grootouder.

Deze mensen hadden niets en toch gaven ze haar altijd te eten: brood, jam, kaas en een vreemd maar verrassend lekker brouwsel dat haar deed denken aan sprookjes, *Ali Baba en de veertig rovers*. Het eten was het eerste waar ze van hield in Israël, ook al kregen ze alleen vlees te eten als er mensen uit het buitenland op bezoek waren. Eén keer in de week nam hun vader hen mee naar een kraampje waar ze frites en donuts verkochten. De mensen aten hier op straat en niemand vond dat onbehoorlijk. De geur van gefrituurd eten trok in je kleren. Haar moeder gaf haar op haar kop omdat ze steeds aan haar mouw rook. Op vrijdag trok de geur van versgebakken brood door de stad; magisch was dat.

Hoewel Sofia het niet fijn vond om over een stinkende landweg te hobbelen, was ze vastbesloten om niet meer zo ongelukkig te zijn. Haar moeder pruilde, omdat haar moeder machteloos was. Zij, Sofia, was een vechter. Zelf geen geld hebben kon je als iets romantisch zien, omdat *niemand* hier geld had. Ze greep de arm van haar broer en terwijl ze voort stuiterden in de legertruck schreeuwde ze in zijn oor: 'Zijn wij arm, Jonathan?'. Ze hoopte half dat hij ja zou zeggen, want dan kon ze zich inbeelden dat ze de heldin uit haar lievelingsboek was: *Een kleine prinses*.

Hij wenkte dat ze dichterbij moest komen, ook al spraken de anderen geen Engels. 'Als je arm bent,' antwoordde hij, 'is er geen hoop. Wij zijn platzak, maar dat is maar voor even, omdat wij, Sofia, slim genoeg zijn om iets aan onze situatie te *veranderen. Jij*, zusje, zult altijd slim genoeg zijn om iets aan jouw situatie te doen als die je niet bevalt.'

Ze staarde hem verwonderd aan. Hij was tien jaar oud, maar ze kende niemand die zo verstandig was als hij.

Het was moeilijk om een heel nieuwe manier van leven aan te leren, maar door Jonathan werd het een avontuur. De week ervoor was ze met Jono en hun moeder naar het postkantoor gegaan, en zij begreep niet waarom de mensen in de rij zo onhandig waren. Steeds maar weer lieten ze muntjes – *agorot* – op de grond vallen. Sofia zou die zelf gehouden hebben, maar Jonathan holde op de mensen af en gaf de muntjes terug aan de mensen – en dan glimlachten ze, en lieten ze de muntjes weer vallen.

Toen Sofia dat aan haar vader vertelde, legde hij uit dat het een traditie was: mensen lieten expres geld vallen, en de bedelaars die in de grotten aan de rand van de stad woonden – in *grotten*! – raapten de muntstukken op.

Ze leerde overleven, en ze was onder de indruk van haar eigen veerkracht. Ze was een *olah*, een immigrant. Dat betekent: hij die opstijgt. Gek om te bedenken dat ze je, als je naar Israël kwam, en terugging naar de middeleeuwen, beschouwden als iemand die opklom in de wereld. Daar was ze zelf nog niet van overtuigd. Tijdens de rekenles van die ochtend had ze het goede antwoord gegeven. 'Zeg de getallen eens in het *Ivriet*,' had juf Sachs geantwoord, 'dan hoor je erbij.' Kennelijk had Sofia hier een recht op burgerschap. En toch was er niemand die zijn best deed om haar erbij te betrekken.

De vrachtwagen kwam met een schok tot stilstand bij het Holocaustcentrum. Sofia wist wel van de nazi's. Op school hadden ze geleerd over de gaskamers. Er waren zes miljoen Joden omgekomen. Dat was verschrikkelijk; onvoorstelbaar. Toen ze voor het eerst een oude man zag met cijfers die op zijn arm waren getatoeëerd, moest ze zichzelf dwingen niet te staren. De drieëntwintigste keer lette je er niet meer op.

Sofia sprong uit de vrachtwagen en liep achter de anderen aan het gebouw in. Het was leuk een dagje uit te zijn. Ze zouden een film gaan kijken – een *film*! De laatste film die zij had gezien was *Honderd-en-*

een dalmatiërs. Ze zou naast Shai gaan zitten. Vergeleken met Zach stelde hij niets voor, maar hij had prachtige ogen en zijn hoofd had een goede vorm. Zijn haar was aan het groeien; het zag er borstelig uit, maar ze wist dat het toch zacht zou voelen als ze het aaide.

Een vrouw met een effen gezicht commandeerde dat ze moesten gaan zitten door met haar handen te wapperen, en vervolgens begon ze gepassioneerd te praten, in het Hebreeuws. Sofia keek om zich heen of er ook iets te eten zou worden uitgedeeld. Ze zag Jonathan op de voorste rij zitten. Hij voelde haar blik en knikte haar geruststellend toe.

De lichten gingen uit, en de woorden *Nuit et Brouillard* – nacht en mist – verschenen op een zwarte achtergrond. Een beeld van grasvelden, huiverend in de wind, vulde het scherm. De muziek klonk opgewekt. De camera bewoog mee met de wind, naar hoge muren, afgezet met prikkeldraad.

De soundtrack was in het Frans, maar er waren Engelse ondertitels. Naast het scherm verschenen de woorden ook in het Hebreeuws. Er zaten wat kinderen te kletsen en te fluisteren. Ze stopten toen de film toonde hoe de concentratiekampen waren gebouwd – het was allemaal zo goed voorbereid, zo efficiënt – en er werd verteld hoe Elizabeth hier en Samuel daar doorgingen met hun gewone leventjes 'niet wetende wat voor oord er voor hen werd gebouwd'.

De haren in Sofia's nek gingen overeind staan; het beeld van al die mensen – *zo veel mensen* – in rijen, met tassen onder de arm geklemd alsof ze op vakantie gingen.

Een klein kind staarde in de camera; het had de hand van zijn grotere broer of zus vast, en Sofia staarde vol ongeloof. Daisy had een klein broertje, Tommy. Hij had rode wangen, witblond haar en was zo vet als boter. Hoe konden deze Duitsers – die er heel gewoon uitzagen – een baby meenemen om hem te vermoorden? Sofia kon de moord op één enkel mens niet bevatten. Hier, in Israël, zeiden ze niet 'zes miljoen' – ze zeiden *'zes miljoen plus één'*.

Als gehypnotiseerd staarde ze naar het scherm. Elk beeld was nog gruwelijker dan het vorige.

Ze zag naakte, uitgemergelde mannen, en vrouwen, en *grootvaders*, als vee bijeengedreven; hun flinterdunne vel bedekte hun botten nog maar nauwelijks.

Ze zag de gaskamers vanbinnen, met sporen van grijpende nagels in de grijze betonnen plafonds.

Ze zag de stapels doden, als lappenpoppen in een kuil gestort.

Ze zag de stenen 'operatietafels', voor martelingen en experimenten. Ze nam aan dat de groeven bedoeld waren om het bloed te laten wegstromen.

Ze zag een keurig rijtje onthoofde lichamen, en toen een stapel hoofden in een grote teil.

Ze zag een man wiens voeten verbrand waren met fosfor. Zijn huid was weggebrand tot op het bot. Hij krulde de voet vertwijfeld op.

Ze zag een berg brillen, en toen een veld vol vrouwenhaar – hectares en hectares, stapels en stapels.

De naziofficieren, de een na de ander, beweerden: 'Het was niet mijn schuld.' De film toonde hoe een van hen in een schitterend huis woonde, pal naast het kamp, met zijn mollige, keurig geklede vrouw, die op een gezellige bank zat, met lampenkappen, en een tafel met een mooi tafelkleed en kandelaars.

'We doen alsof het maar één keer is gebeurd,' zei de stem in somber, honingzoet Frans. Sofia hoorde haar klasgenoten zachtjes hun adem inhouden. Er zaten er een paar te sniffen, anderen snikten het uit. Haar ogen waren droog.

Sofia staarde naar het zwarte scherm en liet zich langzaam doordringen van de slechtheid van de mens.

• • • • •

HAIFA, ISRAËL, JULI 1966

Sofia

De eerste keer dat ze haar hand opstak en het antwoord in het *Ivriet* had gegeven, had de hele klas voor haar geapplaudisseerd. Ze had wat vrienden gemaakt. En toen kondigde haar vader bij het ontbijt aan dat ze naar Haifa zouden verhuizen. Sofia staarde haar moeder ongelovig aan; die ruimde snel de tafel af, *altijd maar dingen weghalen*. Sofia keek toen naar Jonathan en hij haalde zijn schouders op.

In Haifa betrokken ze een ruim, licht appartement boven op een berg, met uitzicht op zee. Ze woonden op de derde verdieping van hun blok met alleen nog twee andere gezinnen. Hannah, die op de begane grond woonde, was even oud als Sofia, en ze was aardig, ook al kwam dat voornamelijk doordat ze gek op Jonathan was. Het gras in de gemeenschappelijke tuin was ruw en stond hoog, maar er was wel schaduw van pijnbomen.

Sofia zat in haar eentje op de grond en sloeg de zwarte en bruine pijnboompitten open met een steen. De hitte van de ochtendzon scheen fel op de achterkant van haar hoofd. Later zou ze er hoofdpijn van krijgen, maar dat kon haar niet schelen. Ze sloeg en sloeg, en viste de doppen tussen de romige nootjes uit. Na een uur had ze een grote stapel kleine witte pijnboompitten. Toen begon ze die boos op te eten.

Meteen ontspon zich in haar hoofd een discussie, en ze zuchtte. Ze verdeelde haar stapel in tweeën, gooide de ene helft in een plastic kommetje en kloste de melkwitte stenen trap op. Ze schopte tegen Jonathans deur.

'Ik-ben-ut.'

'Binnuh.'

'Ik haat het om met jou te moeten delen,' zei ze. 'Ik ben alleen geprogrammeerd om dat wel te doen.' Ze zette de kom met pijnboompitten voor hem neer.

'Eigenlijk moet ik deze aan de eettafel eten,' zei hij, en ze giechelden. Toen ging ze op zijn bed liggen en staarde naar het licht dat stippen wierp op het witte plafond. Jonathan las een boek. Hij was maar vijf minuten ouder dan zij, en toch was hij zonder meer haar 'grote broer'.

Hun ouders zagen dat ook zo. In Engeland, als ze vrienden op bezoek hadden voor een spelletje poker, mocht Jonathan altijd een potje meespelen voor hij naar bed moest, terwijl Sofia de 'knabbeltjes' serveerde. In Israël kenden hun ouders niemand om mee te pokeren, maar nu Jonathan dertien was, mocht hij af en toe *zijn* vrienden uitnodigen voor een potje. De jongens speelden om shekels rond de eettafel en dronken gazeuse terwijl mevrouw Kirsch om hen heen fladderde. En Sofia was betoverd door de kameraadschap en de glamour ervan. *Zij* mocht nooit meedoen. Niet dat Jono bezwaar zou maken, maar haar moeder zou het niet toestaan.

'Op een dag,' zei Sofia, 'na het leger, wil ik naar een echt casino om te gokken.'

Jono keek op en grijnsde. 'Dan moeten we naar Las Vegas! Gaan we samen.' Ze bekrachtigden de afspraak door elkaar de hand te schudden. Ze had de hele ochtend kunnen blijven liggen, zonder veel te zeggen, maar haar moeder riep: 'Sofia! Tafeldekken voor de lunch!'

Kreunend stond ze op en ze wilde net weglopen toen Jonathan zei: 'Hé!'

Ze keek naar hem en hij gooide een pakje naar haar toe.

'O!' zei ze. 'Ik ben dol op cadeautjes.'

Ze scheurde het open. Het was van Daisy. Er zat een brief bij en een zwart-witfoto. 'O, mijn *baby*! Kijk eens hoe gelukkig hij is!' Het was een foto van Noodle die de lucht in sprong om een stok te vangen op het strand. Sofia drukte de foto tegen haar borst en veegde de plotselinge tranen weg. 'Dat ze me schreef, ongelofelijk. Ze is zo lui.'

Sofia scande de brief op zoek naar roddels – dan zou ze hem later wel goed lezen.

Ik mis je zoooo vreselijk, Soof. Die broer van jou is zo vervelend. Hij heeft als een oud wijf aan mijn kop gezeurd dat ik moest schrijven – hij heeft zelfs geld gestuurd om voor de foto te betalen. Ik heb het alleen maar gedaan omdat hij zo'n stuk is – ha, ha – sorry als je daar misselijk van wordt! Wist je dat hij mijn ouders zelfs heeft geschreven om te vragen wie Noodles nieuwe eigenaren waren? Dat hebben ze uitgezocht, want anders zou hij het aan jouw ouders vertellen en dan zouden zij er gekleurd op staan, ha, ha!

Sofia kon nauwelijks een woord uitbrengen. 'Dank je, Jono,' zei ze. 'Dankjewel.'

Jonathan grijnsde. 'Ik heb het ze alleen maar gevraagd.'

Maar ze wist dat het veel meer was. Je moest je best doen om mensen te dwingen onnodige moeite te doen vanuit een ander land.

'Sofia! Nu!' schreeuwde haar moeder.

Sofia knuffelde Jonathan ongemakkelijk; de familie Kirsch waren niet van die knuffelaars. De wetenschap dat Noodle gelukkig was, was het mooiste cadeau dat iemand haar ooit had gegeven. Het raakte haar dat Jonathan dat *wist*, ook al gedroeg hij zich meestal als een gewone jongen en schopte hij negenduizend keer per dag met een bal tegen de muur.

Sofia dekte de tafel voor de lunch terwijl ze uit het raam staarde naar de glinsterende Middellandse Zee. Deze winter had ze uren voor het raam staan staren naar de grijze lucht, die in de zee over leek te lopen. Soms zag ze een kleine tornado die vrolijk het water opjoeg, en de wind de luiken deed rammelen. Ze hield van het huilen van de wind. De winters in Israël waren verbazend koud. In Jeruzalem lag er vaak sneeuw in december, en de halve klas moest dan thuisblijven omdat ze geen schoenen hadden.

Hier, in het rijke Haifa, was het anders. Ze ging naar een privéschool; de kinderen kwamen uit Europa, of waren Israëli, en ze waren slim. Sofia, die nauwelijks de taal sprak, voelde zich weer dom en saai. Ze was blij als het zondag was.

Ze haalde de foto van Noodle uit haar zak en staarde ernaar; tranen welden op. Ze veegde langs haar ogen en zag dat haar moeder de keuken uit marcheerde met de slakom en dat ze naar haar keek. 'Wat is er met jou?'

'Niets,' antwoordde Sofia. En toen, in een opwelling van opstandigheid: 'Ik hoor er niet bij op school.'

Heel even leek het of Sofia's moeder ook in tranen uit zou barsten. Toen antwoordde mevrouw Kirsch bijna smekend en heel zacht: 'Niet zo ondankbaar zijn, we hebben alles opgeofferd.'

Sofia probeerde niet te huiveren. 'Het spijt me, moeder,' zei ze. 'Het komt wel goed.'

Er werd op de deur geklopt. Sofia's moeder streek haar haren glad en deed open. *'Chhhhannah!'* zei mevrouw Kirsch met een overdreven Hebreeuwse uitspraak. 'Sofia, het is *Chhhhannah*, van hierbeneden!'

Hannah kwam waarschijnlijk voor Jonathan, maar toch kwam Sofia naar de deur. 'Hoi,' zei Hannah. 'Heb je zin om straks mee te gaan naar het strand? Met je broer?'

Sofia keek haar moeder aan, die stijfjes knikte.

Drie uur later, toen Sofia en Hannah dik ingesmeerd met olijfolie op het strand lagen, kwamen ze erachter dat ze prima konden communiceren. 'Jullie hebben geweldige kleren in Engeland – hier, *niks*. Maar jullie eten is shit!'

'Dat is niet waar. Wij hebben de visstick uitgevonden, Hannah. Mijn vriendin Daisy komt binnenkort langs en ik stuur haar geld voor een rok, zodat ik er net zo uitzie als Twiggy. Als jij ook geld stuurt, kun jij er ook eentje krijgen.'

'Tuurlijk! Jij, en hij, jullie zijn cool, maar die Engelse meisjes – die vinden zichzelf heel wat met hun lippenstift en hun panty's. Het zijn watjes! Ze weten niet wat hard werken is en hoe je moet vechten voor je land! Denk je dat Daisy ook haar lippenstift en wat panty's mee kan brengen?'

'Hm,' zei Sofia. Ze keek naar haar arm om te zien of ze al bruin werd. Haar huid was inmiddels gewend aan de zon. Ze was geen wattig Engels meisje meer. Ze kon niet *wachten* tot ze zestien was en in het leger mocht. Ze was geboren om te vechten.

•••••

GOLAN HOOGVLAKTE, BIJ DE SYRISCHE GRENS, 12 OKTOBER 1973, YOM KIPPOER OORLOG

Sofia

Sofia slikte haar misselijkheid weg terwijl ze hoorde hoe de mannen om hun moeders schreeuwden. Niemand keek elkaar aan toen de kreten rondschoten in de kleine schuur met het zinken dak. De radio kraakte, maar het kon ook het geluid zijn van de soldaten die levend verbrandden.

Die ochtend had ze nog gelachen toen de tanks vroeger werden opgeroepen dan de meisjes hadden verwacht. De avond ervoor waren ze het zo zat om zich smerig te voelen, dat ze hun ondergoed hadden gewassen in een paar helmen, en het tussen twee tanks te drogen hingen. Toen de tanks de basis verlieten, flapperde er een slinger van ondergoed achteraan.

Ze dacht aan Raphael, en hoe hij zijn hoofd schuin had gehouden voor ze kusten. Ze huiverde, en herinnerde zich het verlangen dat ze had gevoeld toen ze haar handen over de gespierde rondingen van zijn schouders en bovenarmen had laten glijden. Ze wist precies hoe zijn lichaam eruit zou zien: klein, donker, verkoold, opgekruld.

De eerste keer dat Sofia een verbrand lichaam zag, ging ze over haar nek. Het was een beeld dat haar voor altijd bij zou blijven, dat wist ze zeker. Maar toen ze lijk nummer twee zag, nummer drie, nummer zeventien, werd het een vage brij.

Sofia zat met droge ogen in de schuur tot het allemaal voorbij was. Ze wilde niet als lafaard worden gezien, wat het beschamende oordeel zou zijn geweest als zij had gevraagd om niet mee te hoeven.

Maar ze moest orders uittypen (veldtelefoons konden afgeluisterd worden, en mannen konden niet typen). Haar functietitel was secretaris van de Commandant van de Pantserdivisie van het Noordoostelijke Commando, maar haar werk hield veel meer in dan alleen administratieve taken. Ze was pas twintig, maar ze hoorde bij een gevechtseenheid, in het veld, en dan kreeg je automatisch verantwoordelijkheden toebedeeld die je hoe dan ook moest waarmaken. Sofia kreeg veel geheime stukken te zien.

Raphaels schreeuwen bleven in haar hoofd hangen. Dit is *oorlog*, hield ze zichzelf voor. Wat had je dan gedacht?

Toen haar meerdere uiteindelijk het teken gaf dat ze kon gaan, liep Sofia langzaam de schuur uit. Ze wist niet wat ze nu moest doen, dus ging ze haar geweer schoonmaken. Je geweer was belangrijker dan je vriendje, dacht ze. Waar je ook heen ging, je geweer ging altijd met je mee. Of je nu naar de plee ging, naar bed, je wapen was er altijd bij.

Als er ook maar één korreltje zand in je geweer zat, haalde de instructeur je wapen flink door het zand. En als het er twee waren, werden de wapens van je hele eenheid in het zand gegooid. Als dat gebeurde, was je even niet zo populair. Sofia's geweer was nog nooit in het zand gegooid.

Nu zat ze op de grond, haar gezicht leeg door de afwezige emotie, en ze maakte haar geweer schoon tot het glom in het zonlicht.

Er viel een schaduw over haar en ze keek op. Haar meerdere stond voor haar. Ze sprong op.

'Het zijn een paar zware dagen geweest,' zei hij.

'Ja,' knikte Sofia. Ze kon nauwelijks geloven dat de oorlog nog maar een week aan de gang was. Er waren heel veel bodybags. Maar ze zou niet om een speciale behandeling vragen omdat Raphael dood was. Iedereen verloor wel iemand. Het was een schok, maar je moest door met het leven. De opleiding en de omstandigheden waren zwaar – de zesdaagse marsen de bergen in met zware bepakking – maar wat hadden ze dan gedacht? Ze leefden buiten, midden in de woestijn; overdag was het moordend heet, en 's nachts was het zo koud dat de halve eenheid laarzen droeg die drie maten te groot waren, zodat ze er kranten in konden stoppen tegen de kou.

'Mijn chauffeur gaat naar mijn huis om kleren op te halen.'

Sofia permitteerde zich een klein lachje. De aanval was ingezet op Yom Kippoer, Grote Verzoendag, de heiligste dag van de Joodse kalender, waarop iedereen hoorde te vasten en te bidden in de synagoge. In werkelijkheid waren de Israëli's niet zo godsdienstig – nauwelijks te geloven, gezien de omstandigheden. Iedereen was zonder waarschuwing uit huis gehaald; er was geen tijd om zelfs maar een tandenborstel te pakken.

De reservisten op de basis waren uit de bus gestapt, werden ingedeeld op de tanks, en weg waren ze, naar het front. Er was geen minuut te verliezen om te wachten op de mensen met wie ze hadden getraind; er was zelfs geen tijd om machinegeweren op de tanks te installeren. Het scheelde weinig of de Israëlische Defensiemacht had in pyjama moeten vechten.

'Jij woont niet zo ver bij mij vandaan, dus als je een nachtje naar huis wilt om wat spullen te halen, dan is dat prima.'

Ze aarzelde. In het Israëlische leger heerste niet die wonderlijke ongelijkheid tussen mensen als in het Britse leger. Niemand noemde de ander 'meneer' en als haar meerdere koffiezette, dan kreeg zij ook een kop. Toch wilde ze de gunst niet accepteren.

'Ga,' zei hij. 'Kom morgen maar weer terug.'

'Als je het zeker weet,' zei ze. 'Dank je.'

Het was bizar om aan te kloppen en haar moeder met een schort voor te zien, haar handen onder de bloem. Ze droeg foundation en lippenstift. Fuck het zionisme, Sofia's moeder zou je nooit zonder make-up zien.

'Samyooool!' schreeuwde haar moeder nog voor ze zelf maar hallo had gezegd.

Haar vader kwam naar de deur, dolblij, verschrikt en verward.

'Raphael is dood,' zei Sofia. 'Ik ga in bad.'

Haar moeder sloeg haar handen voor haar mond. 'Wat erg!' zei ze, en ze liep weg. Even later kwam ze terug: 'Over een halfuur eten we. Vis.'

Sofia probeerde zich te ontspannen in het smalle bad, maar het lukte niet. Het water was lauw. Je kon er niet in *rondwentelen*. Israël was een land waar het begrip luxe niet werd begrepen of goedgekeurd. Zelfs als de mensen aardig waren, wat vaak het geval was, was hun vriendelijkheid bruusk, alsof het iets gênants was, iets waar je niet te lang bij stil moest staan.

Op de vijfde dag van de oorlog kwam er een vrachtwagen vol eten van een restaurant in Tiberias. En als je door de vuurlinie was, stonden de deuren van de kibboetsen altijd open voor de soldaten. Maar een 'dankjewel' werd beantwoord met een afwijzend knikje.

Sofia zuchtte en stapte uit bad. Ze droogde zich af met een kleine, ruwe handdoek. Het voelde goed om schoon te zijn, en fris. Ze rook naar de carbolzeep met sinaasappelgeur van haar ouders. Vannacht zou ze in elk geval in een zacht, warm bed slapen. De geur van de vis die in de pan lag te bakken dreef de badkamer in, en ze hoorde haar moeder kletteren met pannen. Vreemd dat haar huis beklemmender voelde dan de legerbasis.

Na het eten waste Sofia's moeder af en Sofia ging bij haar vader zitten.

'Wat is er allemaal aan de hand?'

Ze vertelde het hem, en ze probeerde alle emotie uit haar verhaal te houden. Toen ze opkeek staarde haar vader haar vol schrik aan.

'Wat is er?' vroeg ze.

Hij schudde zijn hoofd en zag bleek. 'Ik weet wat dit is,' riep hij uit. 'Dit is shellshock. Dat hadden wij ook in de Tweede Wereldoorlog. Zeg tegen de chauffeur dat hij je vanavond weer mee terug moet nemen.' Hij greep haar bij de arm en zei, bijna lief: 'Je moet vanavond weer terug, anders ga je nooit meer.'

'Maar dan moeten we langs het front rijden! Ik...'

Haar moeder was uit de keuken gekomen en stond in de deuropening. In een waas belde Sofia het nummer van de chauffeur. Hij veinsde sarcastische verbazing, maar hij ging niet in discussie.

Tien minuten later werd er op de deur geklopt. Vermoeid pakte Sofia haar kleine tas en deed de deur open. 'Bedankt, Avi,' zei ze, maar het was de chauffeur niet. Er stonden een man en een vrouw, allebei in uniform, allebei van een hogere rang. Toen de man zijn mond opendeed en iets wilde zeggen, kwam haar moeder naar de deur gerend, ze slaakte een kreet en probeerde de deur dicht te duwen.

'Mam, wat *doe* je nou?' zei Sofia. Haar moeder ging prat op haar beschaafdheid, vooral hier. Ze zou zelfs voor een Jehova's getuige de deur nog niet dichtgooien.

'Nee, nee,' hijgde haar moeder. 'Ga weg.' Pas toen begreep Sofia het, en ze raakte verlamd van de schok en het ongeloof.

Ze keek toe, alsof ze naar een film keek, terwijl de officieren voorzichtig het appartement in schuifelden, en haar moeder schreeuwde om haar vader, die aan kwam rennen.

'Meneer en mevrouw Kirsch?' zei de man. 'Ik vrees dat ik verschrikkelijk nieuws heb. Het spijt me u te moeten mededelen dat uw zoon Jonathan is omgekomen bij de gevechten in de Sinaï.'

Haar moeder zakte in de armen van haar vader. Sofia stond daar maar, roerloos, sprakeloos. Ze had haar vader nog nooit horen huilen, en het was een vreselijk geluid.

'Wil je even zitten? Kan ik iets te drinken voor je halen?' vroeg de vrouwelijke officier. Sofia schudde haar hoofd.

Toen arriveerde Avi, de chauffeur. Hij nam de situatie op en wilde weglopen. Sofia greep hem bij de arm. 'We gaan,' zei ze.

Ze probeerde haar ouders niet te troosten, en zij probeerden haar niet te troosten. Toen ze zwijgend in de auto zat, greep ze haar tas vast, en het enige wat ze wist was dat haar geliefde tweelingbroer, de enige van wie ze werkelijk had gehouden, dood was. De woorden die haar moeder had gesnikt toen ze in de armen van haar echtgenoot viel, dreunden nog na in Sofia's oren: 'Waarom *hij*? Waarom moest het nou mijn *zoon* zijn?'

•••••

LUCHTHAVEN HEATHROW, LONDEN, ENGELAND, 1975

Bessie

'Ik red me wel,' zei Bessie.

Haar vader glimlachte gespannen. Hij was inmiddels zo breekbaar dat het pijn deed om naar hem te kijken.

'Ga jij nou maar door de douane,' droeg hij haar op, en zijn stem trilde. 'En dan ga je naar de balie om uit te checken, en dan laat je je ticket zien aan de mevrouw daar.'

'Om uit te checken?'

Hij klopte op haar arm. 'Als je niet zeker weet wat je moet doen, kun je het daar vragen.'

'Ik red me wel, echt,' zei ze, hoewel ze stiekem als de dood was. 'Nou, dan ga ik nu maar. Doe mama de groeten.'

Haar vader knikte en zwaaide terwijl hij onzeker wegliep. Mama wilde ook best mee naar het vliegveld, maar ze kon niet vanwege haar slechte gezondheid. Niet dat ze een gebroken been had, of de mazelen. Kennelijk was haar geestelijke aandoening iets wat in de familie zat. Hoera!

Bessie kwam door de douane en liep naar de balie om in te checken – niet om uit te checken natuurlijk. Ze zag er niet al te beroerd uit in haar mooie roze bloes en haar spijkerbroek met wijde pijpen, maar toch voelde zich ze wel beroerd. Ze ging zitten in een oranje plastic stoel en staarde naar de opstijgende vliegtuigen. Ze waren gigantisch.

'Is deze stoel bezet, mevrouw,' vroeg een zachte, lijzige stem.

Bessie keek op en zag een man in een gekreukt linnen pak, met lang haar in een paardenstaart. Hij glimlachte, waarbij hij zijn tanden ontblootte.

'Nee,' zei ze, en ze glimlachte terug.

'Gaat het wel goed met u, mevrouw? U ziet wat bleek.'

'Ik heb nog nooit gevlogen.'

'O!' zei de man. 'Maakt u zich maar geen zorgen. U hoeft alleen maar te gaan zitten en cocktails te drinken en de wolken te begroeten!'

Bessie schoot in de lach.

'Hank Edwards,' zei de man. 'Tot uw dienst. Laat mij een drankje voor u kopen.'

Ze had een glas water verwacht, en was gecharmeerd toen hij terugkwam met een plastic bekertje wodka-cola.

Toen ze aan boord stapten, wees Hank haar de nooduitgangen en de toiletten.

'Kunnen wij bij elkaar zitten?' vroeg ze aan de stewardess, maar de vrouw bekeek haar ticket en schudde haar hoofd.

Bessie schuifelde naar haar stoel bij het raam, en staarde naar buiten. Wat nu als het vliegtuig neerstortte?

'Ben ik weer!' zei een vrolijke stem.

'Hank!' riep ze.

Zijn ogen twinkelden. 'Je buurman wilde wel ruilen met mijn stoel in de businessclass,' zei hij.

Bessie straalde. 'Hank! Wat is dat aardig van je!'

Ze greep zijn hand bij het opstijgen. Later keek ze en zag ze dat zijn vingers helemaal wit waren. 'Hank, het spijt me,' zei ze ontzet. 'Ik heb je vingers zowat fijngeknepen.'

Hij grinnikte. 'Ik ben eraan gewend dat meisjes dat doen.'

Hij was mager maar lief, en hij was heel erg geïnteresseerd in haar. Hij vroeg haar waarom ze naar LA ging.

'Nou,' vertelde ze, 'mijn vader had vroeger een advocatenkantoor – hij is inmiddels met pensioen – en ik heb voor hem gewerkt, als juridisch secretaresse, maar ik wilde weleens iets anders. Ik ben vierentwintig, en ik woon nog bij mijn ouders. Mijn vader heeft een oudcollega gesproken, iemand met een advocatenkantoor in Las Vegas. Niet in het *gok*gedeelte, uiteraard. Ik deel een appartementje met andere meisjes, het is allemaal al geregeld.'

Hank glimlachte, en de huid in de hoeken van zijn ogen rimpelde. 'Nou, dan zitten we straks weer op dezelfde vlucht, want ik ben ook op weg naar Vegas.'

Bessie was dolblij. Het was dom van haar om zo zenuwachtig te zijn, maar na vierentwintig jaar door haar ouders in de watten te zijn gelegd, omdat die meenden dat ze niet eens in haar eentje naar de winkel kon voor een pak melk, had haar zelfvertrouwen wel wat schade opgelopen.

Hank knikte terwijl hij de rest van de wodka-cola in haar glas schonk. 'Je moet eens bij me langskomen, dan zal ik spareribs voor je klaarmaken. Ik heb net een barbecue, echt een geweldig ding!' Hij lachte. 'Je zult het *heerlijk* vinden in Las Vegas! Ik wil je best rondleiden langs alle bezienswaardigheden. We kunnen misschien een casino in, of naar een show, of wandelen in de bergen, of gewoon wat rond spetteren in mijn zwembad.'

Bessie keek hem met grote ogen aan. 'Dat klinkt allemaal heel anders dan waar ik vandaan kom.'

'Waar kom je dan vandaan, Bessie?' informeerde Hank. Ze keek naar zijn nagels. Die zagen er keurig uit. Hij was duidelijk rijk. Als een man geld had, dan zat je safe bij hem.

'Heb je weleens gehoord van Hampstead Garden Suburb?' vroeg ze. 'Het is een exclusieve, groene, bekakte wijk ten noordwesten van Londen, waar de mensen zijn geprogrammeerd om hun heggen op precies dezelfde hoogte te snoeien en om nooit voorrang te verlenen aan tegemoetkomend verkeer. Het is er allemaal heel keurig, en er zijn geen casino's.'

Hank glimlachte. 'En hoe voelde jij je daar?'

Bessie haalde haar schouders op. Ze was een beetje aangeschoten. 'Het was er wel prettig, maar ik ben er wel erg afgeschermd voor nare dingen, dus ik ben waarschijnlijk vrij verwend.' Ze leunde naar Hank, en probeerde niet met een dubbele tong te praten. 'Ik zou weleens wat *meer* van de wereld willen zien,' giechelde ze. 'Ik heb zo'n zin in allerlei stoute dingen.'

Hank bulderde van het lachen en gaf een klopje op haar hand. 'Blijf maar bij mij in de buurt, dan, snoes. Dan zal ik je van alles laten zien!'

Ze giebelde. 'Wat doe jij, Hank? Ooo, ik ben duizelig.'

'Ik heb een eigen bedrijfje. Ik verkoop drank aan casino's en hotels. Niet zoiets keurigs als een advocatenkantoor, maar ik verdien aardig.'

Haar hoofd was helemaal draaierig toen ze eenmaal in LA aankwamen. Bessie liep blind achter Hank aan, die haar bagage van de band viste en haar hielp bij de overstap naar Las Vegas. Hij was ook zo aardig om koffie en pepermuntjes voor haar te kopen. De mensen begonnen naar haar te kijken.

'Hank,' zei Bessie een beetje dronken, 'ik weet niet wat ik zonder jou had gemoeten!'

Ze stond op het asfalt buiten de luchthaven en hield haar koffertje vast, helemaal hoteldebotel van de romantiek van dit alles. Het was avond, maar zo warm, en de lichten van de gebouwen vervulden haar met ontzag. En het rook hier zo lekker, en de hemel was zo weids.

'Ik heb het gevoel of ik in een film zit,' zei ze. 'Ik heb van mijn leven nog niet zoiets moois gezien!'

Hank keek haar lachend aan. 'Dat zat ik ook net te denken,' zei hij.

Langzaam liep ze op hem af, en zijn lippen raakten de hare, warm en zacht.

'Laat me niet alleen, Bessie,' zei hij, 'blijf nog een poosje bij me.'

Ze giechelde. Alles wat hij zei klonk zo grappig. 'Hank,' zei ze. 'Je weet best dat ik niet zo'n soort meisje ben.' Ze probeerde streng te kijken. 'We kennen elkaar net.'

'Je hebt helemaal gelijk,' fluisterde Hank, en hij stak een sigaret op. Ze nam hem van hem over, en nam ook een trek. Terwijl ze dat deed, werd ze overspoeld door een hevig verlangen. Ze was *wel* zo'n soort meisje. Ze zag er alleen niet zo uit.

'En als we nu eens eerst keurig naar het altaar gingen, Bessie?' mompelde hij. Zijn adem kietelde in haar oor en gaf haar kippenvel.

'Om te trouwen?' gilde ze. 'Zeg je nou dat je met me wil *trouwen*?' Ze moest zo hard lachen dat ze er bijna in bleef. Toen ze eindelijk weer wat was bijgekomen, ging ze rechtop staan.

Hank leek een beetje gepikeerd. 'Zo grappig is dat nu ook weer niet,' mompelde hij. 'Ik vind je echt heel erg aantrekkelijk.'

'Hank,' gierde ze, 'het is een geweldig idee! Ik heb toch geen zin om met een stel meiden in een appartementje te zitten. Kom, we doen het!'

•••••

THE MEDICI, LAS VEGAS, 1981

Luke

Luke moest lachen, maar eigenlijk was hij geïrriteerd. Hij mocht graag kijken naar de mooie meisjes uit Las Vegas die bij zijn hotel kwamen solliciteren. Ze waren altijd zeer inschikkelijk; maar deze niet.

'Knappe' Stan had haar meegenomen naar de kelder. Dat hadden ze zo afgesproken. Stan wist wat Luke lekker vond, en als hij een kandidate had, gaf hij Luke een belletje. Dan zei hij tegen het meisje dat ze de Grote Baas zou ontmoeten.

Dat vonden ze een beetje eng, en daarom juist opwindend. Knappe Stan zei geen woord, en hij beantwoordde ook geen vragen; hij leidde hen zwijgend langs lawaaiige lopende banden, onder de ventilatiebuizen, enorme zilveren wormen, door, naar de kelder, waar Luke zat te wachten.

Luke vond het lekker om het te doen tussen grote stapels geld. Harde zilveren kussens vol, opgestapeld in plastic zakken, miljoenen dollars, cash van muur tot muur. Geld stelde hem gerust. Er was niets zo mooi als een hele hoop geld.

De meisjes wisten wat er van hen verwacht werd. Ze wisten het al toen ze hun foto instuurden. Ze vonden het *geweldig*.

Dus Luke zag wel dat Knappe Stan zich te pletter schrok toen deze meid hun botweg informeerde dat ze 'overgekwalificeerd was voor croupier'. Ze had een 'andere positie' in gedachten. Ja, dacht Luke. Wij ook. Maar tegelijk kon hij niet geloven dat het mens zo veel lef had.

Toen draaide het meisje zich om naar Knappe Stan en zei: 'Ik zou graag in de beveiliging willen. Jouw baan zou ik met mijn ogen dicht kunnen doen.'

Hij schoot vol ongeloof in de lach en stak een dun sigaartje op. Hij was wel benieuwd hoe dit zou aflopen.

Stans glimlach was van zijn gezicht gevallen. 'Waar heb jij het in godsnaam over?'

Luke staarde het meisje ijskoud aan. Ze was meer dan mooi: ze was goddelijk. Hij haatte die uitgemergelde wichten. Deze was een en al rondingen. Zelfs haar blonde haar viel in golven. Haar ogen waren hard en blauw, en haar tieten hoog en vol. Ze had een grote mond. Hij moest haar hebben.

'Uw beveiliging loopt jaren achter,' zei het meisje verveeld, 'en dat kost u geld. Ik ben nog maar even in The Medici, en ik zie nu al dat er heel wat kaarten – drie- of vierentwintig – op de Mini-Baccarattafel gemerkt zijn: een piepklein krasje achterop de kaart, en ik gok dat het meestal om achten of negens gaat. Dat was vandaag. Toen ik hier verleden week was, werd er Mini Baccarat gespeeld met een incompleet spel! En nu, boven, op de vloer, is er een vent aan het werk met twee andere kerels en nog een vrouw. Hij zet steeds laag in – een gekleurde chip en twee cashchips, om precies te zijn – en hij doet net of hij opnieuw wil inzetten voor het volgende spel. Zijn maten strijken de winst op, en zijn meisje leidt de dealer af – ze is heel mooi. En hebt u gemerkt dat telkens als de fruitautomaten op de maximale jackpot staan, ze door hetzelfde groepje kerels worden leeggetrokken – dat moet een professionele bende zijn. En ik *vermoed*, want ik heb alleen even snel rondgekeken, dat iemand met die automaten heeft gerotzooid. Ik denk dat er een driehoekig stuk plastic in een muntinworp is geklemd. Dat zou ik maar eens controleren als ik u was, want het zou goed kunnen dat het niet bij die ene machine is gebleven.' Het meisje haalde haar schouders op. 'Mensen bedonderden de boel nu eenmaal.'

Luke stikte bijna in zijn sigaar. Ze lulde uit haar nek. Deze stad wemelde van de gekken.

De aderen in de nek van Knappe Stan zwollen paars op. '*What the fuck?*' Hij keek Luke hulpeloos aan. Dat was geen slimme zet, en Stan was zich daar meteen van bewust. Hij zei tegen het meisje: 'Je hebt een levendige fantasie. En The Medici heeft helemaal niet geadverteerd voor een baan in de beveiliging. Dus, schatje, ik zou maar eens aan meneer Castillo laten zien hoeveel spijt je hebt, voor ik je bij kop en kont naar buiten gooi.'

Het was foute boel dat het Knappe Stan meer kon schelen dat hij er gekleurd op stond dan dat mensen hier mogelijk geld stalen.

Luke deed een stap naar voren en keek het meisje eens van heel dichtbij aan. 'Dus er zijn mensen die mij proberen te *belazeren*?'

'Dat proberen ze niet, meneer Castillo,' zei het meisje. 'Dat *doen* ze al.'

Luke stampte de sigaar uit, en stak een sigaret op. Hij knipte met zijn vingers. Knappe Stan schoot naar de koelkast en schonk een Pepsi Light voor hem in. Luke zocht in zijn broekzak naar een toffee, die hij in zijn mond propte, waarna hij het papiertje op de grond gooide. 'Stan,' zei Luke. 'Zorg dat het rechtgezet wordt. Allemaal.'

Heel soms werd Luke meer dan kwaad. Dan werden de mensen om hem heen heel bang. 'Er zijn mensen die mij bestelen,' zei Luke zachtjes. 'Doe er iets aan. En daarna kom je terug, zodat ik iets aan jou kan doen.'

Knappe Stan rende de kamer uit. Luke nam een paar halen van zijn sigaret en kauwde op de toffee. 'Ga zitten,' blafte hij tegen het meisje, met een gebaar naar een kartonnen doos. Hij draaide zich om. Wat had dat kind verdomme allemaal nog meer gezien? Luke was pislink dat mensen als die Knappe zo achteloos waren, want als hij er een potje van maakte, was hij degene die de rekening gepresenteerd kreeg. Hoe kon het nou toch zo snel zo uit de hand lopen? Hoe kon het allemaal zo vreselijk fout zijn gegaan, in nog geen drie jaar tijd?

Drie jaar geleden, dacht Luke, woonde hij in een sprookjeswereld, en hij waardeerde het niet eens. Elke dag werden de kwartjes uit de fruitautomaten in de telmachines gegooid en de totale som van hun gewicht werd dan op de schermpjes getoond, en een kerel van de Nevada Kansspelcommissie zat elke avond bij die schermpjes trouw al die totalen in zijn kleine zwarte boekje te noteren, zich niet bewust dat de machines die de kwartjes telden waren gemanipuleerd zodat ze duizend dollar aan kwartjes als negenhonderd dollar aangaven.

De extra honderden kwartjes werden in afgesloten muntenkastjes rond de muren van het casino gestopt. Het meisje dat de munten kwam brengen, kreeg dan een biljet van honderd dollar, dat ze in zo'n kastje stopte. Aan het eind van een gemiddelde dag zat er misschien iets van achtduizend dollar in elk van die muntenkastjes.

Iedereen op de hogere managementniveaus wist wat er aan de hand was. Maar niemand zei er iets van. God, wat was dat lekker! Luke zag die tijd nu als zijn hoogtijdagen. Niet te geloven dat hij dat toen allemaal heel gewoon vond!

Toen ging de politie ineens heel moeilijk doen met elektronische en optische bewaking, en toen was het feest afgelopen. Ja, hij moest God op zijn blote knieën danken dat de Argent casino's en de Trop alle ellende te verstouwen hadden gekregen; kennelijk zouden daar een hoop mensen worden aangeklaagd. Maar hij was helemaal niet dankbaar – hij was pislink. Want dit maakte zijn werk zo *lastig*.

Hij had de muntenkastjes laten weghalen, en hij had wat nieuws bedacht. Een jaar geleden werkte een vriend van hen als kassier. Die vent had in de kas gegraaid en vulbriefjes vervalst om het ontbrekende geld te verantwoorden. Dat leverde een stuk minder op en het was niet zo geraffineerd, maar Luke zat niet op de aandacht te wachten. Hij had geen zin in problemen, maar hij had het gevoel dat dit meisje hem wel een probleem zou opleveren.

Luke zei tegen haar: 'Jij wilt graag succes hebben, toch?'

'Natuurlijk wil ik dat,' antwoordde het meisje.

Luke knikte en tikte zijn as op de grond. Het meisje zag eruit alsof ze ook rookte, maar niet haar eigen sigaretten kon betalen. 'Nou,' zei hij, 'in dat geval moet je leren dat je het de mensen naar de zin moet maken. Dus die houding van jou, die zou ik maar laten varen. Ik heb nooit spijt gehad van hoe ik er zelf ben gekomen. Als andere mensen niet een deel van het geld hadden geleverd dat ik nodig had om deze tent te kopen, was ik nu hooguit de baas van de *gift shop*.'

Luke ging naast het meisje zitten. 'Je moet indruk maken op de mensen, niet alleen door slim te zijn, maar ook door het hun naar de zin te maken. En pas daarna krijg *jij* je zin. Zij een beetje, jij een heleboel.' Hij grijnsde. 'Ik werkte meestal met mijn eigen mensen, allemaal onberispelijke burgers. En toen werden er een paar mensen aangesteld over wie ik niets te zeggen had.'

Het meisje keek hem aan, en hij haalde zijn schouders op. 'Ik kan het best vinden met die mannen. Ik doe niet moeilijk – ik laat ze hun gang gaan. Ik ben geen Glick. Je weet toch wel wie Glick was? Ik was niet koppig, ik heb hier en daar wat water bij de wijn gedaan, en ik zal je zeggen, dat was geen zware opgave. The Medici levert ons maandelijks flink wat op. Ik sterf liever oud en rijk dan jong en hebberig.'

Het meisje knikte. 'Ik begrijp het, meneer Castillo. Toen uw zogenaamde security manager hier nog was heb ik het ook alleen maar gehad over de manieren waarop het publiek *u* belazerde.' Ze schraapte haar keel. 'Hoeveel wisselmachines hebt u daarboven hangen?'

Luke voelde het klamme zweet achter in zijn nek. Hij was blij dat de apparatuur hier zo veel lawaai maakte. Het had geen enkele zin om hier afluistering te installeren, je zou niets horen. Toch keek hij haar woedend aan: 'Hou jij ooit weleens je mond?'

Ze keek hem recht in zijn gezicht. 'Alleen als ik gekust word.'

Hij glimlachte terwijl ze doorpraatte. 'U bent slim, meneer Castillo. Die extra, niet-geregistreerde wisselautomaat is geniaal, want wie weet er nu in godsnaam hoeveel van die machines er horen te hangen? Maar als iemand het *wel* zou zien – iemand die daar *belang* bij had – dan zou dat toch wel naar zijn. Over zulke dingen kan ik me druk maken.'

Hij wilde dat vervloekte ding niet wegdoen: alle winst ging regelrecht naar Chicago.

Hij drukte een vinger tegen zijn lippen. 'Jij weet wel veel van mijn zaken af. En ik denk dat ik wel een plekje voor je kan regelen. Jij kunt je vast op allerlei manieren nuttig maken.'

'O, zeker, meneer Castillo. Het ergert me als mensen lui zijn. Ik zou goed voor u en uw belangen zorgen. Ik regel wel dat u veilig blijft.'

Hij lachte, deels omdat hij zich niet kon herinneren wanneer iemand hem voor het laatst zo had toegesproken. Zijn moeder misschien, toen hij een jaar of zes was.

'Nou moet je me toch eens vertellen,' zei hij, 'hoe is het in godsnaam mogelijk dat je dit allemaal weet en dat je je toch zo beroerd kleedt. Je ziet eruit als een goedkoop hoertje: die strakke spijkerbroek, dat topje, en die belachelijk hoge hakken.'

'O,' zei het meisje. Ze leek gekwetst. 'Nou, ik vind het leuk. Ik heb mijn eigen stijl en...'

Luke stak zijn hand naar haar uit. 'Sofia, toch?'
Ze knikte.

'Sofia.' Hij fluisterde in haar oor. 'Jij bent mooi, slim, en ik word helemaal *gek* van je. Dus hou je nou eindelijk je mond?'

Hij trok haar tegen zich aan en kuste haar. Ze greep zijn haar en kuste hem hartstochtelijk terug. Hij betastte haar overal, en zij duwde haar lichaam tegen het zijne. Eindelijk liet hij haar los. Ze stonden allebei te hijgen, rood aangelopen van lust. Hij grijnsde omdat zijn jongensachtige glimlach elk meisje wist in te pakken, en omdat hij uiteindelijk de baas was, hoe mooi ze zichzelf ook vonden. Hij keek omlaag.

'Ik heb hier iets wat je wel een poosje de mond snoert, schatje,' zei hij, en hij keek toe terwijl zij op haar knieën zakte.

•••••

EEN DURE BUITENWIJK VAN LAS VEGAS, JUNI 1982

Bessie

'Waarom sta ik voor mijn eigen voordeur en past mijn sleutel niet in dat verdomde slot, Hank.'

Kleine Sam en Marylou waren giechelend aan het stoeien op de witte traptreden terwijl hun moeders geschreeuw de stilte in een van de beste buurten van Clark County doorkliefde. Bessie's hart pompte pure woede rond. Ze wist dat ze zich misdroeg en dat ze dat niet kon maken waar de kinderen bij waren en dat de buren met hun oren stonden te klapperen achter hun witte luiken, tuk op schandaaltjes, maar de plotselinge angst liet het haar zomaar uitbrullen.

Ze wist wel wat er aan de hand was. Ze hoefde Hanks blatende stem aan de andere kant van de lijn niet te horen om te weten hoe de vork in de steel zat.

'Schatje, ik hou van je...' begon hij, en haar hele lichaam balde zich als een vuist samen. Hij zei die woorden zoals andere mensen de Heer aanriepen om hen tegen de duivel te beschermen. Als Hank tegen Bessie zei dat hij van haar hield, wist ze dat er iets gruwelijks zou volgen.

'Waar hang je uit, Hank? Wat heb je gedaan? Wat heb je gedaan?'

De kinderen waren gestopt met vechten. Sam, van bijna drie, klampte zich aan haar been vast als een dik koalabeertje aan een tak, en hij lispelde met een angstig babystemmetje: 'Gaat het, mammie? Gaat het?'

Marylou, een zelfverzekerde dame van vijf, zat op de trap op haar haar te kauwen.

Hanks stem klonk fluisterend. 'Ik heb wat geld verloren bij Casino Joe. Ik moest het huis afstaan.'

Bessie ging op haar schitterende witstenen bordes zitten, waarvan alle stenen zo romig, keurig en perfect waren, en probeerde te blijven doorademen, maar het lukte niet. Daar zat ze dan, te hyperventileren, niet in staat om iets te zeggen, droge ogen van de shock.

'Lieverd, ik...'

'Hou je bek,' zei Bessie en haar stem was niet langer die van haar, maar die van een krijsende kat. 'Kom hierheen.'

Sandra van de overkant kwam al op haar toegesneld, met de scherpe, felle ogen van een roofvogel. Zij en Larry hadden Bessie en Hank ooit eens uitgenodigd voor de lunch in een restaurant en na afloop had Sandra de rekening gedeeld met behulp van een rekenmachine. Er stond een schaal After Eights in de lobby, en Sandra had haar hand erin gestoken en zo veel in haar handtas gestopt als ze maar kon pakken.

Sandra deed haar rood gestifte mond open om de vetste roddel te delen die haar ooit ter ore was gekomen, en Bessie liet haar haar gang gaan. Totdat ze kwam bij het 'sloten verwisselen'. Toen duwde ze haar kinderen naar de vrouw toe en zei: 'Alsjeblieft, een uurtje maar.'

Ze kon het niet opbrengen om haar kinderen gedag te kussen.

Ze wilde niet huilen op straat, dus huilde ze in de auto.

Ze trilde, en brulde, en af en toe sloeg ze op het stuur en gilde: 'Waarom?' Haar neus en ogen stroomden over en ze voelde zich wild, als een beest. Van Hank was nergens een spoor te bekennen.

'Die is zich waarschijnlijk ergens aan het bezatten,' hikte ze, en toen schreeuwde ze: 'Die is zich aan het *bezatten*!'

Er klonk een scherpe tik op het raam, waardoor ze opschrok. Ze deed snel haar zonnebril op en draaide het raampje naar beneden. Daar stond Sandra. 'Bessie,' zei ze, 'je moet even rustig worden, voor de kinderen. Je kunt vannacht wel bij ons slapen, want ik neem aan dat je verder nergens naartoe kunt en dat je ook geen geld hebt voor een hotel.'

'Dank je, Sandra,' zei Bessie tandenknarsend.

Sandra knikte. 'Ik eet vanavond niet warm. De kinderen eten alles, toch?'

Haar toon gaf aan dat ze zich maar hadden te gedragen.

'Hemeltje,' zei Bessie. 'Kleine kinderen eten toch altijd alles?'

'Kom nu mee naar binnen, Bessie,' zei Sandra. 'Dan stop je maar een briefje voor Hank onder de ruitenwisser.'

Bessie deed wat haar was opgedragen, en liep achter Sandra aan haar smetteloze huis vol met snuisterijen in. Sandra was zo iemand die dankbaarheid wilde voor elk klein dingetje dat ze voor je deed. Bessie keek toe hoe Sandra de televisie aanzette – 'Ze kunnen hier natuurlijk niet maar een beetje rondrennen.' Haar kinderen zakten als gehypnotiseerd op de bank en staarden als robots naar het scherm. Het was *The Simpsons*, een tekenfilm waar haar tweejarige zoon het woord 'aftrekken' van leerde, maar ach, wat maakte het uit?

Er werd hard op de deur geklopt. Sandra deed open en Bessie hoorde haar beschuldigende toon. 'Jij bent… als je kinderen je zo zien… Je vrouw… vreselijk overstuur…'

Hank waggelde de keuken in. Ineens gilde Sandra: 'Larry, *eten*!' vlak achter Hank, waardoor die schrok en zijn koffertje liet vallen. Hij tuimelde in een stoel. Bessie kon niet naar hem kijken.

'Kan ik je ergens mee helpen, Sandra?' vroeg ze. Sandra trok ruw het plasticfolie van de borden die ze uit de koelkast haalde en plempte die op tafel.

'Het beste zit in de vijfde la van boven,' antwoordde Sandra. Bessie trok drie mogelijke lades open, totdat Sandra zuchtend en steunend 'de vijfde van boven' opentrok.

De tweejarige Sam doopte zijn gerookte zalm in zijn bekertje appelmoes maar vond het toch praktischer om die appelmoes over zijn hele bord te gieten, als jus. Uiteindelijk duwde hij het bord van zich af, zwaaide met zijn zompige stuk brood en jammerde: 'Is stuk!' Ondertussen schoof de vijfjarige Marylou haar zalm over haar bord, en zei: 'Ik haat vis, daar word ik misselijk van.'

Hank zat er zwijgend bij en probeerde zijn boeren in te slikken. Sandra straalde alleen maar afkeuring uit, ze was verstijfd van irritatie. 'Sam mag *niet* van tafel,' viel ze uit. 'Zijn vingers zijn helemaal vet!'

Het was duidelijk dat Sandra Bessie een vreselijk slechte moeder vond. Dat was een selffulfilling prophecy. 'Ga eens rechtop zitten!' schreeuwde Bessie tegen Sam. 'Met je mond dicht eten!' snauwde ze tegen Marylou. 'We zijn toch geen wilden!' Sams onderlip trilde en hij begon te huilen.

'Nou, Hank,' zei Sandra nadat ze de kinderen had weggestuurd om hen nog meer foute televisie te laten kijken, 'vertel nou maar eens wat er aan de hand is. Bessie is helemaal de kluts kwijt, zoals je wel zult begrijpen. Waar is al het geld gebleven? Hoe is dat gebeurd? Wanneer? Weet je wel zeker dat die mensen het recht hebben jouw huis in beslag te nemen?'

Bessie voelde zich ondermijnd. Ze liet Sandra de ene na de andere vraag stellen, alsof *zij* de echtgenote was. Bessie voelde dat haar afgebrokkelde status iets onherroepelijks en absoluuts had. Ze zat er zwijgend en deemoedig bij, als een kind dat een standje heeft gekregen.

Door Sandra's kruisverhoor kwam Bessie aan de weet dat Hank drie maanden eerder, toen hij beweerde dat hij naar een congres was, naar Casino Joe was gegaan, en dat hij daar twee nachten lang Cohiba-sigaren had gerookt en liters dure cognac had gedronken en dat hij driehonderdduizend dollar had verloren. Hij had zijn gastheer om meer krediet gesmeekt. Toen hem dat werd geweigerd, had hij alle geldautomaten in de zaak leeggetrokken.

'O, mijn god,' zei Bessie. 'O, mijn god.' Ze frunnikte aan haar haar, en draaide het steeds maar om haar vinger. Ze kon er niet mee ophouden – ze was bang voor wat ze anders zou doen. Ze zag dat Sandra naar haar keek, maar ze kon het mens niet in de ogen kijken.

Hank slurpte van zijn bittere, zwarte koffie. Zijn stem beefde; Bessie kon hem wel slaan. 'Ik wilde alleen meer geld terugwinnen, voor jou,' zei hij klaaglijk.

'Ach, hou toch je *kop*,' zei ze.

De negentig dagen die hij had gekregen om de $ 300.000 schuld af te betalen waren om, dus had het casino het bedrag van zijn bankrekening willen afschrijven. Tja, en daar stond maar $ 4.035 op. En hij had $ 50.000 opgenomen met zijn creditcards, en dat geld had hij ook al vergokt.

'Shit, Hank!' schreeuwde Bessie. 'Vijftigduizend dollar!'

'O jee,' zei een vreemde stem, en iedereen keerde zich in die richting, want Larry sprak zelden. In gelukkiger tijden had Bessie weleens tegen Hank gezegd dat Sandra net zo goed verliefd had kunnen worden op een badspons.

'Maar,' zei Bessie kreunend terwijl ze zich weer afkeerde van Larry, 'kunnen we dan geen hypotheek krijgen?'

Toen kwam Bessie erachter dat ze al twee hypotheken hadden. Hij had leningen afgesloten op het huis: haar trots, haar bron van vreugde, dat zogenaamd helemaal afbetaald was. De afgelopen drie jaar had hij bijna twee miljoen dollar verloren bij diverse casino's.

'Sandra,' zei ze toen haar buurvrouw haar de piepkleine logeerkamer liet zien. 'Ik had hier geen idee van.'

Sandra kneep haar lippen op elkaar alsof het Bessie's schuld was omdat ze niet achterdochtig genoeg was geweest, en beende de kamer uit.

Bessie glimlachte bitter naar de dichtslaande deur. Ze zou liever haar man naar de gevangenis hebben gestuurd dan dat ze haar huis verloor, maar dit casino was zo romantisch om aan te nemen dat het andersom was, en had hun huis in beslag genomen,

Er klonk een zacht klopje. Bessie nam aan dat het Sandra was. Hank liep de kamer in. 'Liefje,' zei hij. 'Ik weet dat je boos bent. Maar kop op! Morgen gaan we wat rondrijden in de stad, en dan gaan we wat campings bekijken. Er zijn er een paar die echt helemaal niet zo beroerd zijn.'

Ze keek hem alleen maar aan. 'Kunnen we ons niet eens een klein rotappartementje veroorloven, Hank?'

Hanks blik door over de slaapkamer; als hij haar maar niet aan hoefde te kijken.

Een stacaravan was maar één stap verwijderd van dakloosheid.

'Mensen denken dat dit soort dingen erg is,' begon Hank, en ze haatte hem nu al. 'Maar het kan zoveel erger in het leven. Dat waarderen we niet genoeg.' Het volume van zijn stem zwol aan nu hij warmliep voor dit onderwerp. 'We denken dat we het zo slecht hebben, we hunkeren naar een groter huis, meer geld, en toch zien we niet hoe gezegend we zijn door wat we wel hebben: twee gezonde, gelukkige kinderen. Gut, er zijn mensen met kreupele koters, kindjes met vreselijke ziektes. We denken dat we recht hebben op een perfect leventje, en we staan er totaal niet bij stil dat het ook weleens heel anders kan uitpakken.'

Ze kon hem natuurlijk niet wurgen bij Sandra thuis, ook al was Bessie een flinke vrouw, en was Hank maar een miezerig ventje. Dus knikte Bessie en glimlachte ze alsof ze vanbinnen geen woest kolkende zwarte massa furie en walging was. Haar man had gesproken alsof dit iets was wat iedereen had kunnen overkomen, alsof hier niets aan te doen was, en het dus geen zin had om zelfmedelijden te hebben. Doe nu maar rustig, en doe maar net alsof je niet doodongelukkig bent. Hoe haalde hij het in zijn hoofd om hier kindjes met vreselijke ziektes bij te slepen! Hoe haalde hij het in zijn hoofd om van haar te vragen dat zij haar pijn maar moest inslikken!

'Ga maar op de overloop slapen, Hank. Of in het bad. Dat maakt mij niet uit.'

Hij aarzelde, en ze zei: 'O, en, lieverd?'

'Ja?' zei Hank met een sprankje hoop in zijn stem.

Bessie glimlachte liefjes. 'Reken maar dat ik je terugpak.'

•••••

EEN DURE BUITENWIJK VAN LAS VEGAS, EEN MAAND LATER, JULI 1982

Bessie

Toen Bessie bij Sandra aanbelde bleef ze zich steeds maar omdraaien om naar haar oude huis aan de overkant van de straat te kijken. Het was al verkocht en de nieuwe eigenaren hadden de voordeur overgeschilderd en de luiken vervangen.

Ze had een kleine doos met kleren in Sandra's garage laten staan, en Sandra had haar gevraagd die te komen halen. Uit hoe Sandra erover sprak zou je denken dat ze haar volledige inboedel bij dat mens in de gang had gedumpt.

Er klonk gerammel van een ketting die op de deur werd geschoven, en de deur ging een klein stukje open. 'Hallo,' zei Bessie tegen de schoonmaakster. 'Is Sandra thuis?'

'Wie bent u, alstublieft?' vroeg de schoonmaakster terwijl ze door de kier gluurde.

'Het is Bessie,' zei Sandra. 'Die ken je toch wel? Hallo, hoe was de reis? Heb je zin om even te zitten en iets te drinken?'

Bessie wilde weigeren, maar de drang om even, al was het maar voor een paar tellen, in een echte, luxekeuken te zitten en te doen alsof zijzelf ook nog zo leefde was te sterk. 'Ja,' zei ze. 'Dat lijkt me heerlijk.' Ze zweeg. 'Ik moet alleen even gebruikmaken van je... eh... toiletfaciliteiten.'

Sandra aarzelde kort, maar net lang genoeg, zodat Bessie zich realiseerde dat ze het niet meer waard was om in Sandra's huis te mogen plassen.

Bessie waste haar handen, en keek niet in de spiegel. Sinds ze al haar geld kwijt was, was ze zelf ook veranderd: ze was net een rat met zwarte kraaloogjes die door het vuilnis wroette, wanhopig op zoek naar kruimels. Toen ze met de auto de stad in reed, was ze bang dat ze niet genoeg geld had voor benzine.

Ze liet zich door Sandra bedienen. Het mens was zelfs zo vriendelijk een trommel koekjes open te trekken. De airconditioning was zalig. 'Red je het een beetje, meid?' vroeg Sandra zogenaamd bezorgd.

Het was duidelijk dat ze genoot van Bessie's zorgen, maar dat kon Bessie niet echt iets schelen. Na een maand van ballingschap wilde ze dolgraag met iemand praten, wie maakte niet uit.

'Nou,' begon ze, 'we hebben ergens een plek gevonden waar het niet zo erg is. Een kleine kampeerplaats voor stacaravans; hij is van een nicht van Hank. Er zijn mensen die daar komen om vakantie te vieren. Het is maar klein, en de staplaatsen zijn mooi onderhouden. Er is zelfs een zwembad, dat rondom een enorme cactus is gebouwd. Die staat nu in bloei, dus er fladderen allemaal vlinders omheen. Dat is zo ontzettend mooi.'

Sandra maakte een honend geluid, maar verborg dat door haar neus op te halen. 'Het klinkt ronduit luxe!'

Bessie nipte van haar drankje en mompelde: 'Ja, het is echt gerieflijk.'

De stacaravans waren ouderwets en piepklein; even groot als de gang in haar oude huis. De nicht had vol trots tegen Hank gezegd dat sommige caravans een 'vinyl ondervloer hadden'. Ze waren niet 'dubbelbreed'. Bessie vond het vreselijk dat ze bekend was met het stacaravanjargon, dat ze wist hoe ze die moderne logge caravans moest omschrijven: twee aan elkaar gelast, die zo op een echt huis moesten lijken. Ja, doei. Daar trappen we dus niet in.

Op een gegeven moment had de nicht Bessie aangekeken en zachtjes en tactvol gezegd: 'Sommige mensen verbergen de wielen van de caravans met een fraaie plint.' Bessie had de vrouw aangekeken om te zien of ze een geintje maakte, en zei: 'Aha.'

'Red je het wel in zo'n klein hokje?' vroeg Sandra.

'O,' zei Bessie. 'Het is er best... ruim.'

Hun gehuurde stacaravan, 4 bij 20 meter, kostte hun vijfhonderd dollar per maand, 'inclusief belasting, water en riolering'. De andere caravans stonden zo dichtbij dat ze haar hand uit het raam kon steken om wat zout te lenen bij de buren zonder van tafel op te staan. Als zij en Hank tegen elkaar schreeuwden, konden hun buren alles letterlijk verstaan, alsof ze bij hen in de kamer waren. Op de derde dag rende er een muis de verwarmingsbuis in.

'Je zult wel moeten wennen aan het soort mensen,' zei Sandra.

Bessie glimlachte. 'Wat zo prettig is, iedereen is hartelijk en aardig.'

De gemeenschapszin was verschrikkelijk. Je leefde zo dicht op elkaar, de hele tijd. Ze leken wel gek, dacht Bessie: die lui konden maar geen genoeg van elkaar krijgen. Bingoavondjes, samen eten, barbecues, handwerkclubjes, tuinwedstrijden, loterijen, quizavondjes. Had niemand daar dan *ooit* behoefte aan privacy?

'Het moet vreselijk zwaar zijn. Je mist je prachtige huis en je schitterende tuin vast heel erg.'

Haar hoofd zat vol dromen van haar beeldschone zandstenen huis: vier slaapkamers, vier badkamers, een mooie, volgroeide tuin met een zwembad dat een tegelmozaïek had van blauwe opkrullende golven. Ze had een keer een nanny op bezoek gehad voor een sollicitatiegesprek, en de vrouw zei met verlangen in haar stem: 'Ooit zou ik graag zo'n huis hebben.'

'Nee hoor, we hebben zo'n snoezige tuin.'

De nicht had hun wat rode petunia's gegeven als 'housewarming'-cadeau, en ze had Sam en Marylou geholpen om die op het kleine stukje grond naast de caravan te planten. Ik ben niet een van jullie, had Bessie gedacht, terwijl ze wezenloos naar de muur staarde. De windgong van haar buren was een marteling; je werd knettergek van dat geklingel. Bessie dacht aan haar liefdevol vormgegeven tuin en veegde haar neus af aan haar mouw.

'En hoe moet het in vredesnaam met scholen, in jouw situatie?'

'Nou, heel gek, maar de plaatselijke basisscholen zijn uitstekend, dus de kinderen zijn heel gelukkig, net als ik.'

De andere kinderen noemden hen *white trash*. De moeders bekeken haar meewarig, en de onderwijzeressen waren verbaasd dat Marylou zo graag boekjes las. Geen van beide kinderen zou ooit een vriendje te spelen kunnen vragen. Als ze Marylou naar school bracht, zou ze zich best netjes kunnen aankleden voor de andere moeders, maar wat had het voor zin? Ze wisten waar zij woonden.

'En hoe gaat het nu met Hank?' kirde Sandra.

Hank deed alsof Bessie dankbaar moest zijn dat hun nieuwe huis niet op een stinkende plek vol criminelen en armoede stond, bezaaid met uitgebrande brikken en bevolkt door hoeren en junkies en verwilderde honden.

Hank leefde in een droomwereld, waarin hij zich had afgesloten voor de realiteit. Op een dag zaten ze in de auto, het enige wat ze nog hadden, en toen hoorden ze Simon en Garfunkel op de radio. Hank floot mee met '*Feelin' Groovy*' terwijl zij vocht tegen de neiging flink tegen hem uit te vallen. Ze realiseerde zich na een paar seconden dat ze haar adem al een hele poos inhield, en ze ademde uit met langzame, korte, huiverende stootjes om te voorkomen dat ze hem achter het stuur zou wurgen en hen allemaal de dood in zou jagen.

Ze glimlachte weer. 'Hank is een hele steun.'

'Larry!' gilde Sandra, zodat Bessie zich rotschrok. '*Je mag ons toilet niet gebruiken – de werkster heeft het net schoongemaakt!* Enfin, zo'n huis is niet het belangrijkste, toch? Het gaat uiteindelijk om je familie.'

Bessie haatte het dat die nicht kon zien hoe arm en beschaamd zij waren. Ze voelde zich zo te kijk staan, alsof ze in haar blote kont stond. Bessie huiverde bij het idee dat zowel wildvreemden als alle mensen die ze kende nu konden zien hoe zij had gefaald. Ze dacht eerst nog dat het niet zo erg was met mensen die toch haar voorgeschiedenis niet kenden. Maar het was wel erg. Ze vond het afschuwelijk dat die mensen ervan uitgingen dat zij *altijd* zo had geleefd. Dat was even erg als de mensen die haar voordien hadden gekend en haar nu minachtten omdat ze een mislukkeling was.

'Zeker,' antwoordde ze, 'en het is zo leuk om die lieve nicht van Hank te leren kennen.'

Los van spontaan in vlammen opgaan kon de camping wat haar betrof niets goed doen.

'Hallo. *Hallo!*'

Bessie stond op en glimlachte verheugd. Sadie, een andere buurvrouw, stond in de keukendeur. In tegenstelling tot Sandra, was Sadie een echte vriendin geweest. Bessie schaamde zich toen ze merkte dat haar blik meteen naar de zware gouden sieraden aan Sadie's oren, hals en pols werd getrokken. *Die zou ik kunnen verkopen.*

'Lieverd! We missen je! Het is hier niet meer zoals vroeger.'

Sadie en haar man waren leuk. Ze waren eens komen eten, en toen had ze vers sinaasappelsap voor hen geperst en hun kinderen hadden samen gespeeld. Ze hadden geroddeld over de heg. Bessie was naar de begrafenis van Sadie's vader geweest. Toen Sam geboren werd, had Sadie's dochtertje een tekening van een regenboog voor haar gemaakt. Onder haar tekening had ze geschreven: 'Als je een jongetje krijgt, krijg je een regenboog.'

'En,' vroeg Sadie fronsend, en ze klonk fluisterend, 'red je het een beetje? Het is walgelijk, vind je niet? Peter zit in de bouw, zoals je weet, en vanwege de recessie worden allerlei contracten verbroken. Als wij geen spaargeld hadden, en als Peter niet zo'n goede reputatie had zodat hij nog steeds wel gevraagd wordt, dan zouden wij...' Sadie mimede: de lul zijn.

Bessie voelde hoe haar gezicht rood aanliep van gêne. Sadie was met goud behangen! Die had geen zorgen; zij en haar kinderen zaten gebeiteld, en toch loog ze tegen Bessie uit een misplaatst soort beleefdheid. Bessie was misselijk. Ze besefte dat Sandra en Sadie haar bekeken met hetzelfde soort nieuwsgierigheid als waarmee je de dieren in de dierentuin voert.

Bessie pakte haar tas op. Door haar situatie was ze een vreemde geworden voor deze vrouwen.

'We moeten weer eens iets afspreken,' riep Sadie toen Bessie haar doos met kleren oppakte en zich naar haar auto haastte.

Bessie gaf geen antwoord. Ze was al nooit een sociaal dier geweest, en dit was de reden. Mensen stelden je altijd teleur.

Ze reed terug naar de camping, snikkend. Af en toe stopte het huilen en dan kromp ze ineen. Ze kon niet eens een gesprek voeren omdat ze zich zo schaamde voor haar situatie dat ze niets wilde prijsgeven, nog niet het kleinste detail. Ze kon niet eens vrijuit denken. Verder in de toekomst denken dan wat ze die avond moesten eten was doodeng, en om terug te denken aan het verleden verlamde haar van spijt.

Los van zelfmoord kon ze niets doen om uit deze hel te ontsnappen. Nee – er moest toch ergens een uitweg zijn.

• • • • •

LUKE'S LANDHUIS, CRYSTAL BAY, LAKE TAHOE, NEVADA, SEPTEMBER 1982

Sofia

Sofia staarde naar het heldere water van het meer en naar de Ponderosa pijnbomen terwijl het meisje Marokkaanse rozenolie over haar schouders wreef. De massageruimte was een kleine strandhut aan het eind van de pier. Ze had liever haar ogen dichtgedaan, maar het meisje was negentien, was nooit buiten Californië geweest en zat vol vragen. Sofia vond het niet erg. Luke was geen prater; een beetje *conversatie* kon geen kwaad.

'Israël zal jou wel angstaanjagend in de oren klinken, maar het was mijn thuis en ik was eraan gewend. Of ik het mis? O, nee. Ik heb alle banden verbroken zodra ik besloot om er weg te gaan. Dat maken ze je daar heel gemakkelijk: *"Lama yaradat?"* vragen ze. "Waarom ben je weggegaan" is de letterlijke vertaling, maar wat ze eigenlijk bedoelen is je te beledigen: "Waarom ben je afgezakt?"'

'Waarom ben je afgezakt?' zei het meisje. 'Dat is echt mega beledigend.'

Gek, dacht Sofia, hoe de passie verdween zodra je het land uit was. Als je van veraf naar Israël keek voelde je niet alleen een fysieke maar ook een emotionele afstand. In dat prachtige land, zowel weelderig als desolaat, in het heetst van de strijd, onder bedreiging, werd je door bloed verenigd. Maar zo eenvoudig was het niet meer.

'Diep in hun hart,' vervolgde ze, 'konden mijn Israëlische vrienden misschien best begrijpen waarom ik weg wilde, maar het zou hoogverraad zijn om dat toe te geven. De natie weet niet meer wat ze wil. De mensen vragen zich onder elkaar af: "Tegen welke prijs?"'

'O, oké,' zei het meisje. 'Is het leven daar dan zo duur?'

'Het is moeilijk als je grootvader, je vader, je... broer zijn gestorven... voor zo'n stuk land... voor dat stuk land... Zij geven hun leven en het wordt ze ontnomen. Zo gaat het steeds maar weer. Maar uiteindelijk wil je toch leven. Je ziet de televisies, de auto's die Amerikaanse tieners hebben, en dat wil jij ook allemaal.'

'O, mijn god, hebben ze daar dan geen *auto's*?'

Sofia glimlachte. 'Niet zoals hier. Hoewel ik ook geen auto had toen ik pas in LA kwam wonen.'

De glimlach verstilde toen ze terugdacht aan haar jaren van 'vrijheid'. Ze huurde een klein appartement in Brentwood, Californië. Meer kon ze zich niet veroorloven. Ze deed een cursus makelaardij en financiering en regelde een slecht betaald baantje bij een effectenmakelaar. Ze was een natuurtalent in de sales en ze wist dat ze uiteindelijk veel geld zou verdienen. Maar het verveelde haar. Elke maand dat ze het zich kon veroorloven vloog ze naar Vegas om te pokeren. Alleen dan was ze gelukkig. In Vegas droomde ze van Jonathan.

'Acteer jij?' vroeg het meisje ademloos.

'Iedereen acteert,' zei Sofia. 'Maar ik realiseerde me dat ik niet thuishoor in LA. Ik nam ontslag en ben naar Vegas gegaan. Ik had een militaire achtergrond en ik wist de weg in een casino.'

'Ja, dat is natuurlijk belangrijk, want sommige van die casino's zijn megagroot!'

Ze werden onderbroken door een stil kuchje. Sofia keek op en glimlachte. Het was Sterling, haar nieuwe assistent. Hij was een arm rijkeluiszoontje wiens bevoorrechte leven hem verveelde en die gestopt was met zijn rechtenstudie. Sofia had hem betrapt toen hij rommelde met de fruitmachines. Hij deed haar aan Jonathan denken, zo erg zelfs dat ze hem er niet uit kon gooien. Toen ze hem vroeg wat hij met zijn leven aan wilde, had hij bloedserieus geantwoord: 'Ik wil graag spion worden.'

Sofia's goedgunstigheid had Sterling uit de gevangenis gehouden. De autoriteiten waren niet zo lief voor mensen die zich schuldig maakten aan illegale gokpraktijken, en de rechter had hem kunnen laten opsluiten. Zij vernietigde het bewijs en beweerde dat het allemaal een misverstand was. 'Kijk eens aan,' zei ze tegen hem, 'laat ik nu toevallig iemand nodig hebben die wat voor mij rondneust. Je zult je nooit vervelen en de administratie mag je uitbesteden.'

Sterling negeerde het meisje en zei tegen Sofia: 'Jouw aanwezigheid wordt verlangd bij het zwembad.'

Sofia omsloot het roze rietje van haar amaretto sour met haar rode lippen. Ze schudde haar haren naar achter en zoog het vocht op als een spin die het levenssap aan een vlieg onttrok.

'Dank je, schat,' zei Sofia tegen het meisje, en ze stond op. Haar witte bikini onderstreepte hoe bruin en gespierd ze was. Ze stapte in haar hoge witte hakken en wiegde de pier af, met Sterling trouw aan haar zijde.

De felblauwe lucht boven Nevada keek glimlachend op haar neer, als elke morgen. Ze had de ene woestijn ingeruild voor de andere. Luke's landgoed was weelderig en schitterend en heel beschut, en het besloeg een enorm stuk oever van het meer. Als ze zich wentelde in het enorme ovale kalkstenen bad, had ze een weids uitzicht op het blauwe meer, en dan voelde ze zich net een zeemeermin. Achter het landgoed begonnen de heuvels van de Mount Rose Wilderness – in de winter gingen ze daar skiën. Aan de overkant van het meer lag Nevada State Park en het National Forest.

Het huis zelf was even hoog als het breed was. Het was afgewerkt met graniet, marmer, zwarte walnoot en koper. Alle meubels waren van wit leer, en de vloerkleden waren crèmekleurig. Sofia vond het hier prachtig en zolang zij deed wat er van haar werd verlangd, verwende hij haar.

Dankzij haar belastingvrije salaris had ze dit jaar een groot, luxe-appartement kunnen kopen in een exclusieve wijk in Las Vegas die paste bij haar succes – voor de belasting was ze manager bij The Medici Casino, maar in werkelijkheid was ze Luke's vriendin. Hoewel ze woonde in Crystal Bay en in Luke's overdadige penthouse in de stad, koesterde ze de gezellige privacy van haar appartement, en ze vond het niet erg om daarheen te vluchten als ze weleens ruzie hadden. Luke kwam haar dan achterna gestormd en bonkte op de deur. De goedmaakseks was wild.

Ze snoof de lucht op die zoet geurde van de bloesems. 'Ik geloof niet dat ik ergens zou kunnen wonen waar geen sinaasappels groeien,' mompelde ze.

'Dat doen alleen wilden,' zei Sterling instemmend.

Haar enige klacht over haar nieuwe leven was dit: Luke maakte het zonneklaar dat zij zich niet diende te bemoeien met de zaken.

Ze waren bijna bij het zwembad. 'Hoe zie ik eruit?' vroeg ze.

Sterling keek. 'De boezem moet opnieuw geschikt,' zei hij en hij draaide zich tactvol om toen Sofia de boel optilde en verlegde.

Seks met Luke Castillo was geen opgave – sterker nog, het was fantastisch: hij was een aantrekkelijke man en hij wist hoe hij te werk moest gaan. Het enige wat van haar werd verlangd was dat ze mooi bleef, dat ze nooit nee zei, en dat ze charmant was tegen belangrijke spelers en gasten. En eerlijk gezegd was ze best gecharmeerd van de mannen, die naar ze aannam niet onbemiddeld waren. Zij behandelden haar met respect. Het enige wat ze wel zou willen was dat Luke haar wat meer zekerheid gaf dat ze permanent mocht aanblijven. Hij zag ook nog wel andere vrouwen, maar voor zover zij kon nagaan waren dat geen blijvertjes.

'Heeft hij de laatste tijd nog iemand gehad?' vroeg ze zacht toen ze naderbij kwamen.

'Jij bent de schoonste van het hele land,' mompelde Sterling, en ze onderdrukte een zucht.

Als ze Luke naar de een of andere showgirl zag kijken voelde ze woede opkomen, maar die meiden waren allemaal zo smakeloos. Van dichtbij, als je de roze veren, de glitters en de dikke lagen make-up wegdacht, hadden de meesten een slechte huid, vieze adem en spraken ze nauwelijks Engels. Zelfs prachtige, lange benen en een lieve lach konden hun volmaakte domheid niet compenseren. Ze hoefde zich niet bedreigd te voelen. Als Luke stoom moest afblazen, om het zo maar uit te drukken, met een stel van die snollen, dan kon ze daar wel mee leven. Ze moest ook wel.

Sofia troostte zich met de gedachte dat zij nummer één was en Luke wilde dat graag kenbaar maken, en meer zekerheid had ze niet nodig. Ze had kamers vol prachtige designerjurken en schoenen en handtassen; ze had zo'n overvloed aan spullen dat het haar bijna verveelde. De Hawler 800 stond tot haar beschikking, hoewel ze wel zijn toestemming moest vragen. Luke vond het niet prettig als hij haar uit het zicht verloor, als hij niet precies wist waar ze naartoe ging en met wie.

Ze ging naar Rodeo Drive. Sterling ging mee, net als Luke's bodyguard, ongetwijfeld om zeker te zijn dat zij zich gedroeg.

'Hij houdt van hamburgers en van biefstuk; misschien is hij daarom wel zo paranoïde,' mompelde ze. Het verbluftte Sofia dat hij kennelijk dacht dat ze vreemd zou gaan: waarom zou ze? Luke was gevaarlijk aantrekkelijk, en heerlijk machtig. Dacht hij soms dat ze zin had om spelletjes te spelen met een of andere dikke filmregisseur? Sofia dacht tegenwoordig met haar hoofd, altijd, en ze had alle voordelen van Mevrouw Castillo te zijn eens bij elkaar opgeteld en afgezet tegen de voordelen van iemand anders te zijn.

'Hij eist volledige toewijding, volledige gehoorzaamheid,' zei Sterling. 'Dat is de enige manier waarop je een man zoals hij kunt vasthouden.'

'Hm,' zei Sofia, die al niet meer luisterde. Als ze met Luke zou trouwen – de logische volgende stap – zou ze naar zijn pijpen moeten dansen, maar het zou haar status opleveren, en rijkdom, macht en een heerlijk leven. Luke was scherp: hij wist precies aan wie hij zijn leventje te danken had en hij begreep hoe hij moeilijkheden moest vermijden. Binnen de grenzen van zijn wereld was hij eerlijk. Als ze met Luke zou trouwen, had ze nooit meer zorgen.

Sterling knikte ten afscheid en liep snel het huis in.

Luke zat de krant te lezen op een zonnebed. Een restje Cola light en een kom toffeepopcorn werden door de dienstmeid weggehaald. Sofia keek haar geïrriteerd aan, toen knielde ze bij Luke neer en begon aan zijn grote teen te likken en te zuigen. Goddank was hij een man die een goede pedicure wist te waarderen, en van het ene naar het andere bubbelbad ging.

Luke klapte de krant neer. 'Ja, dat is wel goed, zo. Kom eens hier.'

Sofia duwde met haar voet een zonnebed dicht bij het zijne, ging liggen en stak een sigaret op. Luke gaf haar een flinke tik op haar achterste. Hij droeg een eenvoudig gouden horloge. Ze had eens voorgesteld dat hij best iets uitbundigers kon omdoen, iets met diamanten, en toen zei hij: 'Zie ik er soms uit als een wijf?'

Zij was wel een wijf, en daarom was haar horloge wel met diamanten bezet. Ze wist zeker dat Luke voor minstens vijf miljoen dollar aan juwelen voor haar had gekocht. Op een avond had hij een diamanten ketting voor haar gekocht, zo zwaar als een ijzeren keten, en toen dacht ze aan een vroegere geliefde. Twee weken voor hij werd gedood, had Raphael een ringetje van een blikje cola om haar ringvinger geschoven en had hij haar hand gekust.

Haar maag kromp ineen en ze schoof een luik voor die herinnering. Raphael was nog maar een jongen. Luke was een man.

Dit luie leventje was wat ze nu wilde. Het bood haar een ander soort opwinding. Het gevaarlijke, onvoorspelbare randje van haar vriend was een uitdaging. Ze had het heerlijk gevonden om bij het runnen van het casino betrokken te raken, maar dat ergerde Luke. Ze was een keer met hem in discussie gegaan en toen had hij haar geslagen. Zij sloeg hem terug, en toen stond de tijd even stil en ze voelde oprechte angst, maar toen was hij in lachen uitgebarsten en had haar ruw tegen zich aan getrokken, en haar haren vastgegrepen. Hij had een op maat gemaakte bloes van Valentino aan flarden gescheurd, maar de seks was het waard.

Nu kronkelde ze gewillig terwijl zijn hand onder de stof van haar bikini gleed.

Het personeel verdween geruisloos terwijl hij van zijn bed op het hare gleed. Zijn lichaamsgewicht drukte de lucht uit haar longen. Hij rukte haar bikinibroekje uit. Ze drukte zich tegen hem aan, bereid als altijd. Hij had mazzel dat ze geen geduld had voor romantiek.

Ze was net lekker bezig toen hij stopte.

'Jemig, Luke!' zei ze, want ze zag Miranda met de telefoon in haar hand naast het zonnebed staan.

'Het spijt me *vreselijk*, meneer,' zei Miranda. Haar ronde schouders trokken krom van schaamte.

'Ik mag hopen dat dit belangrijk is,' zei Luke kwaad. 'Wat denk je dat we hier aan het doen zijn, een potje schaken?'

'Er is telefoon,' zei Miranda ten overvloede. 'Het is dringend. Ik heb gezegd dat u – maar hij wilde niet...'

'Hier,' gromde Luke terwijl hij de telefoon uit haar handen griste. Sofia lag spiernaakt onder hem, platgedrukt als een kussen, en haar vernedering vocht om voorrang met haar irritatie.

'Nou, meneer...' Miranda's gebruikelijke piepen sloeg om in echte ademnood. Ze zocht naar haar inhaler. Tegen de tijd dat ze weer lucht had was het al te laat. Luke blafte in de telefoon.

'*Wat?* Jij mag hier helemaal niet naartoe bellen. Dit is een geheim nummer. Jezus *fucking* christus.'

Luke schoot omhoog als een gifslang, trok zijn zijden Versace-badjas om zich heen en gooide Sofia een handdoek toe. Ze boog zich om haar edele delen te bedekken en ging toen weer rechtop zitten. Woedend duwde hij de hoorn in haar gezicht. Ze toonde verbazing, en spijt. Wie kon het zijn? Wie het ook maar was, ze zou het hem betaald zetten dat hij haar dit aandeed. Als het maar geen man was, was het enige wat Sofia kon denken. Maar dat kon niet. Ze *kende* helemaal geen mannen!

'Met wie?' zei ze met een stem van ijs.

'Sofia Kirsch? *Shalom*.'

Er liep een koude rilling langs Sofia's rug, ondanks de brandende woestijnhitte. Ze wist natuurlijk dat er een moordaanslag was gepleegd op de Israëlische ambassadeur in Engeland, door de ANO, de Palestijnse terroristische organisatie. Ze wist dat de Israëli's en de PLO sinds vorig jaar met elkaar overhooplagen. Israël was kleiner dan Wales, en het probleem was dat telkens als een groter, vijandig land ook maar zijn tong uitstak, Israël vond dat ze die tong uit moesten snijden.

Als Israël niet zo overdreven reageerde met een buitenproportionele tegenaanval, zou er een invasie volgen en dan was het land verloren. Het was essentieel dat Israël door zijn vijanden werd gevreesd; dat het land aantoonde dat omvang niets zei over kracht. Israël had nog niet de oorlog verklaard aan Libanon, maar Sofia wist genoeg over het Israëlische defensieleger om te vermoeden dat dat niet lang meer zou duren.

Ze wist ook dat zij technisch gesproken nog altijd een reservist was, maar het was al zo lang geleden – aan haar hadden ze toch zeker niets meer? Toch was het een enorme eer om gevraagd te worden, en daarbij kon je wettelijk gesproken niet weigeren, behalve als je zwanger of terminaal ziek was, en zelfs dan zou alleen een lafaard om vrijstelling vragen. Sofia voelde het bloed bruisen dankzij dit nieuwe doel. Ze had er genoeg van steeds maar op haar luie gat te zitten. Ze wilde iets *nuttigs* doen.

'Ja, Elan,' antwoordde ze in het Hebreeuws.

Luke was gekalmeerd en zweeg.

Ze wist waartoe Luke in staat was, ook al wist hij het zelf niet eens. Sofia was nooit bang geweest voor mannen die met dreigementen probeerden te intimideren, die opschepten over hun gruwelijke overwinningen. De echte zware jongens liepen niet te koop met dat soort dingen. En toch was Luke in een positie die voorzichtigheid vereiste.

Natuurlijk was ze bang voor Luke, maar ze wilde ook dat hij wist waartoe *zij* in staat was. Ze wilde hem eraan herinneren dat zij anders was, beter dan die goedkope danseresjes. Het zou Luke goed doen haar te missen, om naar haar te verlangen, en om haar niet te kunnen krijgen omdat zij iets belangrijkers te doen had.

Sofia keek hem maar één keer aan terwijl ze haar orders in ontvangst nam. Haar geliefde zat naar haar te kijken, zijn gezicht zo kil als de dood. Ze voelde zijn spanning maar zelf was ze te opgewonden, te ingenomen met zichzelf om te zien wat zijn uitdrukking betekende. Ze had nog een laatste slag te slaan. Ze zou het Land van Melk en Honing nog één keer dienen; en dan zou ze als overwinnaar terugkeren naar Amerika. Luke zou inzien dat hij een vaardige, nuttige, oorlogszuchtige partner had. Hij zou tot inkeer komen; hij zou haar wat meer zelfstandigheid geven, en een piepklein beetje invloed. Dat was het enige waar ze redelijkerwijs op mocht hopen, maar het zou een basis zijn, en van daaruit zou ze verder kunnen bouwen.

• • • • •

ONDERWEG NAAR LAS VEGAS, 26 OKTOBER 1982

Sofia

Sofia smeet *Princess Daisy* aan de kant en wuifde geërgerd de coupe met Krug weg. Ze wilde haar gedachten en haar uiterlijk niet door alcohol laten vertroebelen nu ze met Luke herenigd zou worden. Het vliegtuig stuiterde door de wolk en ze trok het luikje voor het raam. Ze haatte dat witte; dan voelde ze zich verblind.

In Israël had ze genoten van het fysieke afzien. Ze had haar woestijnkleurige uniform aangetrokken, haar uzi gegrepen en ze voelde hoe haar lichaam en ziel veranderden in die van een krijger. Maar zodra ze het Midden-Oosten achter zich liet, ontdeed ze zich van dat deel van zichzelf zoals een slang zich van zijn huid ontdoet. Sofia had een behoefte, en daar had ze aan toegegeven. En nu zou ze zich geheel aan Luke wijden.

Sterling, die aan de andere kant van het gangpad zat, leunde voorover. 'Wil je nu een outfit uitkiezen, Sofia?'

Ze was van Tel Aviv naar New York gevlogen. Sterling wachtte haar op in de businesslounge, samen met Molly Sykes, de voormalige fashion director van de Amerikaanse *Vogue*, en een van Sofia's favoriete personal shoppers. Samen legden ze het laatste stuk van de reis naar Las Vegas af, waar Sofia Luke zou verrassen.

Terwijl Sterling opsprong om Molly te halen, zag Sofia zijn nagels. 'Sterling,' riep ze uit, 'sinds wanneer bijt jij nagels? Je maakte je toch geen zorgen om mij?'

Sterling krulde zijn handen in zijn vuisten. 'Natuurlijk wel, maar het ging me niet eens zozeer om de gevechten.' Sofia had Sterling gevraagd naar Atlantic City te gaan terwijl zij weg was. Hoewel die stad altijd tweede viool speelde naast Las Vegas, zat het de laatste tijd in de lift, waarschijnlijk vanwege de criminaliteit in Las Vegas. Niet zozeer omdat Atlantic City zelf zo'n aantrekkelijke stad was. Toch was het de moeite waard om Sterling er eens te laten rondkijken en verslag uit te laten brengen.

'Je bent een schat, Sterling. Maar maak je geen zorgen. Ik weet hoe de mannen zijn.'

'Ik weet het nog beter,' mompelde Sterling. Die koelbloedige, onverstoorbare Sterling beet nagels, en dat verontrustte haar, maar niet lang. Sterling vond het onprettig dat hij Luke niet in de gaten had kunnen houden terwijl Sofia weg was. Sofia zelf twijfelde er niet aan dat haar geliefde zich te buiten was gegaan aan goedkope sletjes, maar ze begreep dat hij vond dat hij recht had op nog wat laatste scharreltjes.

'Sterling,' zei ze. 'We weten allebei dat mijn liefste verdorven is tot op het bot. Dat maakt hem ook zo aantrekkelijk. Aardige kerels doen mij niets: die zijn zo saai als gekookte aardappelen.'

'Ja,' zei Sterling, 'en men moet wel een beetje een klootzak zijn, wil men de top bereiken.'

Sofia grinnikte. Slechteriken waren kieskeurig, en het was vleiend dat Luke haar had uitverkoren om hem te vergezellen op weg naar de top. Haar status in het Israëlische leger gaf haar een uniek soort bevrediging; in de echte wereld kon ze dat alleen maar vinden door zich aan Castillo te binden. Ze paste perfect bij hem, wat persoonlijkheid, wilskracht en intelligentie betrof.

'Vanaf nu draait het allemaal alleen nog maar om *hem*,' zei Sofia. 'Ik heb mezelf dit pleziertje gegund, en nu gun ik hem zijn pleziertje. Zeg maar tegen Molly dat ze me eerst de ordinairste jurkjes moet brengen.'

Molly kon altijd beslag leggen op de meest gewilde haute couture, vers van de catwalk. Een paar van de meer gedurfde ontwerpers wisten naar wie Sofia op weg was, en weigerden haar geld aan te nemen. Het was dus beter dat Molly voor haar winkelde.

Molly marcheerde naar de neus van het vliegtuig met armen vol buit. Ze was broodmager, met zwartgeverfd haar, en ze droeg verschrikkelijke hoedjes. Maar ze wist verdraaid goed wat andere mensen wilden – doorgaans.

Molly zei niets tegen Sofia, ze hield alleen een zwartleren jasje op, bezet met kristalletjes, alsof het iets heel verderfelijks was.

Toen Sofia niet reageerde, riep Molly uit: 'Dit is het jasje dat Isabella Rossellini droeg op de laatste cover van *Vogue*, en als ik je zeg dat mensen er een moord voor plegen, overdrijf ik niet.'

'Molly, dan zie ik eruit als een Hell's Angel. Ik wil iets zachts en poezeligs.'

'Sofia! Ik zweer het je, als ik jou nog een keer zie in een luipaardstofje met blote schouders, zwarte netkousen en stiletto's, dan pak ik die riem van je middel en hang ik mezelf op. Meneer Castillo wil graag zien wat hij altijd al ziet – en dat is jammer, zo'n gebrek aan fantasie. En nee, ik heb geen bont meegenomen. Hoeveel bontjassen heeft een mens nodig in de woestijn?'

'Geen bont, maar hier is wel iets zachts en eerbiedwaardigs. Een rood pakje van Chanel, minirokje, *limited edition*, geborduurd met goud- en zilverdraad. Door deze schoudervullingen lijkt je taille *minuscuul* – dan heb je de heup-tailleverhouding van een mier!'

Sofia trok het jasje aan. Sterling had een passpiegel weten te regelen. Ze staarde erin en huiverde. 'Ik lijk wel zo'n ouwe heks uit *Dynasty*.'

'Haar karakter is al sterk genoeg, Molly,' zei Sterling berispend. 'We willen dat juist niet benadrukken.'

'Hé,' zei Sofia. 'Wat is *dat*?'

Molly probeerde iets te verstoppen onder het leren jasje. Het was knalroze, schattig en geweldig.

'Dat is iets voor een barbie!' zei Sofia.

'Het is een kort rokje,' zei Molly. 'Je kunt het dragen met beenwarmers en een hoofdband, en dan draag je je haar in een hoge staart. En ik heb glittermousse bij me. Je draagt het met een strak turnpakje. Het is heel erg Californië.'

'Ik ben dertig,' fluisterde Sofia, 'ook al beweer ik altijd dat ik zesentwintig ben.'

'Het is helemaal geen schande om je als een zestienjarige cheerleader te kleden als je drieëntwintig bent,' zei Sterling stellig. 'En dit, Sofia, is het kledingtechnische equivalent van op je knieën gaan voor Luke.'

Haar hart ging flink tekeer toen ze in de privélimousine stapte. De auto had haar van het vliegveld naar The Tropicana gebracht. Sterling had een suite geboekt in de Paradise Tower zodat zij zich kon voorbereiden op de grote hereniging. Molly had haar haar gestyled en haar make-up gedaan. Ze namen afscheid en Sofia riep: 'Wens me succes!'

Ze had een Rubiks kubus meegenomen van JKF. Ze zat ermee te draaien, met felle bewegingen, linksom, rechtsom, in de hoop dat ze zo haar zenuwen in bedwang kreeg. Het had het tegenovergestelde effect.

Ze smeet het stomme speeltje in haar tas, trok aan een sigaret en probeerde te ontspannen in de blauwfluwelen kussens van de Cadillac Fleetwood. Het ging niet. De behabeugels van haar topje prikten in haar vel – ze kon niet wachten tot Luke haar uit dat vervloekte ding zou bevrijden.

Sofia stampte de sigaret uit en stak er nog eentje op. Ze staarde uit het raam terwijl ze langzaam over Las Vegas Boulevard reden. Op de grote Kirk Kerkorian na was er tegenwoordig bijna niemand die nog de strijd aan durfde te binden met Luke door een groot nieuw casino op de Strip neer te zetten.

Dus toen ze een enorme stoffige krater in de grond zag waar tot voor een paar maanden The Burlesque nog had gestaan, werden haar ogen groot van ongeloof. Ze tikte op het raampje.

'Sterling! Wie heeft The Burlesque opgeblazen?'

'Frank Arlington. Je kent hem wel. Hij is die man die eruitziet als de jonge Elvis en die dat handig uitspeelt. Hij speelt tennis met Kirk. Hij heeft een pand verderop in de stad en hij denkt dat hij mee kan doen met de grote jongens. Hij heeft tegen de *Sun* gezegd dat hij de showbizz weer terug zal brengen naar Vegas – sorry, hoor, maar ik had niet gemerkt dat die ook weg is geweest! Meneer Castillo heeft geprobeerd om een stokje voor de financiering te steken, maar dat is hem niet gelukt.'

Sofia viel verbijsterd terug in de kussens. Haar hartslag liep op; ze voelde ze zich namens Luke in het gezicht geslagen. 'O, ik weet wie Frank Arlington is,' zei ze bits. 'Hij heeft twee succesvolle panden aan de Oostkust, en nu denkt hij dat hij het in Sin City ook wel kan redden. Het is een lekker ding, maar het is zo'n blije eikel dat je er bijna van moet kotsen.'

Luke hield iedereen die een vergunning had gekregen van de Nevada Kansspelcommissie scherp in de gaten. Frank had de afgelopen jaren gestaag aandelen in The Burlesque opgekocht. Maar dat hij de boel nu had overgenomen! Ze vroeg zich af wie hij dan kende.

'Ik denk niet dat Franks plannen ergens op uitlopen, Sofia,' zei Sterling. 'Naar verluidt is zijn nieuwe Golf Course & Country Club adembenemend mooi. Hij staat al te boek als een van de mooiste van het land. Het is een slimme zet, aangezien om de een of andere duistere reden zo veel verstokte gokkers – neem me niet kwalijk, ik bedoel natuurlijk *spelers* – gek zijn op golf.'

'O,' zei Sofia misprijzend. 'Dat heeft hij alleen maar gebouwd omdat Wynn hem het lidmaatschap weigerde! En nu is mijn man door hem in een rotstemming.' Ze kon niet wachten om zijn pijn te verzachten. Ongelofelijk wat ze allemaal had gemist. Maar een uur in deze stad stond gelijk aan een week ergens anders.

Ze zuchtte toen de witte kantelen van The Medici en de enorme gouden koepel het zonlicht wegnamen.

'*Home sweet home*,' mompelde Sterling.

Ze was een beetje bang voor haar ontvangst. Ze kon zich maar het beste verleidelijk en boetvaardig op Luke storten. Het zou natuurlijk niet helemaal een verrassing worden; haar beeld zou al vijftig keer door camera's zijn gezien op weg naar zijn privévertrekken.

'Sterling,' zei ze. 'Ga jij maar naar mijn appartement. Je kunt de auto nemen, ik heb hem niet meer nodig.'

Sterling keek twijfelachtig maar hij gehoorzaamde.

Ze schreed door de receptie, langs de pokerlounge en het steakhouse. Ze haastte zich door een smalle gang voor het personeel, en het lawaai van de drukte in het casino stierf weg. Uiteindelijk stond ze voor een dikke, kogelvrije deur van gewapend staal. Het was zover. Ze trok haar mobiele telefoon uit haar tas en belde naar zijn bureau.

'Raad eens?' zei ze kirrend toen iemand opnam.

'Met wie spreek ik? Ik weet niet wie u bent.'

Sofia keek woedend naar haar telefoon. 'Lul niet, Miranda, verbind me door met Luke.'

'Meneer Castillo is momenteel niet bereikbaar. Kan ik een boodschap aannemen?'

Sofia was sprakeloos. Luke wilde dus nog meer nederigheid van haar. Ze klapte de telefoon dicht en schopte tegen de deur. Geen reactie. Ze belde aan via de intercom.

'Het spijt me,' herhaalde Miranda, 'maar meneer Castillo is...'

'Miranda,' schreeuwde ze in de intercom, 'kunnen we even praten... alsjeblieft?'

Uiteindelijk klikte de enorme deur open en kwam Miranda tevoorschijn. Ze leek verward. 'Ik mag helemaal niet...'

Sofia greep haar bij de arm en kneep, waarbij ze haar nagels in het sponzige vlees van het mens stak. 'Miranda, ik weet dat Luke mij een lesje wil leren, maar dat heb ik al geleerd. Hij is *altijd* op kantoor om drie uur op dinsdagmiddag. Dus als hij nu niet hier is, waar is hij dan wel?'

'Hij is in de kapel – maar het is een besloten ceremonie, u kunt dus niet...'

Sofia stormde langs Miranda en rende naar de kapel van The Medici. Ze voelde hoe de ogen in het plafond uitpuilden en haar kant op loerden. De bewaking zat zich nu vast gek te lachen om haar in haar krankzinnige korte rokje. Ze voelde zich ineens volkomen belachelijk en ze trok de hoofdband af.

Ongetwijfeld was er een of andere omhooggevallen miljardair in het huwelijksbootje aan het stappen en uit eerbied had Luke besloten dat hij dat hier mocht doen. De wedding chapel van The Medici was een kitscherige kopie van de Sixtijnse kapel.

Wat een overdaad aan beveiliging, zag Sofia toen ze dichterbij kwam. Er stonden minsten tien kerels bij de kapel. Vijf van hen – de hoger geplaatste mannen – droegen wapens. Ze knikte naar Steve, de baas, die normaal voor haar salueerde. Zij had hem dan ook persoonlijk opgeleid. Als hij ook maar durfde te lachen om haar outfit! Maar hij had een uitgestreken gezicht, streng zelfs, en tot haar verbijstering deed hij een stap naar voren om haar de weg te versperren.

'Stevie,' zei ze. Dit was niet grappig meer. 'Dit *meen* je toch niet?'

Steve keek dwars door haar heen. Als ze een ander soort vrouw was geweest, had het haar gekwetst. Dit was wel bijzonder respectloos; dit kon alleen maar het gevolg zijn van een direct bevel van de baas.

'Aan de kant, makker,' siste ze. Ze gooide hem op zijn rug, maar werd onmiddellijk zelf door de anderen met haar gezicht op de grond geduwd. Een koude stalen cirkel prikte in haar nek: alsof ze haar dood zouden schieten!

Ze was niet bang: ze was geschokt. Haar domme, meisjesachtige minirokje was opgekropen en de beveiliging had zo een fraai uitzicht op haar rood met zwart kanten slipje. Alles wat ze in het Israëlische leger had geleerd was hier niet van toepassing: Sofia deed haar mond open en begon te gillen.

Laat Luke's o-zo-belangrijke zakelijke evenement maar doorgaan met *dat* geluid op de achtergrond.

En ja hoor, de deuren van de kapel werden opengegooid. Met moeite – want haar handen waren vastgebonden op haar rug, en Steve duwde ze nog hoger naar haar nek tot het leek of haar armen uit de kom zouden schieten – keek Sofia op van de koude vloer van perzikkleurig marmer.

Er kwam een prachtige bruid de hal in schrijden. Ze had lang, dansend bruin haar, flink getoupeerd, en duizenden diamantjes waren in haar lokken gevlochten. Haar jurk was lang, wit, beeldschoon, en hij stond stijf van de crèmekleurige kant. Ze was minstens vijf maanden zwanger maar haar opzwellende buik maakte haar nog mooier – zo vruchtbaar.

Ze lachte terwijl de confetti zachtjes om haar heen dwarrelde en haar gebit was gelijkmatig en fonkelend wit. Haar ogen waren donker van de passie van intense vreugde. Ze was oogverblindend. Haar man moest wel heel rijk zijn, dacht Sofia.

Sofia's blikveld was maar klein, en ook al rekte ze haar hals uit, ze kon de bruidegom nog altijd niet zien, omdat hij schuilging achter de massa gasten en beveiligingsmensen; maar toen de bruid haar bruidegom triomfantelijk naar zich toe trok en de camera's flitsten, kwam hij vol in het zicht.

Wellustig boog de bruidegom zijn hoofd en trok zijn jonge bruid naar zich toe voor een gretige kus. Ze hadden er zin in. Iedereen juichte. Sofia kon haar ogen niet van hem afhouden terwijl ze omhoog werd getrokken en weggesleurd werd.

De bruidegom veegde zijn mond af aan de achterkant van zijn hand, glimlachte naar Sofia en knipoogde.

Luke.

• • • • •

THE ARLINGTON GOLF COURSE & COUNTRY CLUB, EEN MAAND LATER, 30 NOVEMBER 1982

Sofia

Het was Franks feestje, en Sofia was de enige vrouw die geen avances had gemaakt. In plaats daarvan meed ze Frank en praatte met alle andere aanwezige mannen. Die cirkelden om haar heen als brokken steen om een ster. Ze was oogverblindend, stralend; onaantastbaar. Ze had opgestoken haar met krullende lokjes langs haar elegante hals, haar huid was gebruind en zag er boterzacht uit, haar lichaam was gespierd maar niet mager. Als ze lachte, verschenen er kuiltjes in haar wangen. De mannen vochten om die kuiltjes als honden om een koekje.

Haar jurk was onwaarschijnlijk mooi. De lichtgouden bustier omvatte haar borsten als bolletjes ijs in een coupe. De stof omsloot haar slanke taille en liep vervolgens lieflijk en meisjesachtig uit tot op de knie. Ze had lange benen en ze droeg schoenen met hoge hakken die de tenen bloot lieten. Het had een betoverend effect en geen man scheen er weerstand aan te kunnen bieden.

Maar Sofia was maar in één man geïnteresseerd.

Ze zag dat Frank een blik op haar wierp en ze glimlachte, snel, verlegen. De val was uitgezet. Sofia keek even in haar handtas. Daar had Sterling een vijfstappenplan in gestopt, waarvan de eerste stappen luidden:

- *Negeer hem*
- *Glimlach verlegen*
- *Loop weg*

Hij was gedwongen om deze verleidingstactiek op papier te zetten, want ze kon het niet onthouden.

'O, god,' zei ze tegen Sterling toen hij haar een uur eerder op de taxi had gezet. 'Dit zou zoveel makkelijker zijn als ik hem gewoon met een knots op zijn hoofd kon slaan om hem mee te sleuren naar mijn hol.'

'Het komt goed,' had Sterling geantwoord. 'Frank is niet zoals die ander. Van wat ik over hem hoor, denk ik dat hij wel over te halen valt.'

Sofia deed behoedzaam haar schoenen uit en liep op blote voeten naar de deur. De mannen hijgden omdat ze zich zo graag bij deze moderne Assepoester wilden voegen, met haar designhakken, maar niemand was zo onbeleefd om achter de hoofdprijs aan te gaan. Dat was net zoiets als het hert schieten op de jachtpartij van de koning.

Frank liep achter haar aan naar de waterkant, als een kind dat een spoor van snoepjes volgde.

Sofia boog om schelpen te rapen (die daar door medewerkers van Arlington Corp. elke ochtend zorgvuldig werden rondgestrooid op het schitterend aangelegde nepstrand langs het meertje) en zag dat

Frank er zelf ook eentje oppakte om die aan haar te geven. Toen ze de schelp aannam, raakten hun handen elkaar, en ze glimlachten. Hij was echt zeer aantrekkelijk, al was hij wat minder bruut dat Luke. Dat was wel jammer, want ze hield van bruut.

'Je hoort hier eigenlijk niet te zijn,' zei hij, en hij bleef op gepaste afstand staan. Ze zag dat hij sinaasappelsap dronk.

Ze haalde haar schouders op. 'Je had een golftoernooi georganiseerd voor het goede doel,' zei ze. 'En ook al *haat* ik golf, ik haal wel graag geld op voor oude soldaten. Dat is een doel dat mij zeer aan het hart gaat. Is mijn geld dan niet goed genoeg voor jou?'

'Juffrouw Kay,' zei Frank, en ze moest bijna lachen om zijn vormelijkheid. 'Het is krankzinnig dat u hier gekomen bent.'

'Waarom precies?'

'Toe nou, schatje, dat weet je best.'

Hij sprak een beetje lijzig en terwijl hij naar haar staarde vanonder zijn inktzwarte haarlok, glimlachte Sofia gespannen, verbaasd over de lichte opwinding die ze voelde. Zij zou *hem* moeten verleiden, toch?

'Ik ben een vrije vrouw, meneer Arlington. Niemand heeft nog iets over mij te zeggen. En er is niemand die zich druk maakt over mijn doen en laten.'

Frank glimlachte en trok een lijn in het zand met zijn schoen. 'Ach, we weten toch allebei best dat dat niet waar is. Laten we zeggen dat je een lievelingsspeeltje had toen je nog een klein meisje was. En laten we zeggen dat je te groot werd voor dat speeltje. Dan komt je kleine broertje, en die wil ermee spelen. Dus jij bent te groot voor dat speeltje, en je wilt er niet meer mee spelen, maar je wilt ook zeker niet dat dat snotjoch van een broertje ermee aan de haal gaat. Want in dat gestoorde hoofd van jou is het nog altijd jouw speeltje en dat zal het ook altijd blijven.'

Sofia maakte Franks hand los en pakte de schelp die hij vasthield. 'Het bevalt me niet wat u daarmee impliceert, meneer Arlington. Ik zal de code vertalen zodat wij allebei weten waar dit gesprek precies over gaat. Ben ik werkelijke Luke's afgedankte speeltje; iets wat voor altijd zijn eigendom zal blijven? En' – ze trok een wenkbrauw op – 'wie wil er precies met mij spelen?'

Frank bloosde.

Sofia staarde naar de schelp; die voelde warm aan, stekelig, maar glad en roze vanbinnen. Toen keek ze hem in de ogen. 'Ach, lieverd,' zei ze zachtjes, en ze streelde zijn haren. 'Vegas krijgt jou niet te pakken, Frank Arlington. Jij bent een rare snuiter. Maar niet op een manier die we hier in Vegas gewend zijn.'

Hij lachte. 'Wat bedoel je in 's hemelsnaam?'

'Vegas is traditioneel, vreemd maar waar. En daar trap jij niet in. Jij hebt je eigen ideeën over wat Vegas nodig heeft, en ik ben er niet zo zeker van dat iedereen het met je eens is. Die Afrikaanse maskers in jouw eerste hotel waren doodeng.' Ze leunde naar hem toe en fluisterde: 'Ze waren te echt. Het voelde alsof de dood in de kamer was.' Ze haalde haar schouders op. 'Angst werkt. Spanning leidt tot hogere inzetten, maar dan moet je het wel goed spelen.'

Zijn blik verstarde. 'Ik heb dan misschien niet de georganiseerde misdaad achter me, juffrouw Kay, maar daarom hoeft u me nog niet als een domoor te behandelen...'

'Sofia,' zei ze. 'Noem me alsjeblieft geen juffrouw Kay meer. Dat haat ik.' Ze gooide haar haren over haar schouders. 'Ik speel geen spelletje met je, Frank, en ik behandel je ook niet als een domoor. Ik denk dat je wel een vriend kunt gebruiken. Ik wil je helpen.' Ze tuitte haar lippen. 'Ik denk niet dat je hoeft te vragen waarom, en ik denk ook niet dat het je iets kan schelen.'

Hij trok zijn wenkbrauwen op. 'Vertel, Sofia.'

Ze deed een stap naar achteren.

Sofia was niet het type dat ging zitten simmen als ze door een kerel aan de kant geschoven was. Haar ongeloof en woede zette ze om in energie en kracht. Toen Luke haar aankeek nadat hij zijn vrouw had gekust, gaf hij haar onschatbare informatie: hij gaf om haar. Hij was gekwetst – niet dat hij zo'n emotie ooit bewust zou toelaten. En Sofia was van plan om hem nog meer pijn te doen. Ze hield niet van hem – hoe kon iemand van zo'n monster houden? Hij had een andere vrouw zwanger gemaakt terwijl hij met *haar* samenwoonde! Toch zouden ze nu voor eeuwig aan elkaar verbonden blijven, door bittere herinneringen.

Luke had zijn beveiliging opgedragen haar te laten gaan. Zijn precieze woorden waren: 'Zorg dat juffrouw Kay als de sodemieter oplazert.' Sofia nam aan dat hij zo vloekte om te verhullen dat hij haar genade schonk. Ze was naar het appartement gevlucht dat ze met zijn bloedgeld had gekocht, maar zij vond dat ze recht had op elke cent. Ze had de sloten laten vervangen, ook al wist ze dat Luke haar het huis zou laten houden. Dat stemde haar bijna droevig. Want ze zou nog liever ruzie met hem maken dan helemaal geen contact meer met hem hebben.

Na een maand van zelfgekozen ballingschap en zichzelf bij de pers weg te houden, want die kreeg geen genoeg van de blije foto's van het gelukkige kersverse echtpaar, had Sofia haar plan getrokken.

'Wat vind je hiervan?' fluisterde Sofia tegen Frank terwijl ze voorzichtig met haar nagel langs de rafelige rand van de schelp ging.

'Hij is schitterend,' zei Frank en ze hoorde het haaltje in zijn stem.

Ze zou met Frank Arlington trouwen omdat Luke hem haatte, en samen zouden ze Castillo vermorzelen. Sofia wist dat ze rustig aan moest doen, maar ze kon zich niet beheersen. Het zou Luke berouwen hoe hij haar had behandeld. Ze was niet een of andere troela die je gebruikte en weer aan de kant smeet. Hij was heel dom, want zij had hem kunnen helpen; maar Luke dacht dat hij geen hulp nodig had. Hij dacht dat hij haar niet nodig had, omdat hij *die lui* had.

Ze zou hem eens goed op zijn nummer zetten. Frank Arlington, met zijn gladde huid en het achterovergekamde rocksterrenhaar, was haar toekomst.

'Wacht even,' zei Sofia en ze graaide in haar tas, ogenschijnlijk op zoek naar een aansteker, maar eigenlijk om te checken wat punt 4 ook weer was:

- *Luister naar hem*

'Weet je,' stamelde ze. 'Ik weet eigenlijk helemaal niet zo veel over jou. Hoe ben je hier terechtgekomen?'

Frank ging op het zand zitten en streek een plekje glad voor Sofia. Dit werd een lange zit.

'Dat is de schuld van mijn vader. Hij was ingenieur. Hij werkte op een van de projecten van Kerkorian en hij was behoorlijk onder de indruk.' Frank grinnikte. 'Het was ook een indrukwekkende kerel. Hij had... geduld. Als het ontwerp van de architect niet werkte, zorgde mijn vader ter plekke dat het in de praktijk wel voor elkaar kwam. Dat heeft Kirk me zelf verteld. Hij waardeerde dat, die extra inspanning van mijn vader.' Frank keek haar aan. 'Onthou dat.'

'Wat een mazzel dat je zo'n vader had.'

'Zeker weten,' zei Frank, 'in meer dan één opzicht. Als ik terugdenk aan hoe hij was, dan wil ik later zelf ook zo'n vader worden voor *mijn* zoon.'

'Ik wist niet dat je een zoon...'

'Heb ik ook niet.' Hij glimlachte. 'Maar dat komt nog wel. Ooit krijg ik een zoon. Ik moet alleen eerst zijn moeder vinden.'

Sofia's hart maakte een sprongetje. Dus hij wilde een zoon. Hé, ze was bereid om een heel eind te gaan. Ze zweeg en vroeg toen voorzichtig: 'Is je vader...?'

Frank zuchtte. 'Hij is omgekomen bij een auto-ongeluk, met mijn moeder. Hij was pas vijfenzestig en zij drieënzestig. Hadden ze maar... tien jaar extra, snap je?'

Sofia knikte. 'Ik neem aan dat je daarna het hart niet had om weg te gaan.'

Frank glimlachte. 'Deze stad was deel van wie hij was, en hij was deel van deze stad. Ik had dus niet veel keus en moest wel een kansspelvergunning aanvragen.'

Sofia kende de rest van het verhaal. Hij had zijn zinnen gezet op een stuk grond waar verder niemand in geïnteresseerd was; geen toplocatie. Toen de grond op de markt kwam, kon Arlington een lening bij de bank krijgen tegen een redelijke rente. Zijn investeerders hadden allemaal schone handen. Hij was zo slim om vrienden te maken voor hij zijn aanvraag indiende: hij nam alleen mensen uit Las Vegas zelf in dienst, doneerde aan goede doelen en maakte geen vijanden.

'Ik zal nooit *one of the boys* worden, maar Kirks goedkeuring heeft wel geholpen. En misschien had de Commissie ook geen trek meer in die kerels. Al die schandalen over hoe de maffia hier de baas was' – Frank keek haar recht in de ogen – 'dat maakte het voor mij gemakkelijker om door te stoten.'

'Om nog te zwijgen over het feit dat jij de meest succesvolle casino's in Atlantic City en op de Bahama's runt.'

Frank grijnsde. 'Heerlijk. Ik zou niet weten wie er meer plezier in zijn leven heeft dan ik.'

'Ik hoor dat jouw gastvrouwen werken alsof ze op de aandelenmarkt staan.'

'Klopt, en dat *staan* ze ook. Als ze niet aan de telefoon hangen om mijn product aan de man te brengen, heb ik niets aan ze. Het ergste is wel zo'n "welkomst"-gastvrouw – van die jaren zestig-types die op hun luie gat zitten wachten tot de klanten als bij toverslag binnen komen rollen.'

Sofia barstte in lachen uit. 'Zoals bij The Medici!'

Sofia had Luke wel wat advies kunnen geven over zijn gastvrouwen, maar hij nam nooit iets van haar aan. Sinds hun eerste ontmoeting had ze geen invloed meer gehad op hoe hij zijn zaak runde. De dag dat Knappe Stan werd ontslagen, waren er wat dingen veranderd, maar verder mocht ze zich nergens meer mee bemoeien. Zij was zelf zo'n gastvrouw geworden.

Ze keek hem lachend aan. 'Jij bent wel wat vooruitstrevender dan Luke.'

'Nou ja, ik kom ook uit NYC, dus dan ben je vanzelf superieur.'

'Zeg dat wel,' mompelde ze. Frank liet zijn gastvrouwen de gasten verleiden: ze mochten hen omkopen met gratis etentjes, gratis hotelovernachtingen, kaartjes voor shows. Mensen vonden het prettig om iets voor niets te krijgen. Ook al kreeg niemand echt iets cadeau, het ging om de perceptie. Ze lachte weer. Frank had bijna het punt bereikt dat hij genoeg geld verdiende om een iets grotere klootzak te kunnen worden.

Zijn volgende zaak was ook weer klein. The Burlesque lag een eind uit het centrum, maar nog wel aan de Strip. Hij ging de goede kant op.

Dit keer zou Sofia geen fouten maken. Het was haar niet gelukt Luke tot een huwelijk te dwingen met haar strafmaatregelen; die tactiek was volkomen verkeerd gekozen. Dit keer zou ze haar man betoveren. Ze ging meteen aan de slag met de ernstige taak om Frank verliefd op haar te laten worden, en *daarna* zou ze hem in de val laten lopen.

Sofia wist dat alle vrouwen zo dachten, zelfs als ze zich er niet van bewust waren. Maar het was waar: zodra ze merkten dat ze een man leuk vonden, deden ze hun stinkende best om onweerstaanbaar te zijn, met behulp van make-up, zorgvuldige kledingkeuze, het schrappen van een paar minder aangename karaktertrekjes. Misschien was het woord 'val' niet goed gekozen. Het was geen woord dat mensen bewust gebruikten in het geval van een romance. Als ze had gekweeld van 'twee lichamen en zielen, voor eeuwig aaneengesmeed' zou iedereen instemmend glimlachen.

'De sterren zijn hier anders,' zei ze plotseling. 'Net een hemel vol diamanten. Dat geeft je het gevoel dat je mag dromen.'

Frank staarde haar aan. 'Jij hebt me gevangen,' zei hij uiteindelijk toen hun lippen elkaar vonden. De hartstocht van zijn kus leek haar te doen smelten, en ze trilde.

De kou deed haar licht huiveren, en hij leidde haar regelrecht door de uiteen wijkende massa gasten, alsof ze niets te verbergen hadden. Ze voelde het klikken van duizenden telelenzen: in de twintigste eeuw bleef niets lang geheim. Luke Castillo mocht dit nieuws wat haar betrof meteen vernemen: zijn verlies was Frank en Sofia's winst. Ze hadden allebei iets te bieden dat de ander wilde hebben, en beiden zouden van hun verbond profiteren.

- *Laat hem wachten*

Sofia verkreukelde Sterlings briefje tot een piepklein balletje en liet zich door Frank naar de honeymoon suite leiden. Als er een echte klik was, hoefde je hem niet te laten wachten. Je hoefde een man alleen te laten wachten als de relatie in de kern onoprecht was. Ze scheurden elkaar de kleren van het lijf en tuimelden over elkaar heen. O *ja*, kreunde ze terwijl ze hem naar binnen trok. *Fuck you*, Castillo, dacht ze terwijl ze in elkaar opgingen, en dat was misschien precies wat Frank ook dacht.

•••••

SUNRISE VALLEY TRAILER PARK, JANUARI 1983

Bessie

Bessie lag op het hobbelige bedje en telkens als haar man 'uh!' zei, kromp ze ineen.

Was er iets verschrikkelijkers dan seks hebben met je man terwijl je daar geen zin in had?

'Jij kwijt je alleen maar van je echtelijke plicht,' pufte Hank.

Ze glimlachte met moeite en zei: 'Nee hoor, ik vind het echt fijn.'

Ze forceerde een zucht. Het leek wel een eeuwigheid te duren.

'O, *yes*!' zei Hank.

'Stil toch, de kinderen!' fluisterde Bessie toen hij eindelijk van haar af rolde. Ze trok snel haar nachtjapon omlaag.

'Vond jij het ook lekker?' zuchtte Hank terwijl hij begon te snurken.

'Alsof de aarde trilde,' antwoordde Bessie, zachtjes gevolgd door: 'Het zal de San Andreas-breuk zijn geweest.'

Ze lag onbeweeglijk naar het zinken plafond te staren. Morgen zou de vrouw in de caravan naast hen naar haar kijken met een blik van: ik weet wat jullie vannacht hebben uitgespookt. Dat stelletje losers hier kon net zo goed met z'n allen in één kamer trekken. Ze moest hier weg, anders zou ze haar polsen nog doorsnijden. Ze had de plek gevonden waar ze naartoe wilde. Het heette Angel, en het klonk hemels. Hank had al drie keer nee gezegd. Maar ze wist dat Hank als ze hem nu maar genoeg zijn zin gaf, toe zou geven, al was het alleen maar om van haar gezanik af te zijn.

Bessie prikte haar man met haar teen in zijn been. 'Schatje? Zullen we nog eens?'

• • • • •

PRIVÉKLINIEK, LAS VEGAS, NEGEN MAANDEN NA HET VIJFSTAPPENPLAN, 28 AUGUSTUS 1983

Sofia

Verbijsterend, dacht Sofia, dat de baby meteen begon te huilen. Ze lag daar verbluft en leeg op het bed te genieten van de plotselinge afwezigheid van pijn, en de baby krijste. Een boos geluid, schokkend hard, dat de vrede verstoorde. Het schrille geluid en haar onmiddellijke irritatie verrasten haar. Ze zette het van zich af en zei tegen de zuster die het kind in een dekentje stopte: 'Schiet eens op, ik wil hem zien.'

'Haar, lieve kind, haar. Jij en meneer Arlington hebben een prachtige kleine meid gekregen,' zei de vrouw met haar domme glimlach.

'Een meisje?' vroeg Sofia. De zuster vergiste zich zeker.

'Hier is ze dan, mevrouw Kay, ach wat een schatje! Gefeliciteerd!'

Sofia staarde naar de baby, die haar mond opentrok om flink te brullen. Ze sloeg het dekentje terug – de zuster had het kind ingepakt als een pakketje – en wierp een blik op het felrode lijfje. De onderdelen die van een mens een man maken ontbraken.

'Een *snoezig* meisje,' zei de vrouw een tikje streng. 'Je wilt natuurlijk jouw wondertje inspecteren, maar we moeten baby wel lekker warm ingepakt houden.'

Sofia bedekte het kind en maande het stil te zijn: 'Sst.'

Ze kon het niet geloven. En Frank zou het ook niet geloven. Hij was ervan uitgegaan dat zij hem een zoon zou schenken. Sofia was er zo zeker van geweest dat het lot zich daarnaar zou schikken dat ze de kinderkamer thuis al blauw had ingericht. Sterker nog, alle kleertjes, dekentjes en sokjes waren blauw.

Ze vond het eng om Frank te vertellen dat ze meteen van die eerste keer al zwanger was geraakt, want wat nu als hij zou denken dat ze een golddigger was? Maar golddiggers hadden los van hun lichaam niets te bieden, en Sofia had veel meer dan dat. Frank, die wonderbaarlijk naïef was als het om vrouwen ging, was helemaal in zijn nopjes. 'De timing is perfect, Sofia,' had hij gefluisterd. 'Laten we een dynastie stichten.'

Dynastieën werden niet gebouwd op *meisjes.*

'Zal ik meneer Arlington binnenroepen?' vroeg de zuster. 'Hij en zijn medewerkers lopen al tijden te ijsberen in de gang.'

'Ja,' zei Sofia, en tegen zichzelf zei ze: 'Dan is het meteen maar gebeurd.'

Een paar seconden later kwam Frank binnenstormen. Hij smeet de deur tegen de muur zodat de baby in een nieuwe huilbui schoot.

'Ze is schitterend,' mompelde Frank. 'Ze lijkt precies op mij!'

Sofia glimlachte en probeerde iets van vreugde te voelen. De zuster moest het nieuws al hebben gebracht. Een meisje was natuurlijk prima voor mensen zonder doel in hun leven, maar als je een imperium wilde opbouwen had je er geen bal aan.

'Goed gedaan, meisje,' zei Frank zachtjes terwijl hij Sofia op haar oorlel kuste. 'Ik heb een dochter!' Zijn stem klonk schor en hij zocht iets in zijn jaszak. Toen sprong hij op, rende de kamer uit en riep tegen zijn assistent: 'Clive! Clive! Heb jij dat ding?'

Ding of... ring? Sofia spande zich in om mee te luisteren. Haar hart klopte snel – misschien was dit toch niet de teleurstelling van het jaar. Frank moest tranen terugdringen toen hij het kind zag. Misschien zou hij haar toch nog wel ten huwelijk vragen! Geboortes waren een katalysator voor huwelijksaanzoeken, net als kerst en Valentijnsdag. Voor zover Sofia wist deden mannen altijd een aanzoek op deze hoogtijdagen zonder dat ze eerst goed over de situatie hadden nagedacht. Als de dag voorbij was en het aanzoek was niet gekomen, dan hielden ze ofwel oprecht van je zodat ze ook wel zonder aanleiding op een andere dag zouden doorkomen met een aanzoek, of ze zouden nooit meer om je hand vragen.

Frank kwam terugspurten met een fluwelen doosje in zijn hand. 'Voor de moeder van mijn kind,' zei hij terwijl de baby doorkrijste. 'Wow,' voegde hij eraan toe, 'wat kan die meid schreeuwen.'

'Dank je, lieveling,' zei Sofia, en ze maakte het doosje zo waardig mogelijk open. In het doosje zat de standaard diamanten armband. 'Wat prachtig,' zei ze. Ze kon nauwelijks praten, maar niet om de juiste reden.

'Driekaraats, stuk voor stuk,' zei Frank. 'Die dingen zijn zo groot als kiezelstenen!' Hij grinnikte. 'Ik denk dat ik Clive maar snel de opdracht moet geven om de kinderkamer opnieuw te behangen.'

Frank had de kinderkamer in zijn huis ook helemaal in het blauw ingericht.

Hij stond op en aaide de baby zachtjes over haar bolletje. 'Goed gedaan,' zei hij tegen Sofia. 'Ik vond "Ariel" een mooie naam voor een jongen. Maar voor een meisje vind ik het nu ook mooi.'

Sofia's ogen vulden zich met tranen. 'Tuurlijk,' zei ze. 'Het betekent "Leeuw van God" in het Hebreeuws.' En ze voegde er halfhartig aan toe: 'En moet je horen hoe ze brult.'

Er klonk een zacht klopje op de deur en de zuster kwam binnen struinen. 'Zullen we de baby even aanleggen?' zei ze met luide stem om boven het gekrijs uit te komen.

Frank maakte zich glimlachend uit de voeten en beloofde morgen nog eens langs te komen.

Sofia onderging de vernedering van een vreemde vrouw die haar tepel greep om hem in de mond van de zuigeling te stoppen, en ze dacht eraan hoe haar vriend de aftocht had geblazen.

'Zuster,' zei ze. 'In mijn tas zit een boek, *Christine Brinkley, het Outdoor Beauty and Fitness Book*. Wilt u me dat even aangeven?'

Sofia probeerde het boek op het bed te laten rusten terwijl de baby zich aan haar borst vastklampte, maar het lukte niet. Ze staarde naar de witte muren van haar enorme privésuite, en ze wilde zich dolgraag douchen. Frank was natuurlijk blij dat hij vader was geworden, maar hij had haar geen aanzoek gedaan en zij begreep waarom. Zonder erfgenaam was daar geen reden toe.

Sofia deed een poging de baby op haar hoofdje te kussen, maar ze was te gebutst om zich te bewegen, en staakte haar poging. Dit kind was een begin. Ze was ongeduldig, maar praktisch. Als het niet meteen lukt, probeer je het nog een keer. Met Luke was het niet gelukt, en dus had ze het nog eens geprobeerd met Frank. Maar deze geboorte was alweer een mislukking. En als je meer dan een keer faalde, en Sofia vond dat ze had gefaald, dan was vals spelen toegestaan bij de volgende poging.

•••••

ANGEL TRAILER PARK, ERGENS IN DE MOJAVEWOESTIJN, VLAK BIJ LUCHTMACHTBASIS AREA 51, SEPTEMBER 1983

Bessie

'Waarom zijn we hiernaartoe gegaan, mama?' snikte Marylou. 'Ik haat het hier! En ik haat jou! Jij bent de slechtste mama van de hele wereld! Ik wil terug naar Sunrise Valley!'

Bessie veegde het zweet van haar bovenlip en nam een flinke teug water. Hield Marylou nou maar eens een keer haar mond. Dat kind deed niets dan zaniken. 'We zijn verhuisd omdat het hier zo heerlijk rustig is.'

Angel bestond uit slechts een stuk of zeven, acht stacaravans verspreid rondom een pompstation in een vallei ergens in de middle of nowhere, niet ver van Area 51. Het was ooit een mijnwerkersstadje geweest, maar de mineralen waren op en nu was het van god en iedereen verlaten. Het was min of meer ontoegankelijk en er was geen enkele voorziening, op een bar na, en je moest een halfuur rijden voor je bij de dichtstbijzijnde stad was. De bewoners waren eigenaardig, maar ze waren allemaal erg op zichzelf, en Bessie had eindelijk ruimte om adem te halen.

'Marylou,' zei ze, 'hou alsjeblieft op met zeuren. Ik trek dat gejammer van jou niet meer. Ik word er letterlijk misselijk van.'

In Sunrise Valley Trailer Park, dat kleine roddeldorp, werd ze langzaam krankzinnig. Ze had Hank gesmeekt om te verhuizen. Zeuren en seks: een sterke combinatie. Uiteindelijk had hij ingestemd, vooral omdat hij door de week in Las Vegas kon blijven als ze in de middle of nowhere woonden. Het kon Bessie niet schelen wat hij uitspookte. Ze hadden toch geen geld meer te verliezen.

'Het is hier saai!' jammerde Marylou. 'En ik vind mijn nieuwe school stom! En het is veel te lang rijden!'

'Ik vind het anders een heel mooie rit langs al die alfalfaboerderijen.'

'Alfalfa is het smerigste eten van de hele wereld!' kaatste Marylou terug.

'Wees eens niet zo egoïstisch, Marylou!' viel Bessie uit. 'Je broertje vindt het hier prima.' Dat was ook zo. Kleine Sam mocht graag 's avonds op de stoffige grond liggen en dan probeerde hij de sterren te pakken.

Inmiddels schepte ze een wonderlijk genoegen in rondkomen van bijna niets, en zo min mogelijk uitgeven. Hank verkocht nog steeds alcohol in de stad, dus ze had altijd wat bij de hand om de scherpe kantjes eraf te drinken, en hij had haar op zijn moeders leven bezworen dat hij nooit meer een voet in een casino zou zetten (zijn moeder was dood).

Bessie hing niet langer aan haar nagels langs het randje van de samenleving. Ze was de afgrond in gevallen. Het was het verschil tussen door de samenleving te worden veracht of tonen dat jij die samenleving zelf nog meer verachtte.

'Kijk!' riep Sam. 'Dat is papa's auto!'

Er werd een stofwolk opgeworpen terwijl de oude terreinwagen over de weg op hen af snelde. Marylou gooide haar haar naar achter. 'Ik vind papa het liefst,' zei ze tegen Bessie. 'Jij bent niet lief, jij bent stom.'

Bessie keek naar de kinderen die hun vader begroetten. Ze glimlachte minzaam. God, wat was die man toch een lapzwans.

'Hé, kippetje,' zei hij tegen Marylou, en hij haalde zijn handen door haar haren. 'Hé, kleine man!' zei hij en hij zwaaide Sam de lucht in. Hij knipoogde naar Bessie. Ze dronk de laatste tijd net wat te veel, en ze had al een paar keer met hem gevreeën. Verder was er immers niets te doen.

'Ik heb een mooie klus gekregen,' zei hij tegen Bessie terwijl hij een sigaret opstak en zijn haar gladstreek. Hij wendde zich tot de kinderen. 'Wat zouden jullie ervan zeggen om over een paar maanden met het vliegtuig op vakantie naar Europa te gaan?'

Terwijl de kinderen het uitschreeuwden van opwinding (ook al had Sam geen idee waarom) keek Bessie haar echtgenoot fronsend aan. 'Waar heb jij het in vredesnaam over?'

Hank stak zijn arm door de hare. 'Schatje,' zei hij. 'Ik heb zojuist een contract getekend om de drank te leveren voor het feest van de eeuw! In februari wordt er een super-de-luxe hotel geopend in Dubai, waar iedereen zal zijn die ook maar iets voorstelt. Dan heb ik het over Oprah Winfrey, Diana Ross, en dan heb ik het over presidenten, staatshoofden, rocksterren, filmsterren – en Bessie, Hank, Marylou en Sam! We krijgen gratis volpension, in een gewone kamer, weet je wel. En de vluchten met korting. En we krijgen champagne. Ja, schatje, maak je borst maar nat, we gaan het er eens goed van nemen!'

•••••

PRIVÉKLINIEK, VIJF MAANDEN NA DE GEBOORTE VAN ARIEL, 30 JANUARI 1984

Sofia

Dit keer was ze bereid het kind ter plekke te laten weghalen. Ze had zich regelrecht van de echokamer naar de verdomde abortustafel laten rijden.

Waarom nou geen jongen? gilde ze in haar hoofd.

Sofia ging rechtop zitten. Waarom eigenlijk niet?

Sterling gaf de laborant een teken dat ze klaar waren.

'Het ligt waarschijnlijk aan Frank,' mompelde hij tegen Sofia toen ze terugreden naar het vliegveld. 'Als zijn troepen snel zwemmen, krijg je alleen maar meisjes.'

Sofia staarde recht voor zich uit naar het glanzende walnoten interieur van de auto. Sterlings onheilstijding deed haar verstijven. 'Hoe weet jij dat nou weer?'

'Ik heb een klassieke opleiding gevolgd.' Sterling keek haar even aan. 'Niet iets ondoordachts doen, hoor. Je hebt nog allerlei opties.'

'O ja,' zei ze sarcastisch. 'Wat voor opties precies? Ik voel me net Catharina van Aragon. Als ik hem geen zoon kan geven, dumpt Frank me voor iemand die dat wel kan. En het maakt niet uit of het zijn schuld is en of hij alleen maar meisjes kan produceren. Tegen de tijd dat hij daar achter komt ben ik zijn ex-vriendin, en werk ik als serveerster in een of andere kroeg.'

'Sofia,' zei Sterling. 'Niet in paniek raken. Je moet gewoon creatief denken. Dat lieve tweede kindje van je komt pas over zes maanden. En een halfjaar is tijd zat om een plan te bedenken. Er zal zich vanzelf een keurige oplossing aandienen, want het lot zal dat zo beschikken.'

Sofia had geen zin om zich los te maken van haar zelfmedelijden. 'Reuze poëtisch van je, Sterling.'

Sterling glimlachte. 'Ik heb zo mijn momenten, Sofia. En die van jou komen ook nog wel.'

• • • • •

DUBAI, 18 FEBRUARI 1984

Bessie

Het kind was nauwelijks oud genoeg om een schaar te gebruiken. Ze stond bij een tafeltje waarop een vel papier lag, een tube lijm en vijfentwintigduizend Engelse ponden in briefjes van vijftig. Het kleine meisje knipte het ene na het andere koninginnenhoofd uit. Ze was een collage aan het maken.

De vader van het meisje stond in een hoek van de kamer te praten in zijn mobiel. Een paar minuten eerder hing het meisje nog aan zijn been. De man had een sigaret in zijn mond geduwd, naar zijn assistent geknikt en die had de leren tas opengedaan en een lawine aan geld op het tafeltje gedumpt.

Dit was Bessie's eerste kennismaking met de Paradise Special Members Club voor kinderen van onder de elf. Bessie logeerde zelf op de Executive Floor, in een soort bezemkast weliswaar, dus haar kinderen mochten ook naar de club. De nanny's zouden tot bedtijd voor haar kroost zorgen, en zij zou dan van het feest kunnen genieten.

Sam, die inmiddels vier was, was verdwenen zodra hij Luke Skywalker zag die de kinderen Jedi-training gaf, en Marylou, zes, was weggehold om te spelen met het poppenhuis en de echte goede petemoei. Bessie was zo gebiologeerd door het Arabische meisje, dat ze haar eigen kinderen meteen was vergeten.

Bessie bleef zo ver mogelijk bij de rest van de samenleving uit de buurt, zodat ze niet na hoefde te denken over wat ze haar kinderen niet kon geven. Maar hier viel niet te ontsnappen aan de benijdenswaardige mogelijkheden die rijke mensen hadden.

Moedeloos liep ze terug naar haar kamer, en stelde zich voor dat ze een paar stapels van de verknipte bankbiljetten had weggegrist en ermee vandoor was gegaan. Het was allemaal te laat, want haar huis was weg.

Ze kon vanavond misschien net doen alsof het allemaal nooit was gebeurd. Dan was ze Assepoester op het bal en verbeeldde ze zich dat ze niet in een stacaravan *op wielen* woonde.

Toch kon het altijd erger, beweerde Hank. Nou, daar sloeg hij de spijker mee op de kop. De laatste tijd hadden zij en Hank zichzelf wat gratis pleziertjes gegund, en daar moest ze nu voor betalen.

Ze had zich in een tien jaar oude wikkeljurk van Diane von Furstenberg geperst die ze uit de doos had gevist die bij Sandra thuis stond. Een paar jurkjes, een paar fotoalbums, wat oud speelgoed, dat was het enige wat ze mee hadden kunnen nemen. Het casino had al hun meubels, hun televisie en hun trouwservies geveild.

Ze stiftte haar lippen en ze hield haar zonnebril op haar neus. Ze nam de lift naar de begane grond en stond op het strand, waar ze naar het ontploffende vuurwerk staarde. Bessie zag geen sterren; ze zag alleen dat verknipte geld.

Terwijl het vuurwerk de avond verlichtte, bekeek Bessie de mensen op het strand: rijke, mooie, beroemde mensen die baadden in weelde. Het witte schuim van de golven op de donkere oceaan, de volle geur van de avondbries: voor hen was dat alles een teken van wat zij *altijd* zouden hebben. Hun grootste dilemma was: kaviaar of kreeft? Voor hen was schoonheid overal: in de miljoenen rode tulpen die achteloos waren geplukt voor deze ene avond; in de eindeloze hemel vol vuur en spetters.

Maar Bessie hoorde hier niet. Ze nam twee glazen champagne aan van een ober. De schaamte die ze zo zorgvuldig had weten te verstoppen, kwam in volle hevigheid terug. Wat waren zij voor mensen dat zij zichzelf niet konden onderhouden? Dat zij hun kinderen niet konden opvoeden. Ze raakten steeds meer aan lagerwal, en dat zou niet stoppen. Ze zag niet waar het ooit zou eindigen. Ja, vanavond had Hank werk, maar ze waren nog altijd bezig hun schuld af te betalen.

Ze stond daar als verstijfd en bewoog alleen als een robot om haar lege champagneglazen in te ruilen voor twee glazen wodka. Ja, het was een geweldig feest, maar ze kon er niet van genieten. Je hebt ook niets aan de schoonheid van een meer als je erin verdrinkt. Hotel Paradise was eigendom van een Australische magnaat die de wereld versteld wilde doen staan van zijn genialiteit. Paradise was gebouwd in de aantrekkelijke ronde vormen van een dollarteken, op een kunstmatig eiland vlak voor de kust van Dubai.

Het had een uitstekend visrestaurant op vijf meter onder de zeespiegel, in de vorm van een lange tunnel met een gewelfd plafond, en de wanden waren helemaal van glas. Roggen en octopussen en lion fish deinden langs het raam terwijl de gasten van hun champagne nipten.

Het duurste appartement was een Line Suite, die een brug vormde tussen de ronde gedeelten van het hotel en die een spectaculair uitzicht bood over de baai. Een Line Suite, vernoemd naar het streepje in een dollarteken, kostte twintigduizend dollar per nacht, maar dan zat je wel op vergulde meubels. De kamer van Bessie en Hank lag heel ver bij die suite vandaan; ze was eerst nog blij verheugd geweest, tot ze de kamer binnen liep. Hij was piepklein en bood uitzicht op de parkeerplaats voor het personeel.

Eindelijk kwam het vuurwerk tot een heftig, spetterend eind. De meeste gasten bleven buiten om te eten, maar Bessie moest zitten. Ze zakte weg in een weelderige leunstoel onder een gigantische kroonluchter in een van de balzalen – ze wenste dat het ding van het plafond zou storten en haar zou verpletteren – en ze at gestaag, en spoelde elke hap weg met champagne.

Ze had net een stukje ravioli gevuld met een bolognese van wild zwijn in haar mond gepropt toen ze Kathleen Turner zag lopen, de beeldschone actrice uit *Body Heat* die haar gefascineerd maar vol walging bekeek. Bessie glimlachte breeduit, waarbij ze haar oranje tanden ontblootte.

Na het diner trad Tina Turner op. Wat kon Bessie zo'n concert schelen? Ze strompelde naar een bar, en giechelde. Ze had nog een drankje nodig, eentje maar.

'Kan ik hier zitten?' vroeg een koele, zelfverzekerde stem.

Bessie haalde haar schouders op. 'Nee,' zei ze, alleen maar omdat dat zoveel gemakkelijker was dan 'O, god, moet dat echt? Ik ben katje lam. Ik kan nauwelijks nog wat zien, laat staan praten! Ga nou maar weg.'

Ze keek naar de vrouw die naast haar op een barkruk ging zitten; en ze keek nog eens. Bessie knipperde met haar ogen en greep zich aan de rand van de bar vast om niet van haar kruk te vallen. Ofwel die vrouw had twee hoofden, of Bessie was zo dronken dat ze dubbel zag...

De vrouw leek ergens over te piekeren. Ze wilde een sigaret opsteken, maar klikte haar aansteker toen dicht en gooide de sigaret terug in haar tasje. Ze zuchtte en nam hem er weer uit, ze haalde kort haar schouders op en bracht hem naar haar lippen. Ze nam een stevige trek, zag dat Bessie naar haar keek en bood er haar ook eentje aan.

Bessie knikte, en dronk het laatste restje van haar tequila op. Ze werd misselijk van dat zenuwachtige gedoe van de vrouw.

Ze moest nu flink dronken worden, anders kwam ze niet van het schuldgevoel af dat ze had van een beetje dronken worden. De glazen werden steeds kleiner. Ze pakte het hare op ten teken dat ze bijgeschonken wilde worden. De barman draaide zich om zonder haar te zien. Jij bent een *nobody*. Bessie ging over de bar hangen, tilde haar hoofd op en glimlachte.

Ze had nog een andere oude jurk meegenomen, naast die von Furstenberg. Ze had tegen Hank gezegd: 'Wat zal ik aantrekken, deze, of...'

Hé, Magere Hein, kom mij maar halen.

Bessie keek naar de vrouw, die snel aan haar sigaret trok, alsof ze ergens naartoe moest. 'Heb je het niet zo naar je zin?' vroeg ze met een dubbele tong.

'Het was leuk,' zei de vrouw afstandelijk, 'maar nu ben ik een beetje moe. Enfin. Goedenavond.' De vrouw drukte haar sigaret uit.

Ineens wilde Bessie dolgraag niet meer alleen zijn. 'Ik ben zwanger,' zei ze. Ze hief haar glas. 'Laatste borrel. Laatste sigaret. Ben er net achter.'

'Gefeliciteerd,' zei de vrouw terwijl ze Bessie gespannen aanstaarde.

Bessie voelde een vreemd soort opluchting. 'Nee, gecondolieerd – gecondoleerd,' zei ze. De woorden gleden uit haar mond als pudding van een bord. 'Geen geld, namelijk. Arm als een kerkrat. Ik ben hier alleen omdat Hank hier werkt. Getver, en het wordt nog een jongen ook, zal je net zien. Ik heb ook altijd pech.'

Ze begon te lachen, in de wetenschap dat het te laat was om nog te doen alsof ze normaal was, en te dronken om daar een zier om te geven.

De vrouw zei niets. Bessie liet haar kin op haar hand rusten, maar haar elleboog gleed van de bar. 'Oeps,' giechelde ze. 'En jij? Wat doe jij hier?'

De vrouw glimlachte, en gebaarde de barman dat hij Bessie's glas moest bijvullen, wat hij meteen deed.

'Ik ben hier ook voor zaken,' zei ze.

•••••

THE PARADISE, DE OFFICIËLE OPENING, DUBAI, LATER DIE AVOND

Frank

Frank had eindelijk een vrouw ontmoet die hem begreep. En toch, ondanks de geboorte van hun dochtertje Ariel had hij haar nog niet ten huwelijk gevraagd. Hij wist dat zij dat graag zou willen. Ze zei er niets over, maar Frank was er zo langzamerhand achter dat vrouwen vooral met stiltes communiceerden.

Frank had de energie niet voor een huwelijk. Niet nu. Hij moest zich op zijn carrière concentreren. En hij was er nog niet van overtuigd dat Sofia daar onderdeel van zou kunnen worden.

Op school blonk Frank uit in langeafstandslopen. Hij had er geen natuurlijke aanleg voor, maar hij weigerde om op te geven. Zijn behoefte om te winnen maakte hem de beste. Niet winnen was geen optie.

Verliezen was hem dan ook een gruwel. Hij snakte naar de overwinning en dat het hem zo moeilijk afging in Las Vegas trok hij dan ook slecht. Frank hoopte inspiratie op te doen tijdens het openingsfeest van zijn vriend Richard in Dubai. Het feest was overdadig en het hotel zat propvol beroemdheden. Sofia kon zichzelf wel vermaken; die had hem niet nodig.

'Arlington!' baste hij toen zijn telefoon ging. Het was Bill Asquith, zijn design director. Frank was van plan om de rest van de avond op zijn enorme bed te zitten, onder het lichtgouden dekbed, in zijn eentje, om aantekeningen te maken op zijn laptop. 'Bill, ik heb dit ijdele project hier eens bekeken en ik denk dat wij het beter kunnen dan Paradise!'

Zijn nieuwe casino zou binnen een jaar opengaan: het was weliswaar klein, maar het was zijn eerste zaak op de Strip en hij was van plan een geheel nieuwe inhoud te geven aan het begrip hospitality. Daar lagen zijn kansen. Je kon niet concurreren met Caesar's Palace in Fremont!

'Bijou wordt een klein maar schitterend juweel. Ik wil het helemaal volstoppen met kostbaarheden: schilderijen, beelden... Wat? Tuurlijk waarderen de klanten dat soort dingen! Die zijn het beu, al die enorme opzichtige paleizen met slechte imitators, burgerbars, plastic bomen en pretparkattracties!'

Bill sprak zijn vrees uit dat het te popperig zou worden.

'Bill,' zei Frank. 'De allerrijksten zullen er in drommen op afkomen, en mijn omzet per tafel wordt de hoogste van de hele staat Nevada.'

Bill was bang dat de omvang toch een probleem zou vormen voor de allerrijksten. Die hadden graag de ruimte.

'Bill,' zei Frank. 'Het is allemaal een kwestie van *perceptie*. Je noemt het niet klein, je noemt het exclusief. Ik heb hier verdomme heel veel werk in zitten. Ik heb psychologen in dienst die me vertellen hoe mensen wedden en waarom. Ik heb marketingdeskundigen die me vertellen hoe ik ze geld uit de zak kan kloppen.'

Frank was trots op zijn vooruitstrevende aanpak. Luke Castillo's marketingstrategie was om een toplessbar naast de baccaratlounge te zetten en mensen te laten vrezen voor hun leven als ze je niet al hun geld gaven.

'Bill,' bulderde hij. 'Ik heb drie wensen voor mijn gasten: ik wil dat ze de kleuren, het licht, het geluid en de magie van mijn hotel in stappen en dat hun ogen uit hun kassen vallen. Ik wil dat mijn gasten op vleugels naar huis gaan met het gevoel alsof ze door meneer Arlington persoonlijk zijn bediend. Ik wil dat ze arm maar gelukkig bij mij weggaan. En het is aan jou om die visie werkelijkheid te maken.'

Er werd zachtjes op de deur geklopt, en Frank schrok geïrriteerd op. Er hing bordje met NIET STOREN aan de deur. Misschien zou Bijou wel het eerste hotel moeten worden waar mensen die zo'n eenvoudige instructie op een bordje niet opvolgden een elektrische schok toegediend kregen.

'Wie is daar?' blafte hij.

'Ik ben het,' zei een stem.

Frank slaakte een zucht. 'Bill, we hebben het er nog wel over.' Hij hing op. 'Kom maar binnen.'

Sofia droeg een jurk met een paarlemoeren glans, als de staart van een zeemeermin. Grote peervormige diamanten oorbellen glinsterden terwijl ze haar lange haar uit haar gezicht streek. Haar huid was gebronsd en romig glad, en op haar kittige neusje zaten wat sproetjes. Schattig. Ze had lange wimpers en een gulle mond, en haar enorme groene ogen boorden in zijn ziel. Ze droeg zilverkleurige hoge hakken en ze wiebelde een beetje toen ze bij de muur weg stapte. Ze straalde een en al vitaliteit uit. Hij probeerde weerstand te bieden.

'Ik weet niet of Richard dit wel goed heeft aangepakt,' zei ze, en ze spreidde haar armen wijd alsof ze in een lied uit ging barsten. 'Het is groots en indrukwekkend, maar het is veel te groot, te onpersoonlijk. Ik voel me hier net een verdwaald schaap.' Ze zweeg. 'Ik zou hier geen geld willen stukslaan, en ik heb ook geen zin om te gokken. Het schept op; het geeft me niet genoeg liefde. Het geeft me niet het gevoel dat ik geluk in het spel ga hebben.'

Frank sprong van het bed en prikte met een vinger haar kant op. 'Dat *is* het, Sofia, dat *is* het! Helemaal eens. Ligt het nu aan mij of is The Paradise "de nieuwe kleren van de keizer"?'

Ze hield haar hoofd schuin. 'Het is maar een dunne scheidslijn tussen je gasten in de watten leggen en hen overweldigen. Ik wil het gevoel hebben dat ik verwend word. Maar ik wil niet het gevoel hebben dat ik het eigenlijk niet waard ben.'

Frank staarde haar aan. Dus ze begreep het wel degelijk. Ze begreep het zakelijke aspect even goed als ze hem begreep. Ze was eigenlijk behoorlijk perfect.

Hij raakte haar hand aan en voelde plotseling heel sterk dat hij haar nooit meer moest laten gaan.

Hij nam haar mee naar de zitkamer. Ze bleef staan, heel even, toen ze er binnen liep, maakte toen een pirouette, glimlachte en huppelde naar het enorme raam, dat van het plafond tot de vloer liep. Het bood uitzicht op een eindeloze nacht. Die was verbazingwekkend zwart: het hotel lag aan de kust, en de zee ging naadloos over in de donkere horizon.

Frank zocht instinctief naar een ster, een flinter maanlicht – wat voor licht dan ook. Hij was op een gemakzuchtige manier bijgelovig, en koos voor de hand liggende symbolen voor geluk, waarbij hij alles wat als een slecht voorteken kon worden beschouwd negeerde.

Dit keer kwam het universum tegemoet aan Franks eisen, en bood hem een vliegtuig dat de nacht doorkruiste. Het was dan wel geen ster, maar het volstond. Hij leunde tegen het grote raam en trok haar naar zich toe. Zijn handen gleden langzaam over de achterkant van haar jurk, en zij gooide haar hoofd in haar nek en greep zijn schouders terwijl hij haar in de nek kuste, en achter haar oor.

'Ik wil jou,' fluisterde hij.

'Ik ben hier, Frank,' mompelde ze en hij smolt vanbinnen bij het horen van zijn naam op haar tong.

Na afloop lagen ze op het bed te brainstormen over het nieuwe hotel. Ze had een leuk idee voor de foyer, en hij kuste haar. Ze keek in zijn ogen voor ze omhoogkwam om zijn kus te beantwoorden, en de onuitgesproken woorden deden zijn hart overslaan.

'Wat is er, liefste?' vroeg hij.

'Ik ben weer zwanger,' fluisterde ze. 'En dit keer weet ik zeker dat het een jongen is.'

Franks hart zwol van liefde en trots. *Wat Luke kan, kan ik beter...*

Hij hield haar handen in de zijne en staarde in haar ogen. 'In dat geval,' zei hij terwijl hij haar vingertoppen een voor een kuste, 'moeten we onze band maar bezegelen.'

Sofia gilde en sloeg haar armen om hem heen, waarna ze als een kind op het bed begon te springen. Frank kwam lachend overeind om met haar mee te springen. Ach, een verloving kon geen kwaad. Een verloving was niet meer dan een reservering. Je kon hem altijd annuleren.

•••••

ANGEL, TWEE MAANDEN LATER, 2 APRIL 1984

Bessie

Ze keek op haar horloge. Het was een minuut voor tien. De kinderen zaten op school. Hank was in Vegas. Ze hadden tien uur gezegd. Misschien was het een grap. Of misschien zou de stacaravan exploderen.

Ze had de Diane von Furstenberg weer aangetrokken. Het was het enige fatsoenlijke kledingstuk dat ze had, hoewel ze op dit moment wat geld onder haar matras verstopt had. Als vandaag geen grap was, door Hank bedacht om een verhitte, zwangere vrouw nog meer af te matten.

Het eerste contact was informeel geweest, maar ze wist zeker dat het wel serieus was. Als je in een caravan midden in de woestijn woonde, en je vond een envelop onder je deur met je naam erop en duizend dollar erin, wekte dat wel je interesse. Ze had het nummer gebeld en een mannenstem vertelde haar dat ze nog eens duizend dollar zou krijgen als ze aan zijn verzoek voldeed.

Het verzoek op zich sloeg nergens op, maar als er geld aan vastzat, goddelijk geld, zou Bessie het doen. Ze zag er geen kwaad in. Ze *wilde* er geen kwaad in zien.

Motorgeronk doorkliefde de stilte. Ze staarde in de verte. O, jezus! Een zilveren auto kwam op haar af geslopen. Toen de auto dichterbij kwam, stokte haar adem. De plaatselijke bevolking zou dit ten onrechte aanzien voor een Ford, maar zij wist dat het een Aston Martin was. De man die hem bestuurde was fris geschoren en zijn zwarte pak zag er duur uit. Hij stapte uit, hield de deur voor haar open en hij noemde haar 'mevrouw'.

'Dank u,' fluisterde ze, en ze stapte onbeholpen het leren interieur in. De man leek normaal, maar misschien was hij een psychopaat die voor zijn genoegen zwangere vrouwen ontvoerde en vermoordde.

Iemand had voor *Engelse* chocola gezorgd – er lagen drie Cadbury Flakes! – in een porseleinen schaaltje, en er was een zilveren koelbox met blikjes cola. Geen alcohol. Ze at alle Flakes op en dronk twee cola. Ze werd naar een privévliegveld gebracht ergens achteraf, en begeleid tot in een vliegtuig.

'Was er in Las Vegas nergens een geschikte gelegenheid?' vroeg ze aan de man in het zwarte pak. Ze was doodsbang, maar durfde niet te weigeren.

'Maakt u zich geen zorgen,' zei de stewardess. 'We zullen allemaal goed voor u zorgen.'

De vrouw had haar 'juffrouw' genoemd, maar dat sprak haar wel aan. Zo voelde ze zich niet aan die waardeloze zak van een Hank verbonden. Ze wilde wel van hem scheiden, maar dat zou de kinderen verdriet doen en ze had geen energie voor die strijd. Ze ontspande in de zachte stoel en probeerde zich niet vast te grijpen aan de armleuningen tijdens het opstijgen; in plaats daarvan kruiste ze haar benen en bedacht goedkeurend hoe lang die leken in de knalrode stiletto's die ze had gekocht van een klein deel van haar duizend dollar. Ze was er speciaal voor naar de stad gereden in haar ouwe brik.

Ze had geen cent uitgegeven aan Hank. Wel had ze voor Sam en Marylou elk vijf outfits gekocht, en speelgoed: poppen, beertjes. My Little Poney, GI Joe, He-Man, Lego, een voetbal, een driewieler en een fietsje. Ze was geschokt door hun blijdschap, omdat ze inzag dat geld er wel degelijk toe deed. Marylou was in de zevende hemel met haar mooie jurkje. Als haar kinderen gelukkig waren, kon Bessie het wel opbrengen om een goede moeder te zijn. Maar als ze ongelukkig waren, verkilde ze. Ze kon het niet helpen. Als ze zichzelf toestond om op zulke momenten van hen te houden, zou ze hun pijn voelen. En dat was gewoon onverdraaglijk.

Bessie liet zich door de stewardess in de watten leggen tijdens de vlucht. De vrouw gaf haar aardbeien, en zij dacht aan hoe ze vroeger op het terras bij haar oude huis aardbeien met vanilleroom at. De pijnlijke hunkering naar haar oude leven voelde vers. Ze probeerde het van zich af te zetten en van het moment te genieten. Het vliegtuig landde zo zacht als een veertje, en Bessie werd in weer een andere gerieflijke auto gezet.

Ze hield haar adem in toen ze de privékliniek zag. O, mijn god. Ze herinnerde zich dat ze als puber met haar moeder naar een arts in het chique Harley Street was geweest voor 'vrouwenkwaaltjes'. Ze herinnerde zich de grootse witte pilaren en Queen Anne-ramen, de muffe geur van antieke stoelen en eeuwenoude kleden, de rijen secretaresses met gestifte lippen en hoe het stuifmeel van de lelies kriebelde in haar neus.

Dit Amerikaanse ziekenhuis veegde echter de vloer aan met dat kleingeestige Engelse elitaire gedoe. Alles was smetteloos, glimmend, klinisch. Het was alsof Bessie naar de toekomst was gestuurd in plaats van, zoals ze vermoedde, naar LA. De man in het zwarte pak meldde haar aan, en ze werd onmiddellijk weggebracht naar een privékamer.

'Dank u,' zei Bessie tegen de mooie vrouw in de witte jas die haar een beker romige warme chocolademelk gaf 'om de baby in beweging te krijgen' voor de scan. Ze proefde het drankje, en het smaakte zo heerlijk dat de tranen in haar ogen prikten. Ze knipperde ze beschaamd weg. Ze kon de verleiding niet weerstaan om naar haar spiegelbeeld te kijken in de grote vergulde spiegel. Ze had haar nieuwe lippenstift opgedaan en herkende zich nauwelijks.

'Goed zo, juffrouw,' zei de zuster met een glimlach terwijl ze een echo maakte. 'Alles is helemaal in orde.'

Ze wilde vragen of het een jongen of een meisje was, maar ineens overviel haar het droevige en wonderlijk lege gevoel dat dat er helemaal niet toe deed, en de woorden bestierven in haar mond. Het was raar dat een vreemd iemand je duizend dollar betaalde om een echo te laten maken in een privékliniek. Ze voelde een eigenaardige afstand tot deze baby en ze wist waarom: ze had hem niets te bieden. Toen Bessie de kamer verliet, zag ze de zuster de telefoon pakken. Toen ze even naar Bessie keek die de deur achter zich dichttrok, had ze een *heimelijke* blik.

•••••

SOFIA'S APPARTEMENT, LAS VEGAS, LATER DIE DAG

Sofia

'Tot nu toe gaat het goed,' zei ze tegen Sterling toen hij belde. Haar stem klonk kalm, maar haar benen wiebelden en ze zakte op haar bed.

Na het telefoontje begon ze te piekeren. Wat als ze die vrouw verkeerd had ingeschat? Wat als ze eigenlijk zo'n zelfingenomen oermoeder was die liedjes zong voor haar ongeboren kind, en maar al te graag een tiet tevoorschijn trok als het kind ergens op wilde sabbelen, en die kwijlend van aanbidding bij het wiegje van haar slapende baby zat, en dolblij was om in hobbezakken rond te kunnen lopen en die stopte met het bijwerken van haar wenkbrauwen en moddervet werd omdat ze nog slechts interesse had voor het hogere doel van het *moederschap* – jazeker, frivole wereld!

Toch had Sofia het gevoel dat het wel goed zat. Bessie was een redelijk goede moeder, maar ze was zwak, afgemat en ze zat vol wrok over hoe haar leven was ingestort. Sofia wist dat armoede corrumpeerde, net zoals macht. Als ze Bessie ervan konden overtuigen dat dit een onzelfzuchtige daad was, en het beste voor haar kinderen, dan had Sofia er alle vertrouwen in dat ze als was in haar handen zou zijn.

•••••

ANGEL, 27 APRIL 1984

Bessie

Toen ze de details van de overeenkomst begreep, ging ze op het smoezelige klapstoeltje in de caravan zitten en huilde. Maar niet om de redenen die men zou vermoeden. De deal die haar schijnbaar uit het niets door een wildvreemde werd aangeboden, stolde alle gevoelens die ze over haar wanhopige leven had en ze huilde omdat ze zag dat ze in een acute noodtoestand verkeerde.

Het duurde een dikke minuut voordat ze aan de baby dacht.

Dat deed ze nu. Had ze een band met het kind opgebouwd? Nee. Als het Charlie's kind zou zijn geweest, was het misschien anders. Ach, Charlie. Als ze geld had, zou ze een huis in de buurt van de stad kopen en dan zou ze parttime gaan werken als juridisch secretaresse, glamorous en tot in de puntjes verzorgd, en dan zou ze eens serieus werk maken van het verleiden van haar baas. Er was zeker chemie tussen hen, maar ze had altijd weerstand geboden aan Charlie's avances omdat ze getrouwd was.

Inmiddels beschouwde ze zichzelf niet meer als getrouwd. Zij en Hank waren emotioneel gescheiden; ze moesten alleen die gevoelens nog laten bekrachtigen door een rechter. Niet dat Hank daar ooit akkoord mee zou gaan. Ze was te bang om het onderwerp aan te roeren. Ze wilde het leven van haar kinderen niet *nog* beroerder maken. Maar Hank had alles stukgemaakt. Ze had ontslag moeten nemen toen ze hun huis kwijtraakten; niet alleen waren ze gedwongen om ergens in de middle of nowhere te gaan wonen, maar ze kon ook de kinderopvang niet meer betalen.

Charlie had gemompeld: 'Er is hier altijd plek voor jou.' Ze droomde 's nachts van hem. Hij was de enige die haar met respect had behandeld.

Bij hem kon ze zichzelf zijn, ook al had ze over één ding gelogen tegen Charlie. Toen Hank het huis verloor en zij ontslag moest nemen, had ze tegen Charlie gezegd dat ze naar Engeland gingen verhuizen.

Dit voorstel zou haar leven in zo veel fantastische opzichten veranderen. En dit leven binnen in haar voelde niet echt als *haar* baby. Het was de foetus van Hank. Maar – en haar maag maakte vervaarlijke salto's – het was wel wat, zoiets *doen*. En toch, andere mensen in haar situatie hadden hun kind laten adopteren; ze lieten hen in de steek, of erger... Ze had zichzelf omgepraat. Als je was opgegroeid in Hampstead Garden Suburb kwam je nooit los van je keurigheid, al kwam je er nog zo tegen in opstand.

Bessie wreef de slaap uit haar ogen. Wat zouden ze van haar denken in Hampstead Garden Suburb, al die prinsesjes met wie ze op school had gezeten, als ze haar nu eens zouden kunnen zien, als ze in de donkere krochten van haar gekwelde geest konden kijken? Als ze zouden zien hoe zij nu leefde, hoe diep ze was gezonken en hoe hopeloos haar vooruitzichten waren? Ze was een vrouw die haar gezicht niet langer waste, die het niet uitmaakte dat ze overdag al aan de gin zat, elke lange, saaie dag opnieuw. Als er eten op de ongedweilde vloer viel, raapte ze het op en at het, ook al haatte ze zichzelf erom.

Ongetwijfeld, dacht ze, zich bewust van hoe gemeen haar hatelijkheid was, waren al die prinsesjes nu verstandig getrouwd met saaie, kalende hedgefundmanagers, en bestierden ze hun enorme villa's met uitzicht op het park, en bonkten ze dag in dag uit over dezelfde vierkante meters van de aardbol in hun enorme zwarte terreinwagens, en hadden ze steeds weer dezelfde gesprekken (problemen met de echtgenoot, de aannemer, het huis, welke school te kiezen) en lagen ze te bakken tot ze zwart en rimpelig waren in dezelfde vakantieoorden (de Algarve, Florida, Eilat). Ze haatte hen omdat ze jaloers op hen was. Nee, het was geen jaloezie, het was veel erger. Het was puur gif.

Bessie griste de zware crèmekleurige envelop van haar klaptafeltje en scheurde hem open.

• • • • •

SOFIA'S APPARTEMENT, 28 APRIL 1984

Sofia

Toen ze hoorde dat Bessie instemde met het voorstel, rende Sofia naar de badkamer om over te geven. Het was opwinding, angst en ochtendmisselijkheid. Bessie ging akkoord – dus ze had gelijk over die hebzucht. Sofia lachte toen ze haar mond bette met een dikke katoenen handdoek. Het plan ging door. Ze plensde gekoelde Evian over haar gezicht en staarde volkomen beheerst naar haar perfecte spiegelbeeld.

Toen gooide ze de handdoek in de lucht, gilde het uit van vreugde en klapte in haar handen terwijl ze haar spiegelbeeld als een dolle in het rond zag springen. Ze was triomfantelijk en vastbesloten. Nergens spijt van. Ze begreep precies was ze deed en ze had daar psychologisch vrede mee. Biologische banden werden zwaar overschat. Het was gemakkelijk om die banden door te snijden. Je hoefde alleen maar overtuigd te zijn van de reden waarom je dat deed. Als je aarzelde, beging je een fout. Sofia aarzelde niet.

Dit was geen gril.

Ze had haar best gedaan met haar ouders, maar die relatie was nooit wat geworden. Haar ouders deden hun best voor het gezin, maar vooral voor zichzelf. Hun kinderen moesten het spelletje meespelen. Zij hadden niets met elkaar gemeen. Haar hele jeugd hing aan elkaar van ongemakkelijke hoffelijkheid, woede en verbijstering om hoe raar zij waren – tot de dood van haar tweelingbroer.

Het verdriet had hen niet nader tot elkaar gebracht; integendeel. Sofia gaf haar ouders de schuld, omdat zij hen naar Israël hadden gebracht. Het maakte niet uit dat zij hield van haar militaire leven, ze nam het hun kwalijk dat ze haar geliefde broer hadden opgeofferd aan politiek en religie. Haar moeder had liever gewild dat Sofia was gestorven, dat wist ze. Jonathan was de lieveling van iedereen. Wat familie betrof had het leven Sofia geleerd dat het beter was die zelf te kiezen.

•••••

ANGEL, 30 APRIL 1984

Bessie

Bessie zat op het trappetje voor haar stacaravan onder een geïmproviseerd zonnescherm en lachte naar de hete blauwe lucht. Ze voelde zich zo licht als een paardenbloemparasolletje, ondanks de kanonskogel die haar baby was. Ze tuitte haar lippen een beetje en schudde haar haren naar achter zoals filmsterren dat doen. Ze had zelfs ergens een kanten waaier opgeduikeld – een Spaans geval dat ze had ontdekt toen ze in Marylou's 'geheime' doos snuffelde – en ze wapperde ermee voor haar gezicht terwijl ze haar ogen tot spleetjes kneep en droomde over nieuwe mogelijkheden.

Ze deed dit niet voor zichzelf. Op deze manier werd iedereen er beter van – zelfs Hank. Ze zou hem vertellen dat haar ouders waren gestorven, en dat ze alles van ze had geërfd. Ze sloeg haar armen om zichzelf heen en verkneukelde zich. 'Het gaat hier om een getal van zeven cijfers,' stond er in de brief. Ze nam aan dat ze haar in delen zouden uitbetalen, misschien wel honderdduizend dollar per jaar. Hank zou natuurlijk willen weten hoeveel ze van haar 'ouders' had gekregen, dus daar had ze al iets op verzonnen. Ze zou een klein deel van haar toelage, laten we zeggen twintigduizend dollar, op een rekening storten, en de rest zou ze verstoppen. Hij zou nooit meer toegang krijgen tot *haar* geld.

Haar zoontje zou opgroeien in een welgesteld huishouden, nam ze aan. Misschien was het zelfs wel een koninklijke familie – geheim agenten die in opdracht van Diana opereerden! Bessie's stamboom zou samengaan met de Britse koninklijke familie! Meisjes waren minder lastig dan jongens, tenminste, ze aten minder en ze waren schoner. Ach, hoor haar nou, ze denkt nog steeds als een pauper! Deze deal hield in dat ze niet meer in een varkensstal hoefde te wonen met nauwelijks iets te eten, en dat ze geen genoegen meer hoefde te nemen met halfbeschimmelde afgeprijsde etenswaren, ingedeukte conserven en koekjes in gescheurde verpakkingen.

Ze hoorde in de verte geronk en ze keek naar de heldere horizon. Naarmate het geluid sterker werd, zag ze een motorfiets dichterbij komen in een enorme gele stofwolk. Het was ook zo opwindend allemaal! Ze voelde zich bijzonder, belangrijk – ze deed ertoe, voor het eerst in jaren. En ze zou nu *diamanten* kunnen kopen!

Haar fantasie ging enigszins met haar aan de haal, vanwege de duizend dollar en de Aston Martin en het privévliegtuig. Dus had ze 'ja' gezegd, en het document ondertekend. Niets bracht haar zo in vervoering als geld. Vandaag zou ze zich hier blijven vergapen aan de blauwe lucht, want ze was dronken van opwinding over haar aanstaande rijkdom, in plaats van gewoon dronken.

Als ze geld had, zou ze van haar kinderen houden – van wat voor kinderen dan ook. Geld zou haar bevrijden van die bedompte, verlammende wolk van misère. Iedereen zou een beter leven krijgen: ze zouden weer in een echt, fatsoenlijk *huis* kunnen wonen. Ze zouden een schoonmaakster kunnen nemen. Ze zouden weer *blij* zijn! Met geld zou zij een gelukkige, stabiele moeder zijn. Zonder geld – dus als ze 'nee' had gezegd – zou Hanks foetus samen met haar andere kinderen opgroeien in een stuk blik.

De motor kwam tot stilstand. De bestuurder stapte af en maakte met zijn in leren handschoenen gestoken handen een grote kartonnen doos los uit de touwen achter op de motor. Zonder zijn helm af te zetten knikte hij naar Bessie, die vlug de deur van de caravan opendeed.

Aan de zijkant van de motor stond 'Spirits of the Valley: Topwijnen'. Ze was onder de indruk van alle moeite die iemand deed om de boel te bedriegen. Haar buren zouden aannemen dat ze een doos goedkope wijn in ontvangst had genomen. Meer niet.

'Bedankt,' zei ze toen hij de doos op de vieze vloer neergooide. Ze kon zich beheersen, maar anders had ze die doos met haar handen opengescheurd. Ze wachtte tot de motor weg geraasd was en deed toen langzaam de deur op slot. Ze wist wat er in die doos zat. Geld. Trillend trok ze de dunne gordijntjes dicht en begon verwoed aan het plakband om de doos te pulken.

Kakelend van vreugde en ongeloof scheurde Bessie de doos open.

Ze keek erin en verslikte zich: er zat maar één dollarbiljet in. Haar ogen puilden hun kassen uit van woede. Dit was toch zeker een geintje!

Toen pas zag ze het papier dat in het deksel van de doos gestoken was. Bessie greep het vast en las het vol verbijstering.

> Er is $ 999.999 overgemaakt naar een rekening die op uw naam is gesteld. Nog eens $ 1.000.000 zal worden overgemaakt na de succesvolle afronding van de transactie. Daarna ontvangt u jaarlijks $ 1.000.000, op voorwaarde van eeuwige en absolute discretie. U zult zwijgen tot in het graf.

Er liep een rilling van haar nek tot haar tenen. Ze hoefden er toch niet zo sinister over te doen? Dachten ze soms dat zij niet te vertrouwen was? Ze was bepaald beledigd. Maar o, *god*! Ze was nu even rijk als Paul McCartney!

Er was geen opdracht om het papier 'na lezing te vernietigen' zoals je dat in spionagefilms altijd zag, maar trouwhartig als ze was, ging Bessie uit het raam hangen, stak een lucifer aan en keek naar hoe het bewijs verbrandde. Ze begreep wat er van haar werd verwacht, en ze zou zich nauwgezet van haar taken kwijten. Ze snikte het uit van blijdschap en opluchting, ging op haar bed liggen en aaide over haar buik. 'Ik heb gedaan wat het beste is voor ons allebei,' zei ze tegen de baby. Voor Sam en Marylou had ze een bijnaam gehad toen die nog in haar buik zaten. Sam was 'Boontje' en Marylou was 'Wiebelkontje'. Maar deze noemde ze niets. Dat was maar beter.

• • • • •

PRIVÉKLINIEK, LA, 20 AUGUSTUS 1984

Sofia

De baby krijste schril en Sofia was blij dat Frank niet zo'n vader was die graag bij de bevalling aanwezig wilde zijn. Sterker nog, hij zat in Macau, voor de officiële opening van Arnold Pings Good Fortune. Nou, dat was inderdaad 'good fortune', een mazzeltje.

Pas als Sofia die gladde gouden ring om haar vinger had, vertrouwde ze hem helemaal. Frank was, zoals hij zelf zei, een gemakkelijk type. Betekende dat dat hij haar gemakkelijk in de steek zou laten? Er kwam geen eind aan de stroom beeldschone vrouwen die zich aan zijn voeten wierpen. Sofia had een jaar eerder zijn dochter gebaard. Deze keer zou ze hem geven waar hij zo naar snakte: een jongen.

Sofia keek door halfgesloten ogen naar de vroedvrouw die het kind woog. Ze hoorde haar zachtjes kirren tegen het kind, en haar hart maakte een sprongetje. Sofia kneep haar ogen stijf dicht.

Frank wilde zijn fortuin in de familie houden. En Vegas was conservatief en seksistisch tot op het bot. Op zichzelf na zag Sofia geen enkele andere vrouw een gokimperium runnen. Misschien zou het over twintig jaar de gewoonste zaak van de wereld zijn, maar op dit moment was het ondenkbaar. En langetermijndenken was niets voor Frank.

Frank had een hele toestand gemaakt van de geboorte van zijn eerste kind: hij had een feest gegeven, een bedrag geschonken aan elke verpleegafdeling voor prematuurtjes in Clark County, en een trust fund opgericht op naam van Sofia's baby. Daar had hij vijf miljoen dollar in gestort, en hij maakte grapjes over de 'belastingvoordelen'. Voor Sofia had hij ook een rekening geopend. Hij zei dat zij zo haar oude appartement kon verkopen en iets groters voor zichzelf en Ariel aan kon schaffen, 'niet te dichtbij, maar ook niet te ver weg'.

Sofia had er waardering voor dat een man haar ruim tien miljoen gaf voor het genoegen om haar 'niet te dichtbij' te hebben, maar ze vond dat Frank niettemin de plank missloeg. Ze had al een heerlijk groot huis. Sofia wilde een woning waar status aan kleefde, en macht. En dat kreeg ze alleen voor elkaar als Frank met haar zou trouwen.

Ze waren al sinds februari verloofd, maar Frank wilde geen trouwdatum prikken. Dit gebrek aan actie, vond Sofia, zei veel meer over Franks gevoelens over meisjesbaby's dan al die feestjes, donaties en andere onzin. Zelf zou zij pas zeker zijn van haar positie als ze hem een zoon had gegeven.

Sofia nam een cocktail van pijnstillers aan van een verpleegkundige en slikte die met een vies gezicht door. Schoot die vroedvrouw maar op; dat mens liep te treuzelen. Ze kon zich een herhaling van het debacle met Luke Castillo niet veroorloven. Dit was het moment waarop ze haar man kon geven wat hij hebben wilde. Dat was bitter, en het ging haar niet in de kouwe kleren zitten. Maar het moest.

Met dit in gedachten, had Sofia nog geen nieuw huis gekocht, maar had ze het geld gebruikt om iets te kopen wat ze wel nodig had.

Ze keek geërgerd op toen ze zich realiseerde dat de vroedvrouw naast haar bed stond. Dat mens was geïnstrueerd, maar haar domme instincten hadden toch de overhand gekregen. Ze hield Sofia de baby voor zodat ze haar kon *knuffelen*!

'Zo maak je het alleen maar erger,' zei Sofia. 'Ik wil haar niet zien. Neem haar nu maar mee.'

•••••

PRIVÉKLINIEK, LA, DE VOLGENDE MORGEN, 21 AUGUSTUS 1984

Bessie

Ze drukte de baby tegen haar borst; die vocht en schreeuwde en haar krabde met piepkleine mollenhandjes. Ze ging in de donzen kussens liggen, deed haar ogen dicht en drukte op de bel voor de vroedvrouw.

'Ze wil niet drinken.'

'Ah,' zei de vroedvrouw, een kordate Australische. 'Je moet even geduld hebben. De baby moet het nog leren, en ze zal wel aangeven wanneer ze honger heeft. Dat noemen we voeden naar behoefte...'

'Ik wil haar liever de fles geven.'

'Maar, Bessie,' zei de vroedvrouw aarzelend, 'al die geweldige moedermelk is juist zo *perfect* voor je kindje. Flesvoeding is meer voor kalfjes.'

Toen ze Marylou had gebaard, eind jaren zeventig, werd flesvoeding beschouwd als manna voor baby's, en nu haalde deze vroedvrouw haar neus ervoor op!

'Ik wil slapen,' zei Bessie. 'Ik ben zo moe, en mijn hechtingen doen pijn. Kunt u haar meenemen naar de babyafdeling en haar daar een flesje geven, alstublieft?'

De vroedvrouw perste haar lippen op elkaar, maar deed wat haar werd opgedragen.

Het was wel raar. Ze had niet gedacht dat deze baby zo... *vreemd* zou lijken. Sam en Marylou zagen er precies zo uit als baby's er volgens haar uit hoorden te zien. Maar deze was anders. Ze had intens naar het gezichtje gestaard om te bepalen of ze er iets van Charles of Diana in zag... maar het was een doodgewone, nietszeggende baby.

Met een steek vroeg ze zich af of haar zoontje ook zo tekeerging, en zo schreeuwde tegen de borst van een of andere vrouw. Ze werd misselijk bij de gedachte en probeerde er niet meer aan te denken. Ze had een juiste beslissing genomen. Ze had een nobel offer gebracht, zodat haar kind zou opgroeien in de allerbeste omstandigheden – zodat *vier kinderen* zouden opgroeien in de allerbeste omstandigheden.

Sommige vrouwen hadden misschien geen bezwaar tegen armoede, en hun moederschap leed er niet onder, maar zij en haar kinderen hadden er wel degelijk onder geleden. Ze had een afstandelijke relatie met hen, omdat het te pijnlijk was om hen lief te hebben. Als ze het zichzelf toestond om te veel te houden van Sam en Marylou, zou ze zich nog van kant maken van ellende en spijt. Maar nu had ze alle kans om weer van hen te gaan houden. Ze zou zich niet meer slecht voelen of verdrietig. En wat het belangrijkste was, haar zoontje zou er toch nooit achter komen.

De ruil had snel en discreet plaatsgevonden. Ze was alweer per privéjet naar een kleine privékliniek gebracht op een niet nader genoemde locatie en daar was ze een operatiekamer in gerold waar ze een keizersnede onderging.

Toen ze opkeek vanuit haar gedrogeerde wattigheid, zag ze een krijsend rood wezen uit haar binnenste tevoorschijn komen met een enorme kop zwart haar. Toen werd de baby weggehaald om te worden 'gewogen en aangekleed'.

Ze raakte in paniek, want dit was het, en ze had de vroedvrouw gebeld en gevraagd of ze hem nog vijf minuutjes bij zich mocht hebben.

De vrouw had geaarzeld, maar had de baby toch gebracht en ze had Bessie met hem alleen gelaten. De tranen stroomden over haar wangen toen ze haar nieuwe Canon T70 uit haar tas had gepakt en met trillende handen een foto van hem had genomen. Toen had ze de camera snel weer teruggestopt en had ze hem gewiegd, heel zachtjes.

Een paar tellen later kwam de vroedvrouw weer binnen, pakte hem over, en weg was hij. Toen 'haar' baby weer terugkwam, een halfuur later, in een wit rompertje, had het fijne blonde haartjes.

Het leek een droom, en Bessie wist niet eens zeker of het allemaal wel echt was gebeurd. Ze voelde zich zweven, wezenloos van de heerlijke morfine, die ze zichzelf met de handpomp toediende. Wie was haar mysterieuze weldoener? Waarom was zij uitverkoren? *U zult zwijgen tot in het graf*, nou ja! Ze zou natuurlijk niet proberen om achter de identiteit van de andere vrouw te komen; dat zou gevaarlijk zijn en gestoord. Maar als ze nu over een jaar of tien toch nog nieuwsgierig was, dan zou ze op onderzoek gaan. Want dan kraaide er toch geen haan meer naar.

Zodra de blonde baby naar de babyzaal was gebracht, werd Bessie door een enorme golf verdriet overvallen. Om die te laten verdwijnen, vroeg ze de zuster om haar handtas.

Ze viste er een telefoonnummer uit en belde haar accountmanager bij de bank (ze kon het nog steeds niet geloven).

'Jazeker, mevrouw Edwards' – ze had het gevoel dat hij haar rustig Uwe Majesteit zou noemen – 'uw saldo is momenteel twee miljoen dollar, schitterend, niet?'

Ze had het gesprek beëindigd en was in lachen uitgebarsten. Toen, met opeengeklemde kaken vanwege de verbazend indringende pijn van de buikoperatie, greep ze naar een van de glanzende makelaarsgidsen die op de glanzende walnoothouten zijtafel naast een grote schaal met exotische vruchten lag.

Als ze moest genieten van de haar geboden kansen, moest ze wel geloven dat ze had gedaan wat het beste was voor haar baby – voor *al* haar kinderen. Er was geen ruimte voor twijfel of spijt. Het was tijd om die sentimentele gevoelens achter zich te laten, en om haar stralende nieuwe leven tegemoet te gaan.

• • • • •

EEN DURE BUITENWIJK VAN LAS VEGAS, DERTIEN JAAR LATER, 10 SEPTEMBER 1997, 19.00 UUR

Bessie

Zich mooi maken voor ze seks zou hebben met haar minnaar was Bessie's favoriete tijdsbesteding. Haar zoete fantasie was werkelijkheid geworden, dacht ze terwijl ze uit haar goud met zwarte onyx inloopdouche stapte, en op de maat van de muziek mee wiegde. Ze omhulde zich met een donzige, perzikkleurige handdoek en genoot van de streling langs haar huid.

Mariah's stem schalde vreugdevol uit de Bose-speakers die in alle hoeken van de kamer waren ingebouwd – en van de vele speciale aanpassingen in dit heerlijke huis. Vergeleken met dit huis was haar oude huis tegenover Sandra en Larry een hutje.

Bessie negeerde haar spiegelbeeld in de nepantieke spiegel die de hele muur besloeg (hij was verwarmd zodat hij niet kon beslaan – hoewel Bessie de draden door zou knippen als ze nog dikker werd, zodat het ding zou beslaan als ze haar bloes uittrok). Enfin, ze was aan de zware kant, maar ze had wel mooie rondingen. En nu ze het zich kon veroorloven regelmatig naar de schoonheidssalon te gaan voor gezichtsbehandelingen, manicures, massages en een nieuw kapsel, zag ze er tien jaar jonger en uiterst appetijtelijk uit.

Ze liep nog steeds te zingen toen ze door haar enorme slaapkamer danste op weg naar haar walk-in closet. Elke dag genoot ze van de luxe om zich heen – *elke dag.* Ze was dol op de gigantische openslaande deuren die het licht opzogen, van het elegante houtsnijwerk op de trapleuningen, de fraaie lichtjes die op enkelhoogte langs de traptreden waren ingebouwd, zodat de trap zacht verlicht werd als je 's avond nog wat water wilde drinken (of iets anders) en je niet de felle lichten aan hoefde te doen waar je hoofd van ging bonzen.

Bessie vond het heerlijk dat ze een gecapitonneerde hangmat had op haar met rozen overgroeide balkon en dat ze vanuit die hangmat uitzicht had op Red Rock en de eindeloze woestijnlucht. Hun achtertuin, zoals Hank het bleef noemen, was opzichtig groot, met een langgerekt verwarmd zwembad in de vorm van een viool, en een pagode die bedolven was onder de orchideeën en gele afrikaantjes, en een gigantische barbecue. Het gras was van plastic. Ze hadden uiteraard tuinmannen, maar toch was het traditie dat je op zondag zelf je gras maaide, en Hank had gezegd: 'M'n reet, met dat maaien.'

Ze ging ervan uit dat ze aan Hank vastzat. Het voortbestaan van haar huwelijk was een van de voorwaarden in de overeenkomst geweest, en ze begreep ook wel waarom. God verhoede dat hij een nieuwsgierige advocaat in de arm nam die haar financiën zou uitpluizen. Toch was hun relatie momenteel best te verdragen: het huis was zo enorm dat ze elkaar nauwelijks zagen.

Hun buren in de door hekken omgeven buitenwijk waren hoffelijk maar gereserveerd; Bessie vond het heerlijk. Miljonairs hielden van privacy; alleen de arme en onzekere lagere klassen vonden het nodig om elkaar te bespioneren en over elkaar te roddelen. Ze kon dat niet uitstaan en voelde zich ver boven dat soort mensen verheven. Ook al was Casey nu dertien en zat ze op Meadows, ze hield zich nog steeds niet op met de andere moeders. Ze had een hekel aan hun nieuwsgierigheid.

De nanny was een zegen. Bessie had geen geduld met al dat gezeur over hoe ongelukkig kinderen zijn als hun moeder werkt. Het was fantastisch voor haar kinderen dat hun moeder werkte. Het hield in dat als ze niet op school zaten, ze werden verzorgd door een vrolijke jonge vrouw die bakken vol energie had, en die met hen kon praten over wat hen maar bezighield (computerspelletjes, nam Bessie aan).

Het was verleidelijk om de nanny te laten inwonen, maar ze had het niet gedaan, ook al was er een tuinhuis. Marylou was inmiddels twintig en studeerde rechten aan Berkeley. En Sam was een boom van een achttienjarige, dus de nanny was er voornamelijk voor Casey. Casey had het heerlijk gevonden, maar Bessie zou zich niet op haar gemak voelen als ze met de nanny onder één dak sliep. Het meisje had toch altijd al zo'n intens keurige blik en ze nam Casey snel mee de kamer uit als Bessie en Hank weer eens ruzie hadden. Bessie had liever geen pottenkijkers.

Bessie liet haar vinger langs de met plastic bedekte regenboog aan outfits glijden; dat was een idee dat ze uit *Vogue* had gehaald, en ze vond het geweldig. Haar dienstmeid had het geregeld. Het probleem was alleen dat alles zo gekrompen was bij de stomerij. Bessie ging nooit meer op de weegschaal staan: die was duidelijk kapot. Dat, of de beschermengel op haar schouders was veel te zwaar. Het kon niet zo zijn dat *dat* haar werkelijke gewicht was. *Zo veel* at ze toch zeker niet.

Maar als je een kok had die crêpes Suzettes maakte voor het ontbijt en baba au rhum met frambozen en druiven en slagroom, was het toch zeker misdadig om naar de crackers met hüttenkäse te grijpen? In de hitte van Nevada was het ongemakkelijk om niet broodmager te zijn, maar ja, Hank was dun, en als je die vasthad was het net of je het met een kleerhanger deed. Charlie, daarentegen... *mmm*.

Bessie vond het super als een plan leek te werken – en haar plan met Charlie had gewerkt. Zodra ze aan haar nieuwe luxeleventje gewend was, had ze hem gewoon gebeld en gevraagd of hij een baantje had voor een parttime juridisch secretaresse. Hij had haar die dag nog aangenomen. En de volgende dag waren ze geliefden geworden. Jeetje, dat was nu alweer *dertien* jaar geleden. Zij had Hank en haar kinderen gered; ze vond dat ze wel een beloninkje verdiende. En Charlie bezwoer haar dat zijn huwelijk op zijn dooie gat lag, ook al bleef dat dikke mens van hem zitten waar ze zat.

Charlie vond haar lekker als ze mollig was, en in de tussentijd bereidde haar kok kreeft Benedict, dus met eieren en een hollandaisesaus, en die kreeft smolt gewoon in je mond, en ja, eieren zijn natuurlijk altijd een goed begin van de dag. Kokkie grapte altijd: 'Een ei valt niet te kloppen!'

Maar het mooie van kokkie was dat je haar bijna nooit zag, en als ze er was, ging ze altijd schuil achter een torenhoge stapel pannenkoekjes. Ze was niet in Bessie geïnteresseerd behalve als klapvee voor haar culinaire talenten. Kokkie wist niet wat het woord 'schrokop' betekende. Wat haar betrof was een gezonde eetlust een uitstekende eigenschap. Mensen die niet aten tot ze erbij neervielen vond ze geen knip voor de neus waard.

Kokkie vond het heerlijk om chocoladecakejes te bakken waarvan de kern nog vloeibaar was; ze maakte zoetzuur varkensvlees dat danste op je tong; ze kookte Lancashire hotpot, pompoenrisotto, tarte tatin met ananas, hartige kippenpastei, gehaktbrood met paddenstoelensaus, cornedbeef, rösti van aardappel en paprika, worstenbroodjes; ze maakte kokosroomtaart met banaan; ze maakte zelfs in bananenblad gestoomde viscurry, en gefrituurde spareribs met rode peper en citroengras. Ze kookte recepten van over de hele wereld, en Bessie was zo ongeveer verliefd op haar.

Maar potdomme, haar Chanel-rokje zat wel erg krap. Ze deed haar ogen dicht en rukte aan de rits. Die bleef dicht; dat heb je met kwaliteitskleding. Het was te warm voor kousen, maar Charlie zag haar zo graag met jarretelles. Ze droeg haar mooiste slipje, maar het was nauwelijks te verhullen dat haar beha het zwaar had. Het kant en de kleine pareltjes konden die brede schouderbanden niet verbloemen. Volgens Hank had ze een dikke hangkont, maar een flinke vent als Charlie waardeerde een vrouw die zich niet uithongerde tot ze zo mager als een lat was.

Ze keek op haar horloge (vandaag was dat een met diamanten bezette witgouden creatie van Harry Winston). Ze moest opschieten; Hank kwam over een halfuur thuis. Ze vond het makkelijk om te liegen via de nanny: 'Nicola, ik ga nu naar kantoor, want er is een zaak waar ik nog aan moet werken. Het moet morgen af, dus het wordt waarschijnlijk doorhalen vannacht.' Ze giechelde terwijl ze voor haar witte kaptafel ging zitten om haar vuurrode Christian Dior-lippenstift op te brengen, en ze dacht aan wat het inhield, een nachtje doorhalen met Charlie.

Behoedzaam liep Bessie de brede trap af. Hij was bekleed met pauwblauwe vloerbedekking met een gouden rand. Sam en Casey speelden in het zwembad; de opzichtig gekleurde plastic luchtbedden gaven het zwembad een rommelige aanblik.

Bessie bleef even staan en staarde naar hen vanuit haar veilige plek in de zitkamer. Casey had iets gemeens over zich. Marylou was altijd heel direct in haar ondankbaarheid. Marylou had duidelijk gemaakt dat ze niet kon wachten om het huis uit te gaan. Bessie vreesde dat dat kwam doordat haar dochter haar ouders bewust had meegemaakt op hun dieptepunt en dat dat haar had gevormd. De schade die hun relatie had opgelopen was onherstelbaar. Sam was haar lievelingetje – haar enige zoon. Ach, het stak, telkens als ze daaraan dacht. Maar ze dacht er niet vaak aan.

Casey sprong van de duikplank en zag haar moeder staan – het kind stak haar tong uit voor ze in het water dook.

'Rotkind,' mompelde Bessie en ze draaide zich verontwaardigd om.

Toen ze weg zoefde in haar zwarte Range Rover – niet echt iets waar mensen warm voor liepen, maar toch altijd beter dan een niet-Amerikaanse kleine auto – zag ze een glimp van haar mans Mercedes in de achteruitkijkspiegel. Ze sloeg snel een hoek om, ook al kon het haar niet schelen als hij haar ook had gezien. Zij ging naar kantoor, dus wat kon hij doen? Hij was goed terechtgekomen; ze hadden hun luxeleventje helemaal aan haar te danken. De periode op de camping was een zwarte smet op hun verleden; in gedachten ontkende ze dat het ooit echt was gebeurd.

Ze had een klein elektronisch apparaatje in haar tas waarmee ze Charlie's poort open kon doen. Ze reed direct door naar de ondergrondse garage. Zelf had ze er ook zo eentje, alleen die van haar had een op afstand bedienbaar draaiplateau waardoor je wagen werd omgedraaid zodat je niet zo moeilijk hoefde te doen met keren. Ze was niet zo goed in keren.

Charlie liep de garage in en deed de deur voor haar open. Ze keerde zich om in haar stoel met schitterende ogen. Hij wachtte niet eens tot ze de auto uit was. Ze gleden naar elkaar toe, dringend, volkomen bereid. Het was snel en ruw en ze gilde het uit van genot; ze vond het heerlijk dat hij zo zwaar was; hij was een forse man, met veel vleselijke behoeften.

Na afloop zaten ze samen koket te giebelen in bad. Er waren regels binnen hun relatie: ze spraken maar één keer in de maand af, als zijn vrouw naar Miami vloog om bij haar zus op bezoek te gaan; en op kantoor gedroegen ze zich keurig. Ervan afgezien dat ze veel werk verstouwden, werd hij daar gek van. Voor een deel strafte ze hem er op deze manier voor dat hij getrouwd bleef. Hij beweerde dat ze apart sliepen, maar in het begin had Bessie de pantoffels van zijn vrouw aan haar kant van het bed zien staan. Daar had ze niets over gezegd tegen Charlie; op dat moment was ze toch al te ver heen.

Na het bad aten ze een heerlijk maal uit de keuken van Caesar's: ze sloegen champagne achterover en pulkten van het roze kreeftenvlees met vettige vingers van de gesmolten boter. Het toetje was romig en zoet; de karamel en gesmolten chocolade spoten eruit. Ze aten heerlijk maar hun gulzigheid werd ingeperkt doordat ze half boven op elkaar lagen. Ze zaten aan een tafeltje waarbij hun knieën elkaar raakten en terwijl ze koffiedronken en hun bonbonnetjes oppeuzelden, liet hij zijn handen de vrije loop.

'Je haar glanst zo mooi,' verzuchtte hij. 'En het ruikt naar een frisse weide. Trouwens, toen ik vanochtend naar het werk reed, zag ik een vrouw bij het stoplicht en ik zweer dat die haar staart bij elkaar had gebonden met een *onderbroek*!'

Charlie had veel waardering voor haar, omdat ze zo haar best deed. Soms zou ze hem best de waarheid willen vertellen. Ze wilde hem een oude foto laten zien van zichzelf in een goedkope korte broek en een gescheurd T-shirt, op teenslippers, en met haar als stro en het hoofd van een vrouw van duizend jaar oud. Die foto was nog gemaakt in Angel, toen ze zo arm was als een kerkrat. Dan zou ze hem willen vragen: 'Zo was ik eerst. Hou je nu nog steeds van me?'

Maar ze was bang dat ze het antwoord op die vraag al wist, dus stelde ze hem niet. Charlie hield van de goede dingen des levens. Hij was een snob. In alle negenenveertig jaren van zijn leven was hij altijd in goeden doen geweest en hij had een beperkt begrip voor mensen bij wie het allemaal minder van een leien dakje ging. Was het niet zo dat iedere vrouw zich elke ochtend bezighield met de vraag wat voor fraai lintje ze in haar haar zou doen, en zich mooi te maken voor de heren?

'Je bent toch zo *knap*,' zuchtte ze als een puber. Ze bedreven de liefde op het tapijt in de eetkamer en liepen toen op hun tenen naar het bed. Hand in hand. Ze doezelde heerlijk weg en genoot van Charlie's armen om haar heen en van haar eigen zacht pulserende lijf. Het was dwaas van haar zichzelf te kwellen met de droefenis uit het verleden. Haar heden was perfect en dat kon niemand haar nog afnemen.

•••••

THE MEDICI, DIEZELFDE AVOND, 21.00 UUR

Casey

Zelfs voor haar vader beroemd werd om een afschuwelijke reden, had Casey Edwards besloten dat het wel zo veilig was om op het huis te wedden. Je zag zo wie al het geld opstreek. The Medici was zo gruwelijk mooi; en papa zag er verschrikkelijk uit.

En Luke Castillo, de baas van The Medici, was, zeg maar: *wow*. Ze stond in de receptie met haar schooltas tegen zich aan geklemd en ze deed haar best zich niet te vergapen. Hij was heel oud, wel veertig of vijftig, maar hij was *supercool*.

Ze zou wel willen dat Luke haar vader was. Hij droeg een crèmekleurig pak met een zwart overhemd en hij kreeg dingen voor elkaar. Zijn haar was glimmend en bruin en hij had grote bruine ogen, net een puppy. Hij was een beetje dik, maar bruin en hij rook naar parfum, maar niet te veel. Hij glimlachte de hele tijd, en dan zag je zijn witte tanden. Ze nam aan dat hij ook een boel te glimlachen had. Hij was geen aardige man, maar aardig kon Casey niets schelen. Luke was goed in zijn vak en hij had macht. Dat was genoeg. Hij droeg een groot gouden horloge, waar ze haar ogen bijna niet van af kon houden. Het straalde licht uit, alsof de zon er altijd op stond.

En toch, ondanks haar fascinatie voor Luke, zou ze hier liever niet willen zijn. Het was negen uur op een woensdagavond.

Ze had een opdracht voor Engels die ze de volgende dag moest inleveren. Ze moest een verhaal schrijven dat begon met de woorden: 'Ik had die doos nooit moeten openen.'

Haar moeder was weg, naar het advocatenkantoor. Ze hadden een belangrijke zaak, had mama tegen nanny Nicola gezegd. Ze zou misschien de hele nacht moeten doorwerken. Toen Nicola die boodschap doorgaf aan pa, zag Casey meteen aan zijn gezicht – half boos, half blij – dat zij samen stiekem naar The Medici zouden gaan.

Pa ging wel vaker stiekem naar The Medici, het enige casino waar hij nog mocht spelen, vanwege zijn slechte kredietgeschiedenis. Het afgelopen jaar was hij een paar keer per maand gegaan. Hij nam Casey altijd mee, omdat Nicola om acht uur klaar was, en Sam te veel met zijn eigen dingen bezig was; dus aan hem kon je haar niet overlaten. Als mama er ooit achter zou komen, zou ze gek worden. Dus hield Casey haar mond.

Mama was juridisch secretaresse, en dat vond papa superirritant. Hij vond dat ze het geld helemaal niet nodig hadden. Haar ouders gaven hun geld (dat wist Casey, want dat had mama verteld). En Hank verdiende meer dan genoeg als wijnhandelaar om zijn gezin van vijf mensen een goed leven te kunnen bieden (dat wist Casey, want dat had papa verteld). Bovendien vermoedde Hank dat zijn vrouw en de advocaat verliefd waren op elkaar (dat wist Casey, ook al zei niemand daar iets over).

Casey staarde naar haar smetteloze witte sneakers terwijl Luke haar vaders hand schudde en hem zo'n beetje bij de schouder schudde. Ze durfde niet naar haar vader te kijken. Ze kon het niet uitstaan hoe hij deed als Luke in de buurt was: onderdanig, hoopvol. Misschien had Luke het niet door.

Luke was beleefd tegen haar vader. Ze wist dat Hank daar kwam om in de watten gelegd te worden. Het was een groot compliment als Luke naar jou toe kwam, als gast: dan dachten de andere gasten dat je een belangrijke speler was. Maar Casey wist dat Luke kwam omdat Hank geld had verloren in het casino. Hanks pakken waren gekreukt en zijn horloge was gouddoublé. Mama had wel een mooi horloge voor hem gekocht, maar dat had hij weer doorverkocht om een schuld mee af te betalen.

'Hé, liefje,' zei Luke en hij gaf Casey een knipoog. 'Ik mag hopen dat je je zwempak bij je hebt!'

Met een ongeïnteresseerde stem, tenminste, dat hoopte Casey, antwoordde ze: 'Ja, ik heb mijn zwempak bij me. En mijn huiswerk.'

Luke knikte alsof dat de gewoonste zaak van de wereld was, en hij kneep in haar wang. Haar huid brandde bij zijn aanraking. 'Wat een lekker koppie! Zeg, lieverd, als je iets nodig hebt, Nancy regelt het voor je. Hotdog, een hamburger, frietjes, ijs – je zegt het maar en zij haalt het voor je. Laat je maar lekker verwennen!'

Casey knikte koeltjes en beende weg naar het zwembad. Ze keek achterom en haar hart deed *beng* van schrik. Luke en haar vader stonden te praten, maar op zo'n zachte, sissende manier zoals grote mensen altijd doen als ze heel kwaad op elkaar waren. Ze liet haar tas vallen en probeerde mee te luisteren terwijl ze op de marmeren vloer haar pennen en potloden bij elkaar graaide. Ze was nog best dichtbij, maar de valse vrolijkheid van de fruitmachines die een miezerig beetje geld uitkeerden maakte dat heel moeilijk. Het was alleen omdat Casey zo bang was voor bepaalde woorden dat ze die juist kon verstaan: *lening tegen huis... schuld... een komma vijf... gevangenis... geruïneerd... snel... mooi zo.*

Casey schoof de linialen, pennen en notitieblokken in haar schooltas en holde naar de uitgang; ze wilde al die woorden uit haar geheugen wissen.

Nancy was haar lievelingsserveerster. Ze had grijs haar maar ze was heel vrolijk en ze kon heel slecht rekenen. Dat wist Casey omdat ze vorige week haar werk bij het zwembad, het uitdelen van blauw met wit gestreepte handdoeken, had gestaakt om Casey met haar huiswerk te helpen en toen had Casey een onvoldoende gehaald.

Casey liep de klapdeuren door en haalde diep adem terwijl de hitte haar in het gezicht sloeg. Ze lag op een zonnebed en negeerde de starende blikken van de oudere clientèle (iedereen dus) terwijl ze haar T-shirt uittrok en haar ogen dichtdeed. Nancy bracht haar een glaasje chocolademelk. 'Zo, liefje, en zal ik even naar de keuken gaan voor een hamburger met extra augurk?'

'Graag,' zei Casey. 'Dank je.'

Nancy zorgde er altijd voor dat Casey genoeg te eten en te drinken kreeg, want toen ze dat een keertje niet deed, bestelde Casey meteen een dubbele whisky met cola bij een nieuwe ober. Een leuke jongen, maar nogal ranzig; hij had tegen Casey gezegd dat hij daar wel iets voor terug moest hebben. Hij had haar ingefluisterd dat ze elkaar op het dak zouden ontmoeten. Casey vond het doodeng en zat schaapachtig te giebelen. Toen was Nancy met een strenge blik bij haar komen staan en had de waarheid uit haar geperst. Ze had de ober op staande voet ontslagen. Tegen Casey zei ze: 'Lieverd, als iemand meneer Castillo in de problemen brengt is dat niet verstandig.'

Het was niet eerlijk.

Niemand mocht Luke in de problemen brengen, maar Luke mocht haar vader wel in de problemen brengen. O, god, o, god, wat had hij nou gedaan? Hoeveel schuld had hij? Ze wilde dat het anders was, maar ze wist dat het nooit zou veranderen: Casey was geen gokker. Twintig dollar was een heleboel geld. Daar kon je tijdschriften van kopen, lippenstift, Pepsi Light en kauwgom. Ze mocht niet weten hoeveel haar vader stuksloeg aan de baccarattafel en bij andere spelletjes, maar ze had wel zo'n vermoeden.

Ze zag het aan zijn gezicht; dat zakte elke keer wat verder naar beneden, van woede, hebzucht, ongeloof, angst. Casey kon het idee niet verwerken dat haar vader er op een slechte avond vijftigduizend dollar door kon jagen. Dat was vies veel geld. Kon hij net zo goed naar de bank gaan, al dat geld in een grote plastic zak laten stoppen en die leegschudden in het riool. En nu leek hij zo veel te hebben verloren dat er geen uitvlucht meer was.

Terwijl Casey haar chocolademelk door een roze rietje opzoog, zag ze hoe haar handen trilden. Ze haatte het om geld te verliezen, al was het maar een cent. Buitenstaanders dachten dat de familie Edwards rijk was. En dat waren ze ook, *vandaag*. Vandaag woonden ze in een prachtig huis met witte zuilen en zes slaapkamers en een zwembad, en palmbomen en een mooi park rondom.

Maar morgen? In tegenstelling tot Annie uit de musical geloofde Casey niet dat de zon morgen weer zou schijnen. Ze was doodsbang voor morgen, vanwege de mogelijke gruwelijke gebeurtenissen.

Toen haar grote zus Marylou haar had verteld dat ze twee jaar lang in een stacaravan hadden gewoond, vlak voordat Casey werd geboren, kon ze dat eerst niet geloven.

Maar haar grote broer Sam zei het ook. 'Het was cool,' zei hij dromerig. 'Er stond een stel stacaravans om een cafetaria en een pompstation heen. We speelden in het zand. Soms kregen we taco's of kip van een van de vrachtwagenchauffeurs, als die daar bleef staan om te koken. De tv deed het daar niet, maar je zou het toch niet kunnen horen, want de luchtmacht oefende er met jets. Dan keken wij naar de lucht – dat was gaaf. Je kon elke vallende ster zien, en alle sterrenstelsels.'

'We hadden niets,' zei Marylou bits.

'Maar doordat je niets had, was alles wat je wel had zo speciaal,' zei Sam.

'Het was een drama,' zei Marylou. 'Mama kon nog geen jurk voor me kopen.'

Sam was een slome wietroker. Casey leek meer op haar zusje, ook al zag ze die tegenwoordig nooit meer. Niets hebben was haar grootste angst, hoeveel vallende sterren of sterrenstelsels daar ook tegenover stonden.

Casey had nooit aan haar ouders durven vragen waarom ze ooit in een stacaravan hadden gewoond. Papa en mama waren niet zo sterk, emotioneel gezien. Casey hoefde het ook niet te vragen, trouwens: het lag voor de hand. Ze wist dat haar ouders vlak na hun trouwen in een mooi, groot huis in een keurige buitenwijk hadden gewoond. Een huis met vier slaapkamers, vier badkamers, een dubbele garage en een zwembad. Tuurlijk: haar moeder zou nooit met een arme kerel getrouwd zijn. Maar omdat Hank een gokker was, eindigde ze wel met een arme kerel.

Casey deed haar werkboek open, klapte het weer dicht en stond op. 'Ik ga naar het toilet,' mimede ze naar Nancy, die, ook al stond ze aan de overkant van het zwembad, om kwam lopen zodra Nancy overeind was. Nancy leek haar bewegingen te voelen als de radar van een oorlogsschip.

Casey sloop het casino weer in. Haar vader had haar gezegd, op straffe van standrechtelijke executie – of in elk geval een pak slaag, dat daar dicht in de buurt kwam – dat ze nooit het casino in mocht. *Fuck him.* Wat haar betrof was hij geestelijk niet in staat om haar te commanderen, en Luke Castillo kon ook de pot op. Net goed, als ze meneer Castillo in de problemen bracht. Hij bracht *haar* in de problemen, want door hem was ze nu niet in staat haar huiswerk te doen.

De high limit room van The Medici was niet meer dan een ruimte die wat hoger lag dan de rest, waar gemakkelijker stoelen stonden dan in het gewone deel van het casino, en wat extra planten. Casey ging tussen een hoge plant en de gouden lambrisering staan. Ze zag haar vader in zijn eentje aan een tafeltje zitten wenken naar de dealer. Ze kon zijn gezicht niet zien, maar zijn voeten wel. Hij wreef de ene schoen snel tegen de andere. Ze hoorde het piepen, en ze voelde zich ineens helemaal moedeloos worden.

Loop nou maar weg, zei ze in gedachten tegen hem, maar het had geen enkele zin. Hij begreep toch niet hoe het werkte. *Zij* wel, en zij was pas dertien! Het geld dat hij had verloren was *weg*. Hij had net zo goed een zak geld in Lake Mead kunnen kieperen. En toch hoopte hij het nog terug te winnen.

Terugwinnen was onmogelijk; het enige wat erop zat was nieuw geld halen – door dat eerst te verdienen met werken. Maar Hank wilde per se het verloren geld terugverdienen aan de baccarattafel. Hij raakte in paniek, verloor zijn realiteitszin. Hij bleef maar geloven in het geluk. Als hij vanavond verloor, en zij wist dat hij zou verliezen, dan zouden ze geen huis meer hebben.

Als je dan toch wilt gokken, speel dan tenminste niet blackjack, dacht ze; dan heb je tenminste nog een schijn van kans. Ze keek verstijfd van ontzetting toe terwijl een lelijke serveerster een glas wodka op tafel zette dat haar vader in één kwaaie teug leegde.

Hoe kon het dat zij instinctief alle trucjes wist, en hij geen idee had? Haar vader was import. Casey was geboren en getogen in Vegas. Toen Casey vier was en Sam acht, zaten ze in de auto op de Strip en wees hij naar een voorbijrijdende vrachtwagen; op de vrachtwagen hing een billboard met een levensgrote foto van een vrijwel naakte vrouw, met een telefoonnummer erbij. 'Ze is in haar *nakie*,' zei Sam. 'Ha ha, ik kan haar tieten zien!'

Casey had vermoeid geantwoord: 'Natuurlijk is ze in haar nakie, Sam. Dat is een stripper, dat is haar *werk*!'

Nu stond ze te huiveren op haar spionnenpost. Het was hier koud. En er waren geen ramen; het zou evengoed twaalf uur 's middags als twaalf uur 's nachts kunnen zijn. Ze geeuwde. Angst was vermoeiend.

Toen ze haar ogen opendeed was haar eerste emotie de verbazing dat ze in slaap was gevallen in zo'n oncomfortabele hurkpositie. Jemig, hoe laat was het? Twee uur 's nachts. Gekkenwerk.

Haar benen voelden alsof ze van steen waren en toen ze wilde verzitten, deed dat pijn. Haar hoofd was vol lawaai – o nee, dat was *buiten* – recht voor haar: papa sprong op van de tafel. Zijn stoppelbaard was bijna een echte baard en had een akelige grijze kleur. Zijn das zat scheef, en zijn haar stond rechtovereind, stijf van het vet doordat hij er duizend keer met zijn hand doorheen was gegaan.

Maar het geluid dat uit zijn mond kwam was dat van pure vreugde.

'Yes! Godsamme. Yes!'

Hij stompte in de lucht als een schooljongen, en zijn gezicht was verwrongen van de rauwe triomf.

Casey ging stomverbaasd rechtop zitten. Niet te geloven. Hij had *gewonnen*!

De toekomst stormde op haar af, met blozende wangen en vol vreugde. Ze zag hun gezin, haar vader en moeder, met hun armen om elkaar heen, welvarend en gezegend, met gezonde kinderen en een luxehuis. Ze zag haar vader de kalkoen aansnijden met Thanksgiving, en haar moeder complimentjes maken voor zo'n feestmaal, en Casey, Sam en Marylou die lief voor elkaar waren en grapjes maakten en niet meer afstandelijk deden omdat ze niets met elkaar gemeen hadden. Ze zou haar naam veranderen van Casey in Sunshine. Want zonneschijn was het mooiste van de hele wereld, even kostbaar en schitterend als het gouden horloge van Luke Castillo.

In een waas zag ze hoe Luke's general manager aan kwam lopen: Ted. Ted was haar vaders gastheer, hoewel hij nooit veel meer deed dan hem een klap op de schouders geven als hij binnenkwam. Als haar vader mazzel had, bestelde die vent een portie spareribs voor hem zonder dat hij erom hoefde te vragen. Om een duistere reden leek haar vader bang voor Ted, ook al was het Teds taak om *hem* te dienen.

Ted sloeg met zijn harige hand op Hanks schouder. Er ging iets dreigends vanuit, of was het alleen vaderlijk bedoeld? Hoe dan ook, het gaf aan dat The Medici de koning was en Hank de dienaar, als hij al niet de slaaf was.

Hier was het in elk geval stiller dan in het gedeelte voor het grote publiek; zo kon ze beter verstaan wat er gezegd werd. 'Tuurlijk, Hank,' zei Ted met zijn knarsende stem die altijd even vlak klonk. 'We schrijven een cheque voor je uit van een half miljoen. Ga jij maar lekker naar huis en wapper er maar flink mee; laat maar aan je vrouwtje zien dat je dik hebt gewonnen. Maar daarna zou ik maar maken dat je terugkomt om je schuld te betalen: *twee miljoen*, Hank. *Twee miljoen*. Je bent ons een boel centjes verschuldigd, en meneer Castillo wordt ongeduldig.'

Casey voelde alle blijdschap in één klap uit zich stromen. Ze zakte op de grond. Ze huilde niet. Daar zag ze nooit het nut van in. Ze vond huilen een raar mechanisme binnen het menselijk lichaam dat je naar believen in kon schakelen. *Anderhalf miljoen.* Haar knieën voelden vloeibaar bij de gedachte.

In elk geval zou haar vader zijn vuisten vanavond niet gebruiken.

Ze stond op en liep op hem af. Hank knikte verdwaasd, alsof ze een vage kennis was die hij hooguit twee keer had ontmoet. De parkeerwacht regelde een taxi en ze reden met hoge snelheid naar huis.

Haar vader was nog dronken. Hij wapperde met de cheque voor haar gezicht en zei met een dubbele tong: 'Vijfhonderd ruggen, dat is geen mazzel, dat is kunde!'

Casey knikte vaagjes en staarde uit het raam naar de nachtelijke hemel. Ze kon maar beter vast wennen aan de sterrenstelsels en vallende sterren.

•••••

CHARLIE'S HUIS, 11 SEPTEMBER 1997, VROEG IN DE OCHTEND

Bessie

Bessie werd verward wakker. Er klonk een hard, dissonant gekraak; een steen die tegen een ruit werd gegooid. En er klonk geschreeuw, schel en schurend. Zelfs nog voor haar wattige brein had ontcijferd wie de eigenaar van die stem was, had haar instinct het al in de gaten. Ze greep Charlie vast, die zich boos losschudde uit haar greep en vloekend naar het raam liep.

Ze trok de perzikkleurige zijden peignoir aan, zijn cadeautje van deze maand, en haastte zich al struikelend over haar uitgeschopte schoenen naar het raam. Ze verschool zich achter de gordijnen terwijl het harde, beestachtige geschreeuw van haar man de nacht verscheurde.

'Ik weet waar jij zit, vuile slet!' schreeuwde Hank terwijl hij nog een steen naar het raam slingerde.

'O, mijn god!' fluisterde ze. 'O, mijn god, hoe weet hij dat nou? Hoe is hij hierachter gekomen?' Haar hart bonkte van angst, maar al snel overheerste de woede. Hoe *durfde* hij, na alles wat zij voor hem had gedaan?

Charlie deed het raam open en droeg Hank rustig op dat hij weg moest gaan. 'Je stoort mij, mijn buren en mijn vrouw,' zei hij op zijn gladde, autoritaire toon. 'En je hebt mijn raam vernield. Niet alleen kom je met belachelijke valse beschuldigingen, je bent ook nog dronken en je zou helemaal geen auto mogen besturen. Heb je een kind bij je in de auto? Ik zou eigenlijk de politie moeten bellen, want die hebben keus te over wat betreft redenen om jou aan te houden.'

Bessie liet zijn woorden over haar heen komen. Ze tilde een klein hoekje van het gordijn op en gluurde naar buiten. Hank had Casey bij zich, voor in de auto. Het kind had een koptelefoon op en zat ongetwijfeld te luisteren naar Madonna op oorbeschadigend volume. Shit. Hoe laat was het dan? Bessie keek op de wekker: tien over halfvier!

Ze sloot haar ogen. Wat een nachtmerrie. Ze was achteloos geweest, dat wist ze wel. Te zelfingenomen. Natuurlijk had Hank door dat ze het met Charlie deed. Ze liet zijn naam steeds vallen. En ze douchte de laatste tijd niet na hun ontmoetingen, omdat ze zijn geur op haar huid zo lekker vond. Het was haar manier om Hank te tonen hoezeer ze hem verachtte, zonder er woorden aan vuil te hoeven maken. Maar nu Charlie zo onaangedaan en hooghartig deed zou Hank wel met zijn staart tussen de benen verdwijnen. Dan zouden ze de volgende dag doen of ze het allemaal maar hadden gedroomd.

'Kom naar buiten, slet!' gilde Hank terwijl zij ineenkromp achter de gordijnen. 'Ik weet dat jij daar bent, en ik zal je nog wat anders zeggen. Dit kind hier is niet van mij!'

Bessie voelde haar hele lijf verkrampen van ontzetting: hoe had ze ooit zo stom kunnen zijn? Pas nu drongen de mogelijke consequenties van haar roekeloosheid tot haar door. Ze was oerstom, en zij had Hank zelf op deze gruwelijke vermoedens gebracht.

'Hou je koest en ga naar huis,' riep Charlie grommend, maar Hank was niet meer aanspreekbaar.

'Ik ga een fucking vaderschapstest laten doen. Ik ga haar spuug en mijn spuug door een laboratorium laten testen en als blijkt dat er "geen match" is sleep ik je voor de rechter wegens geestelijke mishandeling en dan heb je straks geen huis meer!'

Bessie's hoofd liep over. Ze voelde zich duizelig en misselijk. Ze greep het gordijn en de kamer werd zwart.

Een paar minuten later kwam ze naar adem snakkend bij. Iemand had een glas ijswater in haar gezicht gegooid!

Ze staarde verward naar Charlie. Zijn gezicht stond op storm. Hij had water over haar heen gegooid, alsof ze een dolle hond was!

'Het spijt me,' stamelde ze. 'Ik heb een lage bloeddruk. Onder stress val ik soms flauw.' Ze krabbelde overeind, en zwalkte naar het raam.

'Ik heb je man weten te overtuigen dat hij naar huis moest gaan,' zei Charlie.

Ze durfde hem niet meer aan te kijken. Hij zat op het bed, met zijn hoofd in zijn handen. Hij was stijf van woede.

Het paradijs was verloren.

Ze kon niet geloven wat haar man allemaal kapot had gemaakt. Zwijgend van afschuw trok ze haar kleren aan. Toen ging ze aan de keukentafel zitten en staarde uit het raam naar het begin van een nieuwe dag. Charlie bleef boven. Om zeven uur vertrok ze stilletjes en reed naar haar sportschool. Daar bleef ze tot tien uur in de sapjesbar zitten en deed net of ze de krant las, zich half verslikkend in haar cappuccino. Toen belde ze de nanny, om te checken of Hank naar zijn werk was.

Ze meldde zich ziek – dat zou Charlie wel begrijpen – en ging terug naar haar prachtige huis, haar enige troost in het leven, en holde naar boven, naar bed. Ze rommelde wat in haar kast, en haalde een fles wodka tevoorschijn. Ze trok de dop eraf en zette de fles aan haar mond. Ze was in shock. Ze barstte in huilen uit tot de tranen abrupt opdroogden, waarna ze begon te vloeken en te tieren. Wat moest ze *doen*?

Ze keek naar de kast boven het plasmascherm. Daar stonden op het oog alleen maar schoenen, zodat Hank er nooit zou rondsnuffelen. Maar achter de schoenen was een gesloten kluis met een combinatieslot. En in die kluis lag een telefoonnummer. Ze mocht het nummer alleen bellen in geval van nood. Bessie wist zeker dat *dit* een noodgeval was. Ze wilde net de telefoon pakken, toen er zachtjes op de deur werd geklopt. Bessie haalde haar neus op en veegde haar ogen droog. 'Ja, wat is er?'

'Er is iemand voor u aan de lijn, mevrouw Edwards. Van school.'

Bessie rolde met haar ogen. De school overschatte haar interesse voor de precieze details van de opleiding van haar kinderen. Dat was toch zeker *hun* werk! Maar de directrice was net een tornado.

Bessie nam het telefoontje aan en probeerde niet met een dubbele tong te praten. 'Goedemorgen... Ja... O jee, wat vreselijk! Het spijt me. Casey is doorgaans heel ijverig wat haar huiswerk betreft. Ik had dit keer geen tijd haar te helpen. Casey's nanny had eigenlijk... Een belangrijke zaak, dus haar vader... Slapen? In de klas! Mannen snappen niet hoe belangrijk het is dat kinderen op tijd naar bed gaan. Het zal niet meer gebeuren. Ik zal... *Pardon? Wat* zei ze?... Ik ben verbijsterd. Ik bedoel, ik wil niet in detail treden, maar mijn man heeft hulp voor zijn gokverslaving. Hij heeft al ik weet niet hoelang geen voet meer in een casino gezet... ik wil Casey niet voor leugenaar uitmaken, maar ze is dertien. Dat is geen betrouwbare leeftijd... Was ze heel specifiek?... *The Medici?* Enfin, ik zal navraag doen. Vandaag komt mij niet zo goed uit, als u het niet erg vindt, maar misschien volgende week een keer? Dan zal ik in de tussentijd mijn man aanspreken, maar wees gerust, ik kan me niet indenken dat hij... Dat zou een schending vormen van zijn afspraken met... Enfin, dank u voor uw telefoontje, ik waardeer het zeer. Tot ziens!'

Bessie stond te trillen. Ze moest zichzelf in de hand zien te krijgen. Ze moest helder denken. Het telefoontje naar het noodnummer moest maar een paar minuten wachten. Eerst moest ze haar huis veiligstellen. Ze haalde diep adem en belde met de telefoondienst. 'The Medici, afdeling Vip-hosting, graag.'

'Ik zou graag willen spreken met de klootzak die voor Hank Edwards zorgt, alstublieft. U spreekt met zijn echtgenote. Ja, ik geloof dat hij u geld verschuldigd is, en ik ben in de positie om u dat terug te betalen.'

Strikt genomen was dat niet waar, en ze gokte maar dat hij schulden had, maar Hank kennende zat hij tot zijn schurftige nek in de shit. Bovendien, als er iets was wat die rattige schurken zou uitlokken om haar man te verraden, dan was het wel de belofte dat zijn schulden betaald zouden worden. Hank was een loser, en dat zou hij altijd blijven. Als hij gokte, verloor hij, en ze hoefde alleen maar te weten hoeveel precies. Ze was Charlie kwijt, ze was de liefde van haar kinderen kwijt; over Hanks lijk dat ze nog eens haar huis kwijt zou raken.

• • • • •

EEN CHIQUE BUITENWIJK VAN LAS VEGAS, NEGEN DAGEN LATER, 20 SEPTEMBER 1997

Sandra

'O, mijn *god*, Larry! Hank en Bessie staan in de *Review*, op de voorpagina, moet je kijken! O, mijn god!

'"MEXICO CITY. Een gruwelijk teken van het toenemende drugsgeweld is de moord op een inwoner van Las Vegas in een van de betere buitenwijken ten zuiden van de hoofdstad.

'"De politie trof zondag om kwart over drie 's nachts het verminkte lijk van Hank Edwards aan dat langs de weg bij een bushalte was gedumpt in het doorgaans zo vreedzame San Angel."

'Goeie hemel! Hank! Verminkt!

'"De heer Edwards, 45, een wijnhandelaar die aan casino's leverde, werd van achteren door het hoofd geschoten. Na zijn dood werd hij met een bijl bewerkt."

'Ze vermelden nog details ook.

'"Hij was getrouwd en vader van drie kinderen. Een plaatselijke beambte vertelde op voorwaarde dat hij anoniem zou blijven, dat de heer Edwards werd verdacht van het transporteren van drugs voor een berucht drugskartel."

'Ik heb altijd al gezegd dat die man niet deugde.

'"Mexicaanse drugskartels zijn verantwoordelijk voor" – bla, bla, bla – "De kartels werken vermoedelijk" – zeur zeur. Oké, gaan we weer – "Volgens een politiefunctionaris die niet met naam genoemd wil worden, is de heer Edwards mogelijk gebruikt omdat zijn werk een handige dekmantel vormde."

'Ja, hè, hè. Logisch. Larry, wij hebben onderdak geboden aan *zware criminelen*. Hij had ons wel in onze slaap kunnen vermoorden!

'"Agent Alfredo Gracía van de Agencia Federal de Investigación vertelde onze verslaggever: 'Wij denken dat de heer Edwards een aantal casino's in Las Vegas veel geld verschuldigd was en dat hij zijn huis dreigde te verliezen. Misschien dat de heer Edwards zo in de verleiding kwam om geld van de drugsdeals te gebruiken om zijn eigen verliezen mee af te lossen. Zijn brute moord kan hiervan het tragische gevolg zijn."

'Dus het was een crimineel en een stomkop!

'"De heer Edwards, die in een huis van 2,5 miljoen dollar woonde met zes slaapkamers, in een afgeschermde leefgemeenschap ten noorden van de stad..."

'Krijg nou wat! Nou, dat bewijst wel dat hij niet deugde. Hoe komen zij anders aan zo'n huis? Veertien, vijftien jaar geleden stonden ze nog op straat!

'"...laat een weduwe achter, Bessie."

'Nooit gemogen, dat mens.

'"Zij vertelde onze verslaggever: 'Ik kan niet geloven dat de mensen Hank van dit soort gruwelijke dingen beschuldigen. Walgelijk vind ik het. Hij gokte misschien weleens, ja..."

'Ja, hij vergokte je hele huis! Ze hadden *mij* moeten interviewen!

'"...maar ik heb mijn eigen inkomen."

'Pardon? Heeft ze het nou over dat secretaressebaantje van d'r? Wacht, misschien hebben haar ouders haar wat nagelaten.

'"Hank is niemand ook maar een cent verschuldigd, en ik daag het casino dat dat beweert uit om met bewijzen te komen."

'Nou, dat zullen we dan maar afwachten.

'"In de tussentijd overweeg ik om iedere persoon en iedere organisatie die mijn overleden echtgenoot vals beschuldigt een proces aan te doen."

'O, hemel, Larry! Moeten we bloemen sturen? Ik zou dat huis dolgraag eens willen zien. Ik kan niet geloven dat Bessie Edwards in een huis van tweeënhalf miljoen woont! Dat mens heeft geen greintje smaak – paarlen voor de zwijnen. O, mijn god, wie zou Hank vermoord hebben, denk je? Was het vanwege de drugs, of denk je dat Castillo erachter zit? Die houdt altijd schone handen, maar we weten allemaal hoe hij aan zijn geld komt – hoewel, de maffia doet toch niet in drugs? Larry, wat denk... Larry, luister je wel? Godallemachtig, Larry! Word wakker!'

•••••

BOEK DRIE

TURTLE EGG ISLAND, DE DAG VAN HET VERLOVINGSFEEST, 31 AUGUSTUS 2009

Sofia

Sofia voelde de paniek opstijgen alsof haar longen vol bloed liepen. Hoe kon dit?

Bessie was Sunshine's *moeder*!

Dit had verschrikkelijke consequenties. Haar hoofd voelde zwaar van domheid. De realiteit was zo'n schok dat de feiten maar heel langzaam tot haar doordrongen. Al schutterend verknoeide ze kostbare seconden en ze vroeg zich af hoe Bessie uit het gesticht had kunnen ontsnappen, en hoe het mogelijk was dat zij, Sofia, niet door had gehad wie Sunshine was. Dat ze de overduidelijke clous niet had opgepikt. Enfin, het was niet allemaal haar schuld. Die meid had gelogen. Ze had zichzelf een shownaam gegeven en zich een glamoureuze identiteit aangemeten, en ze had beweerd dat haar vader dood neergevallen was na een hartstilstand. Terwijl iedereen wist hoe Hank Edwards aan zijn eind was gekomen. Als Sunshine niet zo stiekem was geweest en de waarheid had verteld, zou deze ramp zich nooit hebben voltrokken.

Sofia was nog altijd vastbesloten dit gevecht niet te verliezen, maar ze had werkelijk geen flauw idee hoe ze Bessie nu nog kon tegenhouden.

Ze was zo voorzichtig geweest – Ariel en Ben zaten buiten de stad op school en Ben verscheen bijna nooit in de publiciteit – maar toch was ze niet voorzichtig genoeg geweest. Ze had Bessie de eerste tien jaar in de gaten gehouden, maar daarna was ze gemakzuchtig geworden. Haar fout was dat ze de problemen pas aanpakte als ze ontstonden, in plaats van ervoor. Dr. Erich had haar in de steek gelaten. Dat immorele mensen ook onbetrouwbaar waren, was niet echt een verrassing.

Ben kuste Sunshine's moeder op de wang, en Sofia voelde het bloed naar haar tenen trekken.

Het kostte Sofia al haar wilskracht om dat mens niet bij haar zoon weg te sleuren en haar op de grond te gooien. Bessie had zich in het hart van Sofia's gezin weten te boren, het hart van alles wat haar dierbaar was. Het mens kon nu elk moment haar mond opendoen en dan zou Sofia alles kwijtraken.

'Welkom in de familie,' riep Ben. Hij had zich verkleed en droeg een blauw surfshort en een wit T-shirt. Zijn voeten zaten onder het zand.

Eerder die ochtend was Ben bij haar en Frank gekomen om te vertellen dat hij van plan was ontslag te nemen en voor zichzelf te beginnen. In een vlaag van eerlijkheid had zij tegen hem gezegd: 'Ik vind het vreselijk, maar ik kan je niet tegenhouden.' Haar pijn om zijn verraad bleef, maar haar teleurstelling werd gesust doordat Franks accountant wat cijfers op tafel had gelegd. De baas van Las Vegas Shores Corp. had zestien *miljard* dollar verloren. Dit was niet de tijd om uit te breiden. Misschien had Ben wel iets goeds voor haar gedaan.

Het voelde irrelevant in het licht van Bessie's aantreden. En dat was Sunshine's schuld. Sofia was slap van woede. En ook al begon het tot haar door te dringen dat Sunshine haar eigen vlees en bloed was, kon Sofia niet naar haar kijken, zo haatte ze haar.

Sofia keek stom geslagen toe terwijl Lily Fairweather – natuurlijk, ze was zo leep haar meisjesnaam te gebruiken, die andere afkorting van Elizabeth – Ben op haar beurt kuste.

O, Ben, ze hield zo veel van hem. Ze was misselijk van liefde als ze naar hem keek. Ze kon hem niet kwijtraken aan Sunshine, en al helemaal niet aan Bessie. Ze had een plan om Bens relatie met Sunshine te vermorzelen, maar ze had geen idee wat ze met Bessie aan moest.

Ben maakte zich los, nog altijd glimlachend.

Sofia's bloed raasde in haar oren.

De vrouw haalde diep adem. Ze legde een hand op zijn arm, haar greep werd strakker. O, god, en als ze het nu al ging vertellen? Sofia had geen keus. Het zou heel akelig zijn, en ze kon het niet verklaren dat ze deze vrouw aanviel. Ze had geen idee hoe dit eindigde, maar als ze het niet deed, wist ze maar al te goed waar het zou eindigen – en dat was vele malen erger.

Terwijl Frank, Sunshine en Ben beleefd bleven staan, deed Sofia grimmig een stap naar voren. Ze wilde net haar arm optillen.

'Ik voel me zo raar,' hijgde Lily.

Sofia bevroor.

Lily's ogen rolden in hun kassen en ze wankelde.

'Mam,' zei Sunshine iets te scherp. 'Is het je bloeddruk? Moet je even liggen?'

Lily wilde iets zeggen, maar zakte in elkaar. Haar lichaam verkreukelde als een papiertje en haar hoofd viel op het beton. Haar Chanelzonnebril vloog van haar gezicht en brak in tweeën.

Sofia kon de glimlach die zich over haar gezicht verspreidde nauwelijks onderdrukken. In deze afzichtelijke samenloop van omstandigheden had ze nu toch eindelijk een flintertje mazzel.

Sunshine viel op haar knieën. 'Ze heeft een black-out. Het komt door haar bloeddruk – volgens mij is ze op haar hoofd gevallen. Bel iemand!'

Ben belde de ambulance. Sofia keek toe en veegde het klamme zweet van haar voorhoofd. Dat mens deed zich voor alsof ze zo sterk was, maar in feite was ze een slappeling. Op het cruciale moment, het moment waarop Bessie haar stilzwijgen had willen verbreken, raakte ze door emotie overmand en was ze *flauwgevallen.*

Bessie kreunde. Ze maakte een verstikt geluid. Sofia draaide zich om terwijl het mens overgaf.

'Kalm blijven, Sunshine,' zei Sofia. 'Het komt wel weer goed. Ze zal wel flink in de war zijn, en een hoop onzin praten – dat heb je als je een klap op je hoofd krijgt. Maar we mogen haar vast wel verplaatsen.' Ze gebaarde Sterling, die al even bleek en geschokt was als zijzelf. 'Ze moet in de schaduw liggen. De ambulancehelikopter is er over een paar minuten. Ik kan me niet voorstellen dat ze langer dan een paar dagen in het ziekenhuis hoeft te verblijven. Wat jammer toch. Het zou zo leuk zijn geweest om elkaar een beetje te leren kennen.'

Sofia voelde zich net een robot die deed alsof hij een mens was.

Jammer dat de goede zeden voorschreven dat ze een ambulance belden. Had ze dat mens maar naar bed kunnen brengen om haar de volgende ochtend dood aan te treffen dankzij een hersenbloeding.

Ben draaide Bessie behoedzaam op haar zij, en trok Sunshine toen tegen zich aan. 'Gaat het, babe?'

Ze knikte.

Sofia glimlachte. Ik ga jouw leven ruïneren, lieve kind, dacht ze, en wel vandaag.

Ze was bijna weer de oude, maar ze kon niet ophouden met ratelen van opluchting. 'De arme Lily was waarschijnlijk nog niet helemaal hersteld van die noodlanding in de storm – en ja, in een privévliegtuig voel je elk hobbeltje. Het zal ook best intimiderend zijn om een familie als de onze te ontmoeten. Dat is ook best eng als je niet aan dit leven gewend bent. Rijkdom, macht en succes jagen de mensen schrik aan als ze een... gewoon leventje leiden.'

Deze speech leverde haar boze blikken op van Ben en rollende ogen van Frank, die Sunshine op de schouder klopte en zei: 'Ze brengen haar naar St.-Christopher. Dat is een privékliniek met uitstekend personeel. Ze kennen ons. Ze is daar in goede handen.'

'Dank u,' zei Sunshine. Ze gebaarde rond het kleine vliegveld, naar de nevelige blauwe lucht en de kokospalmen die dat alles omlijstten. 'Zeg, zorgen jullie nu maar voor de gasten. Het heeft geen zin dat we hier allemaal blijven wachten.'

'Dat is waar,' zei Ben. 'Pap. Ga jij maar.'

'Jullie hebben gelijk,' zei Frank. Hij gaf Sunshine een zoen op haar wang. 'Het spijt me, snoetje.'

Het geluid van de helikopter kietelde hun oren, en Ben slaakte een zucht.

'Ik ga wel mee,' zei Sofia ineens. In een ziekenhuis kon immers van alles gebeuren.

Lily kreunde nogmaals, en haar blik was wazig en ongericht. Sunshine keek haar angstig aan. 'Nee, *ik* ga,' zei ze.

Sofia voelde haar pols razen. Maar goed, Bessie had alle tijd van de wereld gehad om Sunshine de waarheid te vertellen, en dat had ze nooit gedaan.

'Ik ga met je mee,' zei Ben.

'Ben je mal!' riep Sunshine uit, en Sofia beet op haar tong toen ze het hoorde. 'Een van ons moet hier blijven!'

Ben haalde zijn hand door zijn haar. 'Oké, maar bel me,' zei hij, en hij kuste haar. De ambulancemedewerkers legden een zuurstofmasker over Lily's gezicht en tilden haar op een brancard. Sofia slaakte een zucht.

Maar de opluchting was van korte duur. Niets was nog zeker. Sofia moest het heft in eigen hand nemen.

• • • • •

TURTLE EGG ISLAND, LATER DIE DAG

Ben

Zijn ouders hadden verbluffend kalm gereageerd op het nieuws van zijn plannen in Macau, waardoor hij vermoedde dat ze het al wisten. Daardoor vroeg Ben zich af wat zijn moeder in haar schild voerde. Sofia gaf haar dromen nooit zo snel op.

Hij moest proberen om van het feest te genieten. Zijn ouders hadden zo veel moeite gedaan om dit spektakel te organiseren, en zij verdienden dat het een succes zou worden, ook al was de aanstaande bruid afwezig. Ben vermoedde dat het zijn moeder niet zo erg stoorde dat Sunshine er niet meer was: die had het liefste dat er helemaal geen bruid was, en dat Ben in een biezen mandje aan haar voeteneind sliep.

Hij liep naar het strand. Het was prachtig, maar hij kon niet wachten tot hij weg mocht. Sunshine was al weken prikkelbaar en moeilijk en ze viel hem lastig over dingen als de dassen die hij droeg. En laatst betrapte hij haar zelfs op het controleren van zijn telefoon. Ze beweerde dat hij was overgegaan; wat een domme leugen. Dat kon hij toch zo checken. Daarna had hij erover zitten piekeren en hij had gedacht: *Ken ik jou überhaupt wel?* Maar het was heel normaal dat mannen koudwatervrees kregen vlak voor een huwelijk, net zoals het ook heel normaal was dat vrouwen tijdelijk in psychopaten veranderden.

Toch was het geen geweldige start: de schoonmoeder die op haar hoofd viel bij aankomst. Hij slaakte een zucht. Wat een raar mens was dat. Ze had hem niet aangekeken; ze had dwars door hem heen gekeken. Hij mocht haar absoluut niet. Ze was griezelig. Ze deed net of hij een prooi was.

Hij schudde handen, nam felicitaties in ontvangst. heel mooie meisjes in vlinderkleurige jurkjes schopten hun dure schoenen uit in het kristallen zand en sprongen in de turkooizen lagune, tot het warme ondiepe water rondom het eiland glom van de gebruinde lijven en de diamanten accessoires die glinsterden in de zon.

Hij bedacht ineens dat hij nu graag bij Lulu thuis zou willen zijn, languit op haar oude bank, met een lekker rood wijntje en Franse uiensoep (haar eigen recept), en dat ze dan naar *30 Rock* zouden kijken en over ditjes en datjes kletsten. Alleen kletsten ze nooit over ditjes en datjes. Ze vertelde hem altijd dingetjes over baby Joe, bijvoorbeeld dat zij haar teen aan de deur had gestoten en dat hij zijn mollige armpjes toen om haar heen had geslagen en had gevraagd: 'Gaat het, mammie? Gaat het?'

Dat vond Ben geweldig. 'Jij bent zo ontzettend belangrijk,' had hij vol bewondering gezegd, en zij moest lachen.

Soms amuseerde Ben zich door te tellen hoeveel vrienden hij zou overhouden als hij plotseling al zijn geld verloor. Lulu stond boven aan dat tamelijk korte lijstje. Als ze samen waren en kletsten en lachten, voelde hij zich altijd zo overweldigend goed; ze hadden een diepe, echte, eerlijke band. Ze was zo ongeveer de enige in zijn leven die niets anders van hem wilde dan zijn gezelschap. Dat gaf hem een gevoel wat al die anderen hem nooit konden geven.

Waar was ze nu? Hij vroeg zich af of ze had gehoord van het ongeluk. Ben zette zijn zonnebril voor zijn ogen en keek naar een piepklein krabbetje dat zich over het gladde witte strand haastte. Bleekroze bloemen omzoomden het strand; de muziek van de dj's was lekker disco; klanken uit de jaren tachtig – het lievelingstijdperk van zijn moeder – schalden optimistisch uit de boxen.

Hij schudde zijn hoofd toen een statige serveerster in een bustier met witte kwastjes en hotpants zich vooroverboog om hem een trio van Kumamoto-oesters aan te bieden. Hij weigerde de kaviaar met gerookte zalm en yellowtail sashimi; hij sloeg de in een zoutkorst gebakken roodbaars en de romige spinazie met truffelcrème af. Er werden hem Franse kazen met verse vijgen en gekarameliseerde walnoten onder de neus gehouden en hij onderdrukte een huivering. Alweer een lange, slanke blondine kwam op hem toe met een blad met bloemloze chocoladetaart en vanille marshmallows; normaal gesproken kon hij daar geen weerstand aan bieden, maar nu kreeg hij er braakneigingen van. Misschien was hij allergisch voor verloven.

Hij voelde zich beroerd toen hij wegliep van die heerlijke warme avond, de schitterende blauwe lucht, de zalige geur van het licht zilte briesje, zijn vrienden – die paar die hij vertrouwde. Hij zette zijn onaangeroerde glas champagne op een blad en liep naar de villa. Hij deed zijn best te glimlachen terwijl het blijde en zorgeloze geschater waarmee de rest van zijn leven werd gevierd nog nagalmde in zijn oren. Hij had het gevoel dat hij gevangenzat in een doos; als een cadeautje. Hij snakte naar lucht. Hij merkte dat zijn moeder naar hem keek; het was of hij nog altijd tien jaar oud was.

Ben wist dat zij niet kon begrijpen waarom hij onafhankelijk wilde zijn van het familiebedrijf. Wat haar betrof was zijn leven een droom – de *hare*. Sofia zou het heerlijk hebben gevonden als ze uit een rijke familie was gekomen. In zijn hele jeugd, als hij eens niet zo blij was, had ze geroepen: 'Jij hebt geen idee hoeveel mazzel jij hebt! Toen ik zo oud was als jij had ik helemaal *niets*!

Wat Sofia betrof had Ben niets om voor weg te lopen, geen enkele reden om te vertrekken.

Hij bad dat ze hem niet achterna kwam. Hij nam de privélift naar het ondergrondse zwembad, en toetste de toegangscode in – alleen Sofia, Frank, Ariel en hij kenden die. Hij trok zijn T-shirt uit, greep een zwembroek uit de kledingkast en nam een duik in het koele water.

Hij trok baantjes, snel en verwoed, zonder onderbreking. Toen hij zich op de kant hees, zwaar hijgend, zag hij ineens een paar elegante voetjes in hooggehakte gouden muiltjes. Hij keek op en zag een lange, slanke godin staan die hem hooghartig aankeek. Ze had lange, kastanjebruine krullen en donkere ogen, en ze droeg een flinterdunne rode avondjurk met halternek, die langs de zoom was afgezet met robijnen, rozenkwarts en roze saffiertjes. Hij golfde langs haar prachtige figuur.

Ze was ontzettend... *Lulu?*

Ze slaakte een zucht en zei: 'Ik zat op een uitnodiging te wachten', en ze trok haar jurk uit.

Daaronder droeg ze een piepkleine witte bikini. Wow.

Hij fronste. Hij kon het nauwelijks geloven. Hij staarde. Zij bloosde.

'Ik heb mijn haar laten doen. Sofia heeft me een representatievergoeding gegeven.'

Hij schudde zijn hoofd. 'Je ziet er... cool uit,' zei hij.

Ze lachte: 'Dat zeg je nou wel, maar ik heb het juist heet. Je moeder heeft me hiernaartoe gestuurd.'

'Aha,' zei hij. Hij probeerde niet naar haar te kijken. Lulu was lief. Hij zag haar als een zus. En je zus wilde je niet *zo* zien. Dit was iets heel anders dan een mooi jurkje aantrekken. Dit was een complete make-over. Ze was nog altijd Lulu; hij had zich alleen nooit gerealiseerd dat Lulu... zo was. Waarom wist hij ook niet. Misschien omdat ze zichzelf altijd had gepresenteerd als onbeschikbaar, omdat ze aannam dat hij dat ook zo zag. Ze had nog nooit laten blijken dat zij hem leuk vond, niet op die manier. Hij wist wel dat ze hem leuk vond als vriend, maar niet als... *lover*. Nog los van het feit dat ze voor hem werkte. Hij ging ervan uit dat ze geen trek had in een ranzige baas die bij haar stond te kwijlen. Zij wilde een ridder, een prins, een hoffelijke heer, die haar en baby Joe respecteerde. En bovendien kwam een vriendschap altijd in gevaar door seks. Het werd er in elk geval niet beter van, wat mensen ook beweerden. Hun band was hem veel te dierbaar om te verpesten met seks. O ja, en hij was verloofd, natuurlijk. Het was een van de weinige ruzies die hij met Sunshine had gehad; ze deed krengerig toen hij naar Lulu ging om een kastje te maken. 'Kan ze zelf geen man regelen?' Ja, had hij geantwoord, ze heeft *deze* man geregeld. 'Je weet toch wel dat ze verliefd op jou is, hè?' had Sunshine toen smalend opgemerkt. 'Ze denkt dat jij de sleutel bent tot een luizenleventje.' Dat was de enige keer dat Ben zijn verloofde ooit onaantrekkelijk vond.

'Kom er dan maar in,' zei hij en hij spatte wat water haar kant op. Ze giechelde.

Ben keek toe hoe Lulu het water in gleed. Hij was gebiologeerd; hij voelde zich als een muis die staarde naar een kat die op hem af sloop. Ze leunde met haar hoofd tegen de witte steen en knikte naar de open douche die fraai uit het ronde plafond regende op de jacuzzi.

'Zin in een douche?' zei ze zachtjes.

Hij kon het niet geloven. Lulu had nog nooit zo naar hem gekeken. Maar nu deed ze het wel, en gaf ze hem toestemming om...

'Nee,' zei hij gespannen. En toen iets vriendelijker: 'Nee, dank je, Lu.'

'Zeker weten?' antwoordde ze. Ineens had ze haar arm om zijn hals gehaakt. 'Want, eh,' – ze bloosde weer – 'je ziet er een beetje vies uit.'

Ben schoot in de lach, eerder van de schrik dan omdat hij het amusant vond. Hij duwde haar van zich af en tilde haar uit het water. Als een klein kind schoof hij haar opzij.

'Lu,' zei hij. 'Ik ben het. En vandaag is mijn verlovingsfeestje. Waar ben je mee *bezig*?'

Alle glans en branie verdwenen en ze liet haar hoofd hangen. 'Nou,' zei ze. 'O, god. Het spijt me. Sof... Het was stom van me.' Ze perste haar lippen op elkaar en flapte er toen uit: 'Ik ben zo gek op jou, Ben. Het is zo, ik kan er niets aan doen. Ik heb het echt geprobeerd, op mannenjacht en zo. Maar ik vind niemand anders leuk. Het spijt me.' Er liep een traan over haar wang. Ze pakte snel een handdoek en sloeg die om zich heen.

'Hé, Lulu, niet huilen.' Hij veegde het haar uit haar gezicht en tilde haar kin op. Hij staarde in haar donkere ogen. 'Nu heb ik een verontrustend beeld in mijn hoofd. Van jou op mannenjacht.'

Ze keek hem aan, half lachend, ook al stroomden de tranen nu voluit. De tijd stolde en hij trok haar naar zich toe. Haar handdoek viel van haar af, en hij sloot een seconde zijn ogen terwijl zij haar gezicht naar hem optilde om gekust te worden. Zijn lippen raakten de hare, zo zacht, en toen steviger, en hij voelde een flits van verlangen door zijn lijf die zo sterk was dat het hem verbijsterde, en hij drukte haar tegen zich aan, stevig en...

Je moeder heeft me hiernaartoe gestuurd.

Hij maakte zich los terwijl Lulu net voorover leunde. Ze verloor haar evenwicht en ze viel met een gil in het water. Ze hapte naar lucht en sloeg om zich heen. 'Mijn haar!' klaagde ze. 'Helemaal naar de knoppen.'

Ben greep haar vast en trok haar ruw uit het water. Hij voelde zich schuldig en geïrriteerd. Hield zij van hem? *Nee!* Sofia had haar gestuurd. Zijn bloedeigen moeder wilde dat hij vreemdging op zijn eigen verlovingsfeest! Hij wist dat Sunshine te veel van het goede was wat Sofia betrof: twee mannetjesputters die als een stel haantjes streden om... *hem*. Maar hij was ziek van teleurstelling dat *Lulu* tot zoiets in staat was.

'Je moet je acteerwerk nog wat fijn slijpen, Lulu,' zei hij koeltjes. 'Het is nog aan de ongepolijste kant.'

Hij sprong uit het water, gooide haar een handdoek toe en liep naar de kleedkamers. Hij rukte zijn zwembroek omlaag en sprong weer in zijn surfshort, die hij bijna stukscheurde.

Hoe haalde Lulu het in haar hoofd zich door Sofia te laten gebruiken? Hij was woedend op zichzelf: dat hij in de verleiding was gekomen, dat hij die niet kon weerstaan. Sofia was geslepen. Ze had geen supermodel op hem afgestuurd. Ze stuurde Lulu. Hij was kwaad omdat zijn hoofd overliep. Hij stond op het punt om met Sunshine te trouwen. Sunshine was alles wat hij zich zou moeten wensen en wat hij nodig had. Sunshine was de vrouw voor wie alle mannen ontzag hadden. Niet te geloven, maar hij stond nog steeds te shaken. Niet alleen van woede; ook van de shock om de intensiteit en de onderdrukte passie die sprak uit die korte kus.

Sunshine gaf hem dat gevoel niet. Ze was een enthousiaste maar egocentrische minnares. Je kreeg het gevoel dat ze je na de seks zou verslinden als een zwarte weduwe.

Hij duwde die verraderlijke gedachte weg, maar het was al te laat. Hij had het al toegelaten in zijn hoofd. Hij was misselijk.

Hij stiefelde terug naar zijn vleugel van de villa.

Hij was opgebrand, viel op bed en sliep binnen een paar minuten. Toen hij wakker werd, was het drie uur 's nachts, en was het wonderlijk stil. De gasten verbleven elders op het eiland, in de mooie strandvilla's, maar de meesten zouden nog aan het feesten moeten zijn. Toch hoorde hij niets. De muren waren geluiddicht; hij zat in een luxe isoleercel. Ben stond op en wreef in zijn ogen. De onprettige gebeurtenissen van die avond kwamen meteen bij hem op als een vieze smaak in zijn mond.

De grote villa was ontworpen in de vorm van een schelp; zijn suite zat in de uiterste punt van de krul, had veel licht en een plafond dat zicht bood op de sterren. Vanuit het raam had hij een weids uitzicht over de donkere oceaan, die nu werd afgezet met witte schuimkoppen.

Het was een paradijs, en een gevangenis. Ben deed een raam open. Misschien hielp het om de oceaan te horen. Hij luisterde even. Het geruis van de zee leek precies op dat van de snelweg. Toen hoorde hij geritsel, buiten in de struiken. Ben bevroor. 'Wie is daar?' vroeg hij.

Er kwam natuurlijk geen antwoord. Hij deed het raam dicht en bleef doodstil door de luiken gluren. Geruisloos glipte er een figuur uit de schaduw om in de nacht te verdwijnen. De adrenaline pompte. Het was geen bewaker, het was geen gast – dus moest het wel een spion zijn. Een fotograaf. Sofia had de pers voor vandaag georganiseerd, zoals ze alles vandaag had georganiseerd. Waarschijnlijk had ze een paparazzo in de bosjes gezet om Ben te betrappen met zijn secretaresse.

Hij moest weg van Turtle Egg Island, weg van de verleiding van Lulu en de bedreiging van Sofia. En Frank... wat hem betrof voelde Ben zich alleen schuldig; alsof hij een puppy achterliet in het bos. Frank had bijna nooit zijn eigen gevoelens in de hand, laat staan die van anderen, en daardoor was hij emotioneel zwak.

Ben en zijn vader zouden altijd een bijzondere band houden. Op zijn zestiende verjaardag had de media director van zijn vader een film samengesteld van zijn leven tot dan toe. Daar was Ben, op korrelige videobeelden, twee jaar oud. Frank lag op een bank en Ben kleefde als een dik koalabeertje aan zijn buik. Zijn vader overlaadde Ben met blije zoenen: 'We hebben een romance!' riep hij terwijl Ben gierde en riep: 'Niet doen!'

Zijn moeder was anders. Haar liefde voor hem was zowel vurig als ijskoud. Ze was geen knuffeldier, maar hij voelde hoe intens ze altijd met hem bezig was. Ze hield hem voortdurend in de gaten – begrijpelijk, gezien alle vijanden die zijn familie in Vegas had – en toch was haar obsessie met zijn veiligheid en elk detail van zijn dagelijkse leven evenzeer in haar belang als in het zijne.

Uiteindelijk zou Frank zijn eigen verdriet wel aan de kant schuiven en blij zijn dat zijn zoon zijn droom achternaging. Sofia beschouwde Ben als haar *eigendom*. Dit uitte zich in haar diepe verontwaardiging om zijn ontslag. Ze wist het natuurlijk allang; daarom had ze ook geprobeerd zijn relatie met Sunshine om zeep te helpen.

Ach, Sunshine. Hij voelde zich zo schuldig. Hij moest haar zien en vergiffenis vragen. Hij trok zijn telefoon uit zijn broekzak. Terwijl hij dat deed, viel er een klein papiertje uit. Hij raapte het op. Het was een oude foto, met vervaagde kleuren. Hij tuurde ernaar. Wie was dit...? Lastig te zeggen. Wat hem betrof zagen alle baby's er precies hetzelfde uit. Hij had geen idee hoe hij aan die foto kwam. Was het Ariel soms?

Zijn hart bloedde om zijn zusje. Haar zelfopgelegde verwijdering van de familie voelde verkeerd en het deed hem verdriet. Hij had geprobeerd haar te bellen, maar ze zette haar telefoon altijd uit. Ze had maar één keer iets in de pers gezegd, en verklaard dat 'de familie een fout had begaan' en dat 'het ze nog zou spijten', waarbij ze hen allemaal op een grote hoop veegde.

Ben geloofde niet dat ze op wraak zon. Ariel was te lief; ze was gekwetst en sloeg om zich heen. Hij miste haar.

Hij hield de foto vast en staarde ernaar. Iemand moest hem in zijn zak hebben gestopt. Sofia? Lily? Die had hem vastgegrepen toen ze viel. Was het een foto van Sunshine? Hij kon niet zien of het een jongen of een meisje was. En er was nog iets raars. Hij dacht aan Sofia – hij wist zeker dat die één tel voordat Lily ineenzakte op haar af was gesprongen.

Met een zucht stak hij de foto weer in zijn zak en hij trok zijn schoenen aan. Hij had zich misdragen en hij moest zijn meisje zien om het goed te maken.

•••••

ST.-CHRISTOPHER'S HOSPITAL, 31 AUGUSTUS 2009, LAAT IN DE AVOND – 1 SEPTEMBER 2009, VROEG IN DE MORGEN

Sunshine

Het was onmogelijk om lekker te zitten op een ziekenhuisstoel. Sunshine keek naar haar moeder die vredig lag te slapen in haar zachte bed.

Bessie was absoluut opgeknapt. Ze had waarschijnlijk een rijk vriendje dat haar had getrakteerd op een paar maanden in een exclusieve spa. Haar jukbeenderen staken uit en haar voorhoofd was rimpelvrij. Bessie had er een handje van om een hoofdrol te spelen als ze ergens was, en hoewel ze er niets aan kon doen dat ze flauwviel door haar lage bloeddruk, nam Sunshine het Bessie toch kwalijk.

Dit was *haar* dag, en haar moeder had hem verpest. Sunshine had in het middelpunt moeten staan. Soms voelde Sunshine zich wel schuldig dat ze haar moeder maar eens in de zoveel jaar zag. Maar elke keer als ze samen waren, wist ze weer *precies* waarom dat was. Je had alleen maar last van dat mens.

In plaats van rond te dartelen op het strand tussen de kleine roze schelpjes die als juwelen over het witte strand verspreid lagen, met het warme water over haar voeten en een Bacardi in de hand, felicitaties in ontvangst nemend en flirtend met de knappe rijke man die de hare werd, zat ze vast in een klein, koud kamertje waar het rook naar luchtverfrisser en bleek, met haar irritante moeder die alle zuurstof opzoog.

Bessie – Sunshine weigerde haar Lily te noemen – was diep in slaap, en volgepompt met medicijnen. Sunshine's aanwezigheid was een formaliteit, misschien zelfs een bron van overlast. Als Bessie morgenochtend wakker werd zou ze meteen terug willen naar het eiland om haar nieuwe connecties uit te buiten en om alle aandacht van de andere gasten op te eisen. Een lichte hersenschudding zou haar daar niet van kunnen weerhouden.

Ben stond op het punt om naar Macau te vliegen voor vergaderingen. Ze wist van tevoren dat Arnold Ping gecharmeerd zou zijn van hem. Hoe kon het ook anders? Ben was bescheiden, slim, wijs en hij was een *goed mens*. En hij was een briljant zakenman maar nooit zelfgenoegzaam. Hij werkte hard; hij gaf nooit op.

Sunshine had zo veel aanzoeken van high rollers gekregen dat ze de tel kwijt was (het waren er tweeëndertig), maar ze had hen allemaal afgewezen omdat ze alleen met de echt grote jongens in zee wilde. Luke was de eerste man op wie ze verliefd werd; ze ging altijd voor de man die de tent runde. Frank vond ze niets; die was te soft, net een pakje boter. Maar Ben was voorbestemd om te heersen. Ze huiverde bij het idee dat hij zijn erfenis wilde afslaan, maar ze zou hem nog wel op andere gedachten brengen. Hun eerste kind was mooi onderhandelmateriaal.

Ze stond op. 'Moeder,' zei ze. 'We hebben elkaar nooit gemogen. Dus waarom ben je hier in godsnaam gekomen?'

Ze stapte parmantig de kamer uit en nam de lift naar het penthouse. Daar zou ze vannacht slapen, en dan ging ze de volgende ochtend wel weer bij Bessie kijken. Als die er beter aan toe was, zou Sunshine naar Turtle Egg teruggaan om Ben weg te trekken bij zijn krankzinnige moeder en die bitch van een secretaresse van hem.

Sunshine was succesvol, speciaal, supermooi, en toch vormde die domme muis een bedreiging. Lulu, met haar suffe hondennaam, was een typiste die een hongerloontje verdiende en die in een piepklein appartementje woonde in een halve achterbuurt, en die zo stom was geweest dat ze een kind had gekregen zonder de man erbij vast te houden, en toch kon ze haar maar niet lossen.

Een paar weken geleden had Ben haar verteld dat hij met het kind van zijn secretaresse had gevoetbald. De bijnaam van dat kind was 'Fat Sue'.

'Ik dacht dat het een jongetje was,' zei Sunshine bits.

'Is het ook,' had Ben geantwoord, en ze hoorde het ongeduld in zijn stem. 'Joe. Hij heet Joe, maar hij is zo mollig en zo mooi, hij *is* ook gewoon Fat Sue.'

Sunshine zag meteen dat Lulu gevoelens voor Ben koesterde, en dat Ben gevoelens koesterde voor Lulu zonder het te weten. Sunshine wist het wel en ze haatte Lulu daarom. Noem het vrouwelijk instinct voor dreigend gevaar. Zodra Sunshine mevrouw Arlington was, werd die trut ontslagen.

Sunshine tikte met haar ongelofelijk hoge stilettohak op de glimmende plankenvloer van antiek eiken in het penthouse. Hoge, *kick-ass* schoenen waren haar handelsmerk; en ze kon er probleemloos op lopen, want ze was gespierd. Alleen dikke, luie wijven die niet aan sport deden en een zwakke rug en slechte buikspieren hadden, kregen pijn in hun rug van hakken. Voor haar was een hak van twaalf centimeter net een teenslipper!

Haar neusvleugels trilden en ze keek de kamer rond. De vloeren, de witgestuukte muren, de vazen met verse witte bloemen en de zandstenen badkamer gaven het gevoel van een prachtig appartement. Het ziekenhuis lag aan zee, en Sunshine had een panoramisch uitzicht over de andere, kleinere eilandjes die om hen heen verspreid lagen. Het was alsof ze op het bovendek van een jacht zat.

Maar Sunshine was niet onder de indruk; ze had gedacht dat ze deze nacht met Ben zou doorbrengen. Chagrijnig maakte ze de rits van haar zonnejurk los. Ze droeg er een bikini onder; een knalroze. Helemaal voor *niks*!

Er werd op de deur geklopt. Het was vier uur 's nachts. Die artsen lieten je nooit met rust. Als er niets ernstig was, zouden ze nog wat beleven. Ze rukte de deur open.

'O...'

Ben tilde haar op, en smoorde haar verrukte kreet met een kus.

Ze sloeg haar benen om hem heen en probeerde zijn short uit te duwen met de hak van haar schoen. Ze wilde per se weer bezit van hem nemen, maar ze voelde meteen dat er iets mis was.

'Wat is er, Ben?'

'Niets... ik wilde je zien.'

Hij rook naar zand, naar de zeebries, zweet en zout. 'Waarom?' vroeg ze. 'Is er iets gebeurd?' Ze voelde hoe de woede van haar achterdocht de spieren in haar gezicht omlaag trok.

Ben haalde zijn handen door zijn haar. 'Jezus. Kijk niet zo naar me. Er is niets gebeurd. Jij zit hier maar in het ziekenhuis. Ik wilde zien of alles oké was.'

'Nou, fijn,' zei ze. Ze kon de zeurderige klank in haar stem niet onderdrukken. 'Dan had je toch ook kunnen bellen? Of wachten tot morgenochtend? En waarom wil je niet met me neuken, nu je hier toch bent?' Ze zag zijn blik. Het leek wel of hij terugdeinsde. Wat nou? Was hij ineens zo preuts? 'Wat is er aan de hand, Ben? Je doet heel raar.'

'Wat? Alleen omdat ik hier binnenkom na een stressvolle dag en ik geen zin heb om je de kleren van het lijf te scheuren?'

'*Newsflash*, schat. Alle mannen hebben altijd zin om de kleren van mijn lijf te scheuren.'

'Nou,' zei hij een stuk killer dan hij ooit had geklonken, 'ik ben hier en jij bent hier en toch... als ik *ergens* geen zin in heb, dan is het wel de kleren van je lijf te scheuren. Daar moet je het maar mee doen.'

De onvriendelijkheid van zijn woorden gaf haar een lelijk gevoel vanbinnen, alsof hij in haar hart keek en verachtte wat hij daar aantrof. Het was alsof de betovering van haar aantrekkingskracht was verbroken. Het was vreselijk; ze voelde zich meteen ellendig. Ze trok het niet als mensen haar beoordeelden op haar binnenkant. Dat was een van de voordelen als je heel mooi was. Het leidde af van je minder prettige karaktertrekjes.

'Ik kan niet geloven dat je dat durft te zeggen,' flapte ze eruit. 'Ik ben onweerstaanbaar, en dat weet jij donders goed.'

Twaalf jaar eerder vond Sunshine Beam – of Casey Edwards zoals ze toen nog heette – plotselinge bekendheid verontrustend en storend. Ze was altijd al van plan geweest haar naam te veranderen – ze kon niet wachten om zich formeel van haar ouders los te maken – maar de bijkomende gruwel van haar vaders moord bood haar meer dan genoeg reden om Casey Edwards te begraven en uit de as te herrijzen als Sunshine Beam.

Ze dacht dat haar moeder een halve kluizenaar was geworden, dat ze zich god weet waar verstopt had om diezelfde reden. Haar broer en zus zag ze nooit meer. Marylou was een bekrompen advocaat in New York, en Sam woonde in een commune in het Midwesten. Ze had niets met hen gemeen, op de slechte herinneringen na.

'En toch zijn we hier nu samen,' zei Ben koeltjes.

Sunshine had een nieuwe start willen maken met Ben, en dat liep helemaal mis. Die stomme moeder van haar had alles verpest. Hij zou voor een week naar Macau vertrekken en in Vegas stond Fight

Night voor de deur. Ze had twee high rollers laten oppikken uit de Golfstroom, en eentje werd per Lear Jet ingevlogen. Een van hen was Trey Millington. Hij had haar nog niet in bed weten te krijgen, maar hij bleef het proberen. Nou, dit keer had hij misschien mazzel.

Ze verpakte haar rusteloosheid als energie, maar in werkelijkheid was ze constant op zoek naar iets onbekends. Ondanks alles wat ze had bereikt, was ze niet tevreden en ze hoopte dat er ergens iemand was die haar vervulling zou bieden. Ze had gedacht dat Ben die iemand was. Geld en macht waren uiteraard een vereiste, en Ben had dat allebei, maar hij was ook nog eens een supermooie man, en zeer begeerlijk. Maar zij had ze voor het uitzoeken – wist hij dat dan niet?

'Hoe gaat het met je moeder?' vroeg hij afgemeten en formeel.

Ze haalde haar schouders op. 'De artsen komen het wel melden als het slechter gaat.'

'Wat?' vroeg hij. 'Heb je dat niet zelf gecheckt?'

'Ja, eerder op de avond. Jezus. Waarom ga jij het zelf niet checken?'

Hij keek haar aan. 'Dat zal ik doen.' Hij zweeg. 'Jij hebt het niet zo op familie, of wel, Sunshine? Weet je wel zeker dat je dit... *ons*, wel wilt?'

Haar hart barstte van woede en angst. Hoe durfde hij hiermee aan te komen? Er was iets veranderd, maar waarom... en hoe? O, mijn god, er was een andere vrouw. 'Wie was het?' siste ze. 'Wie? Je hebt iets uitgespookt, of niet? Schuif dit mij dan niet in de schoenen!'

'Waar heb je het over?'

Ze wist het. Ze zag het in zijn ogen. Ze zwaaide naar hem met een vinger. 'Twee woorden, Ben: schaam je!'

Er moest bewijs zijn: een sms'je, of een liefdesbriefje in zijn zak. Mannen waren allemaal hetzelfde; ze moesten een trofee hebben. Ze stormde op hem af en begon zijn zakken te doorzoeken.

'Sunshine, blijf van me af!'

Hij duwde haar weg, maar niet voordat zij een stukje papier uit zijn zak had getrokken. Ze kneep haar ogen tot spleetjes. Het was een foto – van hem, als baby. Hij was rimpelig en bedekt met dat wasachtige spul, maar het was onmiskenbaar zijn gezicht.

'Van wie heb je dit?' schreeuwde ze, en ze voelde zich dom omdat het niets verdachts was. 'Waar heb je deze vandaan? Ik dacht dat jij beweerde dat je helemaal geen foto's had van jezelf als baby.'

'Hij is van mij. Geef terug,' zei hij bot. Ze wilde de foto in stukken scheuren, maar ze durfde niet.

Dus gaf ze hem terug. Sofia had hem vast in zijn zak gestopt. Tijdens de ceremonie om haar zoons verbintenis met een andere vrouw te vieren had zij hem een babyfoto gegeven – een foto genomen op een moment dat Ben nog helemaal van *haar* was. Krankzinnig.

'Het was die secretaresse, of niet soms?' schreeuwde Sunshine.

Hij *bloosde.*

Ze holde weg om over te geven.

Hij stond ongemakkelijk over haar heen gebogen. 'Sunshine, toe nou, het was niet meer dan een kus.'

Ze kotste en verslikte zich: 'Ik zit te wachten op het overbekende "het had niets te betekenen", maar dat krijg je je strot niet uit omdat het *wel* wat betekende. Anders zou jij nu niet zo schuldbewust doen!' Ze greep naar het mondwater en spoelde haar mond. 'Ik vermoord die slet,' siste ze met vuurspuwende ogen. 'Echt.'

Ben greep haar bovenarm verrassend stevig vast. 'Als jij Lulu of iemand in haar omgeving ook maar iets aandoet, als je zelfs maar tegen haar praat, dan vermoord ik *jou*, en daar ga ik met liefde voor naar de gevangenis, en jij weet heel goed dat dat geen geintje is.'

Ze staarde hem geschokt aan en barstte in tranen uit.

Hij draaide zich hijgend om.

'Nou,' zei ze uiteindelijk. 'Daar heb ik niet veel op te zeggen. Ik ga weg. Wat er met mijn moeder gebeurt, kan me geen moer schelen. We hebben elkaar nooit gemogen en eerlijk gezegd ben ik gastvrouw en geen verzorgster. Als Sofia zustertje wil spelen, moet zij dat weten. Wat betreft onze verbroken verloving mag jij het nieuws aan je ouders brengen.'

Ze wilde zijn diamanten ring in zijn gezicht gooien, maar ze kon het niet. Ondanks haar gekrenkte trots wilde ze nog steeds met hem trouwen. Ja, zelfs al hield hij van een andere vrouw. Hij was veel meer dan een man, hij was een lifestyle. En ook al had ze zin hem de ogen uit te krabben, ze kon zich er niet toe zetten om miljoenen of zelfs miljarden dollars van een rots te storten om te zien hoe alles wegwaaide in de wind.

Terwijl Sunshine de suite uit stormde en de trap af stampte, hoopte ze dat hij haar achterna zou komen, haar tegen zich aan zou trekken en haar hartstochtelijk zou kussen, zoals ze altijd deden aan het eind van oude films. Maar dat deed hij niet. Het leek erop dat Ben Arlington haar met alle soorten van genoegen liet gaan. Nou, hij kon de kolere krijgen, en de rest van de Arlington-dynastie ook. Zij was Sunshine Beam, en zij had wel hetere ijzers in het vuur.

• • • • •

TURTLE EGG ISLAND, DE OCHTEND NA HET FEEST, 1 SEPTEMBER 2009

Sofia

Sofia werd wakker en probeerde niet te fronsen. De chagrijnige frons was haar moeders natuurlijke uitdrukking. Haar moeder keek zuur op elke foto en in elke herinnering. Sofia was woedend dat ze in slaap was gevallen, al was het dan maar een paar uur. Op de een of andere manier leek het alsof haar furie was weggezakt doordat zij in slaap was gevallen.

Frank lag nog op één oor, zich niet bewust van alle shit waar hij zich zorgen om zou moeten maken. Ze wierp een blik op zijn open mond en had plotseling de behoefte om een zware glazen asbak op zijn hoofd stuk te slaan.

Ze douchte snel in de openluchtdouche buiten hun slaapkamer, en staarde met opeengeklemde kaken naar zee, terwijl het warme water over haar zandloperfiguur gutste. Ze moest kalm blijven. Alles was onder controle – althans, straks wel weer.

Ze hoopte dat Lulu haar kans niet had verknald. Dat domme schaap was altijd al verliefd op Ben geweest, alleen Ben had dat nooit gemerkt, omdat hij niet in haar geïnteresseerd was. Sofia had flink wat moeite gedaan om ervoor te zorgen dat hij haar wel zou opmerken. Ze had haar persoonlijke stylist opdracht gegeven het meisje te transformeren. Ze was heel mooi, maar verborg dat onder saaie, praktische kleding. En ze droeg een bril, die luie koe! Ze werkte in een casino in Vegas: alleen al de helft van de *mannen* had zijn tanden laten bleken en zijn wimpers laten verven!

Sofia had tegen Lulu gezegd dat ze zou worden ontslagen als het haar niet lukte om Ben te verleiden. Dus was Lulu naar het zwembad gegaan, en Sterling had ze zien kussen. Mensen leken in veel opzichten op schattige robotjes: zo volkomen voorspelbaar. Het enige wat ze nu nog hoefde te doen was ze horizontaal betrappen en de paparazzo die Sterling daarvoor had ingezet was sluw en volhardend. Hij zou de foto's over de hele wereld verkopen en dat was dan dat wat de verloving betrof.

Dan zou Ben naar Macau gaan als een gelouterd en vrij man. Sunshine bleef in The Cat. Dit zou zelfs weleens een dealbreaker voor Ping kunnen zijn, zodat Ben weer terug moest naar de schoot van Arlington Corp. Wat Bessie betrof: die zou het einde van deze dag niet halen. En dan kon Sofia zich eindelijk weer eens vijf minuten ontspannen. Jezusmina, was een pauze voor een sigaretje en een tijdschriftje echt zo veel gevraagd?

Sofia keek op haar horloge. Het was zeven uur 's ochtends: tijd om de tortelduifjes een bezoekje te brengen. Ze kleedde zich snel aan, liet haar armband met diamanten, roze opalen en roze saffieren om haar pols glijden en hing haar diamanten ketting om haar hals. Hoe meer stress Sofia had, hoe meer juwelen ze droeg.

Ze duwde haar zonnebril op haar neus en liep snel naar Bens vleugel van de villa. Het was er stil. Ze toetste de toegangscode in, haastte zich naar de slaapkamer en klopte op de deur. Er kwam geen antwoord en de deur zat op slot.

Had ze het misschien verkeerd begrepen van Lulu? Sofia keerde zich om en holde naar het personeelsverblijf. De dienstmeiden drukten zich tegen de stenen muren toen zij voorbij rende. Ze kwam bij de grote, lichte ruimte die Lulu toegewezen had gekregen en gooide de deur open.

Er lag een bobbel op bed. Ze rukte het dekbed weg. Daar lag Lulu, opgekruld tot een balletje. Ze was vlekkerig van de tranen, en ze droeg een goedkoop katoenen nachthemd.

Sofia schudde haar wakker. 'Waar is hij? Waar is hij? Wat is er gebeurd?'

Lulu keek verward en doodsbang. 'Mevrouw Arlington! Er is *niks* gebeurd. Ik schaam me zo. Ik heb mezelf zo aangesteld.'

Sofia siste: 'Waar *is* hij?'

'Ik weet het niet. Hij... hij ging weg.'

'Dat had jij mij moeten vertellen. Als het niet in orde was, had jij mij moeten...'

Iemand de mantel uitvegen die een fout had gemaakt was verspilde energie; de schade stond vast. 'Jij stommeling,' zei Sofia hees. 'Jij houdt van hem en nu heb je het verpest. Nu krijg je hem dus echt nooit.' Ze beende weg. Terwijl ze door de gang rende, belde ze met de beveiliging. 'Wie is er vannacht van het eiland vertrokken?'

De man stotterde bij het voorlezen van de lijst. 'Louis Prince...'

'Wie?'

'Louis P...'

'Louis Prince bestaat niet. Wel een Louise Prince, ook wel bekend als Lulu, maar die is helaas nog hier. Wil je beweren dat er een onbekende man van het eiland is vertrokken, gisteravond? Hoe laat?'

'Dat was vannacht om kwart over drie. Hij zei dat hij – en ik heb nog gezegd...'

Sofia had Manhattan Karl mee moeten nemen, haar security manager in The Cat. Deze dwaas was te zeer onder de indruk van het kaliber van haar gasten. En omdat die vent wegging in plaats van aankwam, had hij er geen kwaad in gezien.

Kon het zijn dat Ben bij Sunshine langs wilde? Maar wat als hij vermoedde dat er iets met Bessie aan de hand was? Zodra dat mens bijkwam, zou ze alle geheimen verklappen en dat was hun ondergang. Sofia was veel te lief geweest. Bessie moest uit de weg geruimd worden. Zwakkelingen waren altijd verbazend handige tegenstanders.

Toen ze door de draaiende gang naar Sterlings kamer liep, botste er een vrouw tegen haar op die in de andere richting rende.

'Sunshine!' Het kreng had een Louis Vuitton in elke hand. 'Wat doe jij hier? Hoe is het met je... moeder? Heb jij Ben gezien?'

Sunshine zette haar dure designbagage op de grond. 'Mevrouw Arlington,' zei ze. 'Ben en ik zijn uit elkaar. Het spijt me dat u dit feest voor niets hebt gegeven. Hij zal het u uitleggen. Ik heb nu geen zin om erover te praten. Ik ga naar huis. Tot ziens.'

Sofia onderdrukte een glimlach omdat Plan A geslaagd was. Waar hing Ben nou toch uit?

'Ben is nog in het ziekenhuis,' zei Sunshine. 'Is er een jongen beschikbaar om dit naar de helikopter te brengen?'

'Je zult moeten wachten,' antwoordde Sofia. Ze liet het meisje met open mond achter. Sofia voelde geen enkel mededogen met Sunshine, en ook geen liefde voor haar biologische dochter. Laat haar maar ontslag nemen. In haar contract stond dat ze twaalf maanden lang niet voor enige concurrent mocht werken – dus fuck off.

Toen Sofia op de deur klopte, gleed Sterling uit zijn kamer als een slang uit de boom. Sofia trok hem weer mee naar binnen en smeet de deur dicht.

'Ik ben een wrak, Sterling,' siste ze, 'een wrak! Ben zit in het ziekenhuis. Misschien is Bessie nu al aan het praten. Ik trek het niet! Ze moet...' Sofia trok haar hand langs haar keel.

'Met alle soorten van genoegen,' zei Sterling. 'Bessie is in elk geval op de juiste plek. Er kan een fout gemaakt worden met haar status, ze kan het verkeerde medicijn toegediend krijgen – er kan net een komma verkeerd staan in de dosering en dan wordt een geneesmiddel ineens dodelijk. Die lieve Bessie is er geweest tegen lunchtijd.'

'Doe wat je moet doen,' zei ze. 'Ik hoef geen details te weten. Als het maar voorbij is.'

Ze namen de helikopter. Het was een prachtige, heldere morgen maar er stond een stevig briesje om hen eraan te herinneren dat het regenseizoen voor de deur stond. Dan zou de wereld grijs worden en kwam de regen met bakken uit de lucht. De piloot landde op het dak van het ziekenhuis.

'Als jij Ben vindt,' zei Sterling, 'handel ik dat andere af.'

Sofia tikte op de deur van het penthouse. Zodra ze Ben gevonden had, zou ze hem meteen afvoeren. Ze zou hem persoonlijk naar Macau sturen om te zorgen dat hij bij Bessie uit de buurt was. Haar accountant zou een paar fraaie cijfers aanleveren. Dan zou ze Ben overhalen om Arlington Corp. als grootaandeelhouder een rol te laten spelen in zijn project met Charlie Ping; hij zou gek zijn als hij een investeringsaanbod afsloeg tegen zulke gunstige voorwaarden. Vooral omdat hij Sunshine Beam niet meer had om Arnold Ping mee zoet te houden.

'Ben!' riep ze. 'Ben, lieveling, ik ben het!'

Ze wachtte, en klopte nog eens aan. Vervolgens liet ze de ziekenhuisbeveiliging de deur van de suite openmaken. Die was verlaten. Ze liep vlug de slaapkamer in, op jacht naar zijn paspoort, zijn telefoon: niets.

'Misschien is hij een wandelingetje maken?' vroeg de bewaker.

'Waarom zou hij?' vroeg Sofia.

Ze belde naar zijn mobieltje. Niets.

Ze haalde diep adem. Was hij soms in Bessie's kamer? O, god. Sofia vloog de trappen af en tikte hard op de receptiebalie. 'Waar is de ic? Ik moet naar Lily Fairweather! Nu!'

Toen ze de ic naderde, wist ze het al. Specialisten en bewaking dromden samen bij de ingang, en er hing een ongemakkelijke sfeer. Sterling was nergens te bekennen.

Sofia's enige hoop was dat Bessie dood was, maar ze wist diep vanbinnen dat het niet zo was. 'Ben!' schreeuwde ze zonder moeite te doen om haar paniek te verhullen. 'Ben, ben jij daar? Waar ben je?'

Sofia stormde de kamer in en bad dat ze de lange, slanke gestalte van haar zoon zou aantreffen: veilig en in leven en *hier*.

De kamer was leeg. Het bed... leeg.

'Waar is ze?' vroeg Sofia en haar keel werd dichtgeknepen. 'Waar is Lily Fairweather?'

Een vrouwelijke arts schudde het hoofd. 'Ze weten het niet. Ze is verdwenen! Ze zijn het aan het controleren bij de bewaking, maar die zeggen dat er een technisch probleem is.'

Terwijl de nachtmerrie zich voor haar ontrolde, verloor Sofia haar spraakvermogen. Ze perste de woorden er met moeite uit. 'Ze is weg,' hijgde ze. 'En ze heeft mijn zoon meegenomen.'

Haar hoofd tolde. Het was te veel. Ze was de controle kwijt, en zelfs aan Sterling had ze niets. Er was nu nog maar één persoon die haar zou kunnen helpen.

Het was niet anders.

•••••

PRESIDENTIËLE SUITE, THE MEDICI, EEN DAG LATER, 2 SEPTEMBER 2009

Sofia

Luke Castillo bedreef graag seks met in de ene hand een sigaar en in de andere een vrouw. Ondanks deze aanstellerij bracht hij het er uitstekend vanaf. Sofia stond over het bed gebogen en had het gevoel dat ze flauw zou vallen van lust. Hij leek een dikzak, maar dat was hij niet; alleen zijn persoonlijkheid was dik aangezet.

Ze had meteen contact met hem opgenomen op weg naar Vegas. Ze hadden elkaar al twintig jaar niet gesproken, en toch, toen ze zijn raspende stem aan de andere kant van de lijn hoorde, duizelde het haar. Hij klonk zo vertrouwd, het had iets hypnotisch en onherroepelijks. Ze had haar naam niet genoemd; dat hoefde niet. Ze had alleen gezegd: 'Ik moet je spreken.' En hij had meteen geantwoord: 'Kom maar.'

Ze droeg een sluik vallende jurk met een diep decolleté, hoge hakken, zwarte kousen en een eenvoudig kapsel. Ze zag er treurig maar heel mooi uit. Luke reageerde niet goed op lelijke vrouwen met veel zelfvertrouwen. Assistenten brachten haar naar de presidentiële suite. Ze wist nauwelijks wat ze moest zeggen. Ze zou toegeven dat ze verslagen was. Hij had gewonnen. Hij had alle kaarten in handen. Ze was wanhopig en overgeleverd aan zijn genade. Dat moest genoeg zijn.

Volledige overgave was cruciaal. Pas dan zou Luke haar wens inwilligen.

Toen ze zachtjes op de enorme deuren klopte, deed hij die langzaam open met zijn afstandsbediening. Luke lag languit op een gigantische bank aan het andere eind van de suite. Zij moest naar hem toe komen, als een slavin die haar koning bezoekt. Hij keek toe.

'Kruip,' zei hij.

'*Wat?*'

'Doe het!'

Dus was ze op haar knieën gezakt en kroop ze. Ze gaf er een kittige draai aan, zodat het eerder leek op sluipen. Zo had hij een prettig uitzicht op haar boezem en hij kon zijn ogen niet van haar afhouden.

Ze keek ook naar hem, en maakte haar lippen vochtig met haar tong; ze keek naar zijn afstandelijke, knappe gezicht, zijn donkere ogen, zijn onverzoenlijke uitdrukking. Toen ze eindelijk bij hem was, hijgde ze van verlangen. Hij ook. Hij trok haar omhoog aan haar haren tot ze boven op hem zat, en ze kusten als bezetenen. Ze snoof de warme geur van zijn sigaar op alsof het nectar was.

Er waren geen woorden van liefde, of zelfs maar genegenheid. Ze was onderdanig, en wist nog precies hoe hij het lekker vond, en wat hij graag deed, wat hem genot schonk, en wat hem uitzinnig maakte. Hij plaagde haar, over Frank, en ze liet hem zijn gang gaan. Nee, met Frank was het nooit zo wild. Naar hem verlangde ze nooit zo sterk.

Sofia had het gevoel alsof ze buiten haar lichaam trad. Ze was hier met een doel; het was idioot dat ze zo genoot, dat het zo'n ongelofelijke, fantastische bevrijding was, zo'n genot, zo losgezongen van haar daadwerkelijke missie. Het was vreselijk zich te moeten realiseren dat ze nog altijd geobsedeerd was door hem, en dat Luke Castillo, een ijskoude, immorele man, altijd de liefde van haar leven zou blijven.

Na afloop lag hij op bed en zij streelde zijn haar en kuste zijn gezicht. Hij staarde uitdrukkingsloos naar het plafond. Ze was opgewonden van angst en lust, en ze wist dat hij haar hand voelde trillen.

'Ik zal een bad voor je aanzetten,' fluisterde ze, en hij knikte. De enorme verzonken jacuzzi was de plek waar ze hem om een gunst zou smeken. Ze bracht hem een handdoek en sloeg die om hem heen. Hij liep naar het bad. Sofia dribbelde achter hem aan als een geisha. Met elke andere man zou ze dat verachtelijk en idioot vinden. Met Luke was het erotisch, en *goed*.

Er was geen enkel teken te vinden in de presidentiële suite dat Luke getrouwd was. Geen ingelijste foto's van de echtgenote. Die was nu wel moddervet, zat veel te dik in de make-up, net een clown, een parodie op werkelijke schoonheid, en ze droeg ordinaire kleding en opzichtige sieraden. En toch haatte Sofia het idee dat ze bestond. Ongetwijfeld zat die vrouw nu aan haar derde donut van de dag terwijl ze als een bezetene het internet afspeurde naar magische jurken waarin haar kont twintig kilo lichter leek.

Sofia stapte langzaam en gracieus het bubbelbad in, blij dat ze altijd serieus had gesport en slank, gebruind en onberispelijk was gebleven.

Luke kreunde toen ze op hem af zwom. Zij zuchtte toen hij haar naar zich toe trok. Vol eerbied volgde ze met haar nagels de krachtige lijnen van zijn machtige schouders en biceps.

'Wat wil je van me, schatje,' gromde hij toen zij haar nagels in zijn rug drukte. 'Want als je het me nu vraagt, zou ik je alles geven.'

'Ik wil alleen jou,' fluisterde ze, en ze zag een wolvengrijns over zijn gezicht trekken. Ze zeepte hem teder in, en masseerde zijn lichaam, zich verwonderend dat een aanraking genoeg was om vonken van verlangen door haar lijf te doen schieten. Toen nam ze hem weer mee terug naar de slaapkamer, waar ze hem afdroogde met de donzige handdoek. Ze zat op haar knieën toen ze eindelijk de moed had om te praten.

'Luke,' zei ze met omfloerste stem, 'vroeger, toen wij nog samen waren, ben ik arrogant geweest, en daar wil ik mijn excuses voor aanbieden.' Ze keek hem recht in de ogen. 'Ik zou willen dat ik niet bij je weg was gegaan. De enige in mijn leven voor wie ik werkelijk liefde voel, is mijn zoon, Ben, en ik smeek je om hem niet van me af te pakken. Toen jij trouwde met... je vrouw... toen wilde ik je kwetsen. Frank wilde me, en hij wilde een gezin, een zoon, en – nou ja, ik was halfgek van verdriet, en ik had alles gedaan om jou terug te pakken.

'Maar toen ik Bessie Edwards tegen het lijf liep – of Lily Fairweather, zoals ze zich tegenwoordig noemt – bij de opening van dat hotel in Dubai, leek het alsof ze door het lot was gestuurd. We waren allebei zwanger, en allebei doodongelukkig: de oplossing lag voor de hand. We hebben allebei gekregen wat we wilden. Zij kreeg geld, ik kreeg mijn zoon. Ben was mijn troostprijs. Ik had jou dan wel niet, maar ik had wel Ben. En ik hield van hem, ik hou van hem en ik kan hem niet laten gaan. En dus smeek ik je, alsjeblieft, laat Bessie gaan, of laat haar verdwijnen of hoe je dat ook maar doet, want als Frank erachter komt dat Ben niet zijn echte zoon is, is dat het einde voor mij, voor Ben, voor ons allemaal. *Alsjeblieft*, Luke, ik *smeek* het je.'

Ondertussen wreef ze langzaam rozenolie op zijn rug en fluisterde in zijn oor terwijl ze langzaam zijn lichaam masseerde met het hare. Tot hij opstond en haar op het bed smeet. Ze kromp ineen en dacht dat hij haar zou slaan.

Luke drukte zijn sigaar uit. Toen trok hij haar als een poes op schoot. Heel zachtjes en heel teder streelde hij de contouren van haar mond met zijn vinger. Ze moest bijna huilen. 'Liefje,' fluisterde hij, en zijn stem was hees en laag van emotie, 'jij zult altijd mijn liefste meisje zijn. En ik zal je altijd een beetje haten omdat je met die imbeciel getrouwd bent. En ik zal hem nooit vergeven dat hij jou bij mij weg heeft gekaapt – want, schatje, je had toch kunnen blijven? Maîtresses hebben het tegenwoordig zo slecht nog niet; ze hebben ook rechten.'

Haar wimpers waren nat van haar tranen. 'Ik weet het,' fluisterde ze. 'Ik ben stom geweest.'

'Maar' – en ze voelde zijn ruwe vingers raspen terwijl hij haar nek streelde – 'jij hebt ervoor gekozen om te heulen met de vijand, die mij publiekelijk vernederde, keer op keer, door af te pakken wat van mij was. Hij heeft *jou* afgepakt. Ben pakte Sunshine; Ariel pakte Harry! Frank en zijn kinderen brengen mij steeds weer in de shit!'

Sofia huiverde ineens van angst. Hij kuste haar teder, vlak onder haar oorlel. 'Daarom,' ging hij verder, 'vond ik het niet meer dan redelijk dat ik iets van hem afpakte toen die kans zich voordeed.'

O, god, misschien had Luke Ben al *vermoord*.

Luke stond op, waardoor zij van hem af glibberde. Hij trok een badjas aan en schopte haar kleren naar haar toe. Hij glimlachte, maar dit keer was er geen zachtheid. Het was een harde, wrede lach. Ze schoot haastig in haar jurk en trok haar schoenen aan, ze liet haar kousen voor wat ze waren. Dit ging niet meer om verleiding, maar om overleven.

'Maar, Sofia,' zei Luke. 'Ik heb Ben niet afgepakt. Ik heb *jou* gepakt. Ik weet nu dat ik jouw hart heb, en hij weet het ook – hij heeft het altijd al geweten. En het is genoeg voor mij. Het is ook genoeg voor mij dat ik de baas ben in Vegas, want ik *ben* Sin City. We voelen elkaar aan, deze hete woestijnstad en ik. Frank is een buitenstaander, en zijn succes, als hij dat zo wil noemen, zal altijd geforceerd zijn.'

Luke lachte terwijl hij nog een sigaar opstak. 'Baby, voordat jij naar me toe kwam, had ik geen fucking clou wat voor vuile plannetjes jij had uitgebroed, en hoe je tegen je man hebt gelogen, en hem vijfentwintig jaar lang andermans kind hebt laten opvoeden.'

Sofia staarde hem met stomheid geslagen aan. 'Je bedoelt dat jij Bessie Edwards niet tegen me hebt opgezet?'

Luke schudde zijn hoofd.

Sofia voelde de hysterie toeslaan. 'Maar je weet toch wel wie ze is? Zij is Sunshine's *moeder*.'

'Bessie Edwards,' zei Luke. 'Tuurlijk ken ik Bessie Edwards. Ik heb haar nog nooit ontmoet, maar zij was getrouwd met Hank. Die was ons een flinke smak geld schuldig, en zij heeft nog een half miljoen van die schuld afgelost voor Hank werd omgelegd.' Luke zweeg en fronste. 'Had *jij* daar soms iets mee te maken?'

Sofia sloot haar ogen en zuchtte. Liegen had geen zin. 'Het was ongeveer dertien jaar nadat we... na onze deal. Bessie ging vreemd en Hank was erachter gekomen. Hij zei dat hij dacht dat zijn jongste niet zijn kind was, en dat hij het uit liet zoeken. Bessie raakte in paniek en nam contact op – indirect, uiteraard. Sterling had haar een noodnummer gegeven – van een advocaat die we konden vertrouwen. Hank was waarschijnlijk niet echt een bedreiging, maar Sterling nam liever geen risico. En Bessie moest ook een lesje leren. Sterling kende mensen, en die hebben het afgehandeld. Die hebben het zo opgezet dat het leek alsof het iets met drugs te maken had.'

Er vertrok een spier in Luke's wang. 'Kwam dat even goed uit,' zei hij, 'dat ik de moord op Hank bijna in mijn schoenen geschoven kreeg. Ik heb een hoop shit over me heen gekregen na Hanks dood; ondanks de betaling van mevrouw keek ik nog altijd aan tegen een gat van een miljoen. Toen jij hem hebt laten verdwijnen, heb je *mijn* schuld afgeschreven. Jij bent mij dus heel wat verschuldigd, liefje.'

Sofia legde haar hoofd in haar handen. 'Maar als jij niet wist dat zij haar baby aan mij heeft afgestaan, hoe is zij er dan achter gekomen?'

'Godsamme, Sofia, dat heeft ze gewoon zelf uitgeknobbeld. Ze is moeder! Moeders zijn psychotisch. Maar' – en Luke Castillo zag er weemoedig uit; heel even maar – 'ik heb altijd affiniteit gehad met Sunshine Beam, die kleine Casey Edwards – en nu snap ik waarom. Ik hield van haar moeder; dus hield ik van de dochter.'

Ze keek hem scherp aan, en zijn gezicht betrok. 'Niet op die manier, Sofia. Jij en ik, wij hadden iets. En dat heb jij verprutst. Het is dat ik zo soft ben als een rotte peer, wat jou betreft, anders zou ik je wurgen met mijn blote handen. Dus rot op, Sofia. Rot op voor ik tot me door laat dringen wat jij mij hebt aangedaan en hoe kwaad ik precies ben.'

Dus Bessie had dit allemaal eigenhandig geregeld – en nu wist Luke alles. In plaats van zichzelf te helpen, had ze alles nog veel erger gemaakt. Sofia vluchtte, en haar hart was een kleine, verwrongen, zwarte kluwen van angst en spijt.

•••••

ST.-CHRISTOPHER'S HOSPITAL, EEN DAG EERDER, 1 SEPTEMBER 2009

Ben

'Mijn lieve zoon,' zei de vreemde vrouw. 'Geef mama eens een kusje.'

Ben was in shock. Hij begreep er niets van. Hij had geen idee wat hij moest doen. Hij voelde alleen hulpeloosheid en rauwe angst.

'Lily.' Ze sprong op hem af als een foute date en haar ogen stonden koortsachtig fel. 'Hou op!'

Het was te veel om te bevatten; het duizelde hem. Hij had zich over het ziekenhuisbed gebogen om te zien of ze in orde was, en toen had zij hem bij zijn pols gegrepen en haar nagels zo diep in zijn vel gestoken dat het bloedde.

'Heb je de foto gezien? Nou?'

Hij voelde dat zijn verwarring haar irriteerde. 'Die foto van jou als pasgeboren baby,' zei ze, nog hees van de buisjes in haar keel.

'Ja,' zei hij, en hij rommelde in zijn zak. 'Die heb ik van mijn moeder, maar hoe weet *jij*...'

'Die heb ik aan jou gegeven, mijn lieve Ben. Want ik ben jouw moeder... Ik zei, ik ben jouw moeder, je echte moeder. Ik heb jou gebaard... Ja, ja, zo zit dat. Kijk me aan, kijk me in mijn ogen. Ik ben degene die jou heeft gebaard, maar *Sofia* heeft je van me afgepakt. Ik was wanhopig en daar heeft zij misbruik van gemaakt... Ik was aan het eind van mijn – Zij bood krankzinnig veel geld... Nee, ga nou niet weg, alsjeblieft – wacht – *wacht*,' zei ze koortsachtig, 'want ik heb ook op jou gewacht. Vijfentwintig jaar lang.'

Hij staarde naar de foto. 'Kijk,' zei ze gretig, 'zie je, dat is *mijn* hand, zie je die trouwring?' Het was een lelijke, maar opvallende ring: een bolle, kikkergroene steen afgezet met robijnen, vervat in gesmeed goud. Hij kromp ineen toen ze haar hand voor zijn gezicht hield: ze droeg de ring. Het was onmiskenbaar dezelfde ring als op de foto. 'Hank, je vader, heeft hem me gegeven toen we ons verloofden.' Ze snoof. 'Ik had hem toen meteen al moeten dumpen.'

Omdat alles wat hem overeind hield wegviel, kostte het Ben veel moeite om haar voor te houden dat ze het bij het verkeerde eind had. 'Dat kan wel elke willekeurige baby zijn. Hoe weet ik dat ik dat ben? Misschien is het Sunshine wel!'

Zodra hij die woorden uitsprak, herinnerde hij zich dat Sunshine de foto had gezien en hem erin had herkend.

Ze lachte. 'Ach, lieveling, je ziet toch dat jij het bent. Ik zie het aan je ogen. En de datum staat achterop.'

Hij draaide de foto om. Het was zijn geboortedatum. 'Maar Sunshine is een dag na mij geboren,' zei hij. Hij had het gevoel dat ze hier wel mee op zou houden als hij maar argumenten bleef aanvoeren.

'Lieve schat, heeft Sofia jou ooit een foto van jezelf als pasgeboren baby laten zien, nog helemaal onder de smeer?'

Ben moest toegeven dat ze dat nooit had gedaan.

'Nee,' zei Lily snerend, 'dat kan ze namelijk niet.'

Zijn keel kneep dicht van angst. 'Ik begrijp niet wat je zegt. Sunshine en ik... zijn wij een *tweeling*?'

'Nee!' riep de vrouw schril. 'Sunshine is hun dochter – van Sofia en Frank. Zij is een rechtgeaarde Arlington. Sofia moest een zoon baren en toen vond ze *mij* – dus hebben we geruild. Ik dacht dat het maar het beste was; je zou anders in armoede zijn opgegroeid. Op deze manier had jij de beste kans op een goed leven – dat moet je begrijpen. Wat ik heb gedaan was heel onbaatzuchtig, en heel aardig! Op deze manier kon ik *al* mijn kinderen de beste kansen bieden. En ik dacht dat ik Casey – Sunshine – wel als mijn eigen kind kon opvoeden. Maar... we klikten gewoon niet, al deed ik nog zo mijn best.'

Ze zweeg. 'En toen Casey dertien was, begon mijn man... hij vermoedde dat ze niet zijn kind was. Ik wist dat als hij een vaderschapstest zou laten doen... enfin, ik was doodsbang, en dus heb ik contact opgenomen met *haar*. Ik wist in die tijd nog niet wie ze was, en alle contacten verliepen via een tussenpersoon. Binnen tien dagen was mijn man *dood*. Vermoord! Ze heeft hem laten vermoorden! Dat is toch niet te geloven? Ik verachtte die vent, maar dat verdiende hij nu ook weer niet. Toen Hank dood was, werd alles anders. Ik... ik miste jou steeds erger. En ik... ik wou dat ik terug kon gaan in de tijd, want dan had ik mijn baby gehouden. Toen besefte ik dat het mij niet kon schelen wat ze me aan zou doen. Ik was vastbesloten om erachter te komen wie zij was, en dan zou ik je terughalen.' Haar stem klonk mierzoet. 'O, mijn lieve schatje, ik heb zo naar jou *gesmacht*.'

Ben trok zich terug; hij was misselijk. Zijn hele leven stond hij al trots en verheven boven op een berg; die berg was vandaag ingestort en hij lag op zijn knieën in de modder.

'Aha,' zei hij. 'En hoe ben je er dan achter gekomen wie zij was?' Hij bekeek haar nauwlettend. Als ze hier geen antwoord op had, wist hij dat ze loog.

'Simpel,' zei ze. 'Ik heb een privédetective ingeschakeld. Hij heeft jouw oorspronkelijke geboorteakte gevonden, en de aangepaste versie. Het kostte hem een week. Ik heb hem twintigduizend dollar betaald. Ik heb alle documenten, als bewijs. Ik dacht al dat je de waarheid misschien... zou ontkennen.'

'Ik ontken niets,' zei hij fel. Hij moest zorgen dat ze ophield met praten. 'Hou je mond alsjeblieft even.' Hij klonk als een klein kind. Maar hij wilde het hare niet zijn. Zij was een vreemde, en hij werd doodsbang van haar.

'Sorry,' zei hij uiteindelijk. 'Ik geloof je – ik geloof alles.' Hij moest zijn best doen om zijn stem onaangedaan te laten klinken. 'Maar het verandert niets. Dat kan niet. Het is... te laat. Frank is mijn vader, omdat... hij mijn vader is. En wat Sofia betreft... Wat zij heeft gedaan... dat... dat past bij haar. Het is extreem... slecht. Ze heeft een zwaar leven gehad. Ze heeft dingen meegemaakt die je veranderen, als mens. Ik weet niet wat ik van haar moet denken. Maar ze is mijn moeder en ik ben aan haar gewend. Het probleem is alleen dat Frank dit nooit te weten mag komen.' Ben zweeg. 'Jij gaat het hem niet vertellen. Hij verdient al deze shit niet. Als jij het hem vertelt, zie je mij nooit meer.'

Hij sprong op. Hij wilde een vliegtuig nemen naar huis, en dan pakken. Hij zou morgen naar Macau – hij zou Lulu vragen om met hem mee te gaan. En Joe. Dus dat betekende dat Lulu's ouders ook mee moesten – enfin, het hele gezin. Hij moest hier in elk geval weg.

'Wacht!'

Door de wanhoop in haar stem draaide hij zich om bij de deur. Ze kroop met moeite uit bed. Ze leek halfgek.

'Sofia weet dat ik het jou heb verteld.

Ben haalde zijn schouders op. 'Daar moet ze dan maar mee leren leven. Tot ziens, Lily. Het spijt me dat het niet zo is gelopen als je hoopte.'

Hij vermoedde dat hij zichzelf voor de gek hield. Maar toch hoopte hij dat als hij net deed of haar woorden niets te betekenen hadden, ze ook echt niets betekenden, en dat hij door kon gaan met zijn leven.

'Ik heb jouw hulp nodig, Ben. Alsjeblieft. Ik smeek het je. Je moet me meenemen. *Jij* wilt niet dat Frank het weet omdat je... van hem houdt. *Zij* wil niet dat Frank het weet omdat zij houdt van de macht en omdat ze niet zou willen scheiden. Alsjeblieft, Ben. Als jij me niet helpt, vermoordt ze me. Dat weet ik zeker. Ze vermoordt me vandaag nog.'

Hij overwoog een seconde haar in de steek te laten, en Sterling het probleem te laten oplossen.

Maar dat kon hij niet laten gebeuren. Hij was geen moordenaar.

Toen hij de ziekenhuiskamer weer inliep, wist hij niet of hij zwak of juist sterk was.

'We moeten weg hier,' zei hij met een effen gezicht. 'Kleed je aan.'

Toen dwong hij zichzelf niet te huiveren terwijl hij zijn arm in die van haar haakte en met haar het gebouw uit wandelde. Zodra ze buiten waren, sprong hij opzij en hield hij een taxi staande om hen naar het vliegveld te brengen.

'Hé, weet je...' begon ze liefjes, maar hij schudde zijn hoofd. Dit was niet het begin van iets.

'Ik moet nadenken,' zei hij, en zij viel stil, maar hij voelde haar ogen branden.

Hij begon aan een sms'je naar Frank, maar hij wist niet hoe hij het moest eindigen. Hij wist niet hoe hij het moest uitleggen. Om dezelfde reden nam hij geen contact op met Lulu. Hij zou moeten zwijgen en de mensen die om hem gaven in de zorgen laten zitten, en hij haatte Lily omdat ze hem tot zo'n beslissing had gedwongen.

'Waar breng je me heen?' vroeg ze kleintjes.

Ben negeerde haar.

Sofia had een privéjet in een hangar, maar het nummer op de staart zou traceerbaar zijn. Toch, als hij zich niet wilde laten volgen, kon hij de radar misschien mijden. Dan vloog hij naar een van de kleinere vliegveldjes in de buurt van LA, en dan... dan zou hij wel bedenken wat hij verder moest doen.

'Het is net of we samen weglopen,' giechelde ze.

Hij gaf geen antwoord, en ging opzij staan toen zij de trap van de Cirrus op wiegde.

Ze zei: 'Ik haat dit soort kleine vliegtuigjes, en toch ben ik helemaal niet bang om met *jou* te vliegen.' Ze liet haar blik over hem glijden. 'Je bent toch zo'n getalenteerde jongen.'

Hij ging in de cockpit zitten. Er was een uur verstreken sinds ze het ziekenhuis hadden verlaten. Mensen zouden er nu snel achter komen dat Lily en hij verdwenen waren. De gedachte aan Lulu's verbijstering kon hij niet verdragen. En toch waren ze op een vreselijke manier uit elkaar gegaan; waarom maakte hij zich überhaupt druk om haar? Om Frank maakte hij zich ook zorgen. Waarom zat hij dan totaal niet in over Sunshine? Omdat hij vermoedde dat zij niet geraakt zou worden door wat er ook maar van deze treurige geschiedenis bekend werd. Niets raakte haar echt. Maar Lulu en hij hadden een band. Het voelde als verraad om bij haar weg te gaan zonder iets te zeggen. Hij hoopte dat hij de kans zou krijgen om het uit te leggen.

Ben staarde naar het bedieningspaneel en zijn zicht werd wazig. Zijn ogen voelden rood en vermoeid.

'Waar breng je me heen?' vroeg ze nog eens.

Eindelijk draaide hij zich om en keek haar aan. De triomf op haar gezicht stierf weg toen ze zijn blik zag.

'Dat weet ik niet,' zei hij. 'Ik zou niet weten waar ik naartoe wil vluchten.'

Hij zag dat ze haar ogen tot spleetjes kneep om hem in te schatten.

'Oké,' zei ze kordaat. 'Dan zal ik het je wel vertellen. Ik heb een onderkomen ten noorden van Vegas. Daar zijn we veilig.'

'Goed, prima, weet je het zeker?'

'O ja,' zei ze glimlachend.

Hij staarde haar even aan en startte toen de motor. Hij was niet van plan om ook maar een seconde langer dan nodig bij zijn nieuwe moeder te blijven. Zij had dingen gedaan waar wat hem betrof uit bleek dat zij gestoord was. Hij wilde best naar Vegas vliegen, maar hij vermoedde dat hij wel wist wat *haar* motivatie was voor deze keuze. In haar krankzinnige belevingswereld was Sofia de enige blokkade tussen haar en haar geluk. Lily was waarschijnlijk van plan te moorden voor ze zelf werd vermoord.

Dat zou haar niet lukken, aangezien Sofia beter opgeleid was, betere connecties had en beter bewapend was. Ben zou Lily proberen te overtuigen niets doms te doen. Krankzinnig: ook al wist hij dat Sofia immoreel was en psychopathisch, toch kon hij zich niet losmaken van haar. Ze was een waardeloze moeder, maar ze was *wel* zijn moeder. Hij hield niet van haar, maar ze hadden een bizarre band, geboren uit gewoonte en vertrouwdheid, waarvan hij zich niet kon bevrijden.

En dan Lily, die arme misbruikte Lily, zwak als een verwelkt bloemetje... die bleek nu zijn eigen vlees en bloed te zijn, en toch voelde hij geen enkele binding. Zodra hij haar voor Sofia had verstopt, zou Ben maken dat hij bij haar wegkwam.

'Weet je zeker dat je daar veilig bent? Want mijn moeder' – hij voelde Lily's vijandigheid om zijn woordkeus – 'geeft niet op.'

'Ze zal ons daar niet vinden. Ik heb die plek al meer dan dertig jaar, en het zou nooit bij iemand op komen daar te zoeken.'

Het idee dat Frank achter de waarheid kwam flitste door Bens gedachten. Zijn vader zou er kapot van zijn. Heel even verachtte Ben Sofia. Maar Lily verachtte hij nog veel meer. Sofia was egoïstisch en kil, maar hypocriet was ze niet. Op de een of andere manier was het feit dat Lily alle verantwoordelijkheid op een ander schoof nog veel weerzinwekkender dan Sofia's meedogenloosheid. Lily gaf Sofia overal de schuld van, alsof ze zelf niet akkoord was gegaan en haar kind voor geld had verkocht, en dat was walgelijk.

Nu begreep Ben waarom Sofia zich gisteren zo bizar gedroeg. Jezus. Geen wonder dat Sunshine zo'n vreemde aantrekkingskracht op hem uitoefende. Los van haar voor de hand liggende charmes, was hij door haar biologische ouders opgevoed. Hij was dus gelokt door haar wonderlijke vertrouwdheid.

'Jij bent best lang, hè?' verzuchtte Lily terwijl ze hem aangaapte.

Hij glimlachte strak. Lily ervan overtuigen dat zij bij hem uit de buurt moest blijven was onmogelijk. Dus moest hij haar geen keus laten. Macau leek de verstandigste beslissing die hij ooit had genomen. Toch zag het ernaar uit dat hij een poosje vermist zou zijn, terwijl hij donderdag een zakelijke afspraak had. Enfin, Charlie zou het hem wel vergeven dat hij niet kwam opdagen als hij het nieuws op CNN zou zien. Ben vermoedde dat wat Sofia betrof zijn verdwijning als ontvoering werd uitgelegd.

'Ik heb dit uit liefde gedaan,' zei Lily. 'Ik hoop dat je dat inziet.'

Ben knikte, maar hij was het er niet mee eens. Sofia en Lily werden allebei door hebzucht gedreven. Ze hadden zijn leven kunnen ruïneren, en dat van degenen van wie ze redelijkerwijs hadden moeten houden, maar dat kon ze niets schelen. Toch hadden ze zijn leven niet geruïneerd. Hij zou hier wel bovenop komen.

'Wie ik ben,' zei hij, 'heeft niets te maken met waar ik vandaan kom.'

Er klonk een onderdrukte snik. Hij voelde dat ze huilde, maar hij keek haar niet aan.

Las Vegas had een ongezonde onverschilligheid ten opzichte van het verleden. Zelf had hij altijd respect gehad voor geschiedenis, en hij geloofde dat die je vertelde wie je was. Nu zag hij in dat die je alleen vertelde wie je had kunnen zijn.

'Hou eens op, graag,' zei hij toen ze harder begon te snikken. 'Ik moet me concentreren.'

Hij meed de luchthavens waar de politie zou controleren. Bravo Airspace werd zwaar bewaakt; zonder toestemming B Class in vliegen was de snelste manier om aandacht te trekken. Het was lastig vanwege het weer en het landschap, maar hij zat niet met een beetje wind en turbulentie. De natuur zou wel meewerken. Hij maakte zich eerder zorgen om menselijke verspieders, want daar stikte het van in de lucht boven de Las Vegas Bowl: er waren militaire oefenterreinen, er waren

Alert Areas, en het wemelde er van de zweefvliegtuigjes, modelraketten en parachutisten.

Lily droogde haar ogen. Ze tikte met een gelakte nagel op het bedieningspaneel. 'Je moet tussen Tonopah en Alamo zijn.'

'Daar is niets.'

'*Bijna* niets.'

Het was nog steeds donker toen ze naderden. Het was inderdaad in de middle of nowhere: hij zag een stoffige landingsbaan naast een kluitje stacaravans. Op een van de daken knipperde een rood licht.

'Wat is dit? Dit is wel verdomd dicht bij Area 51, de militaire basis. Nog iets dichterbij en ze hadden ons neergehaald.'

'Het heet Angel,' zei Lily. Even was ze stil. 'Hier zou je zijn opgegroeid als ik je had gehouden. In die caravan daar woonden we toen ik zwanger was van jou. Had je dat leuk gevonden, een jeugd in een piepkleine caravan... ver weg van alles? Dan had je hier gezeten, met je ongelukkige ouders die de hele tijd ruziemaakten. Snap je het nu? Ik heb gedaan wat voor iedereen het beste was.'

Ben was misselijk. Had hij daar op willen groeien? Het punt was dat hij nooit de kans had gekregen om daarachter te komen.

'Waarom heb je dit aangehouden?' vroeg hij. 'Jij lijkt me niet echt een sentimenteel type.'

Ze snoof. 'Ik heb een klein bedrijfje. En dat is heel nuttig gebleken. Want zoals iedereen wel weet, is geluk geen constante. De laatste tijd gebruik ik het als... uitvalsbasis. Voorlopig blijven we hier: het Bunny Fluff Motel.'

'We gaan onderduiken in een *hoerenkast*?'

'De meisjes zijn discreet.'

'Hoe weet je dat?'

Ze glimlachte, maar het was een vreugdeloze lach. 'Dat zeg ik toch, het is mijn bedrijf. Als je armoede lijdt heb je niets te kiezen.'

Ben bracht het kleine vliegtuig tot stilstand op de hobbelige landingsbaan. Het leek wel of hij het leven van iemand anders in gestuiterd was – en dat beviel hem totaal niet. En hij kon zich inmiddels niet aan de gedachte onttrekken dat Sofia en Lily, ook al was het nog zo immoreel en walgelijk wat ze hadden gedaan, hem een gunst hadden bewezen.

HUIZE ARLINGTON, LAS VEGAS, 3 SEPTEMBER 2009

Sofia

Sofia perste haar lippen op elkaar terwijl ze witzijden handschoenen aantrok en haar privékluis opende. Ze had gehoopt dat het nooit zover hoefde te komen.

Voorzichtig legde Sofia de objecten – elk voorzien van een etiket – in een met stof beklede doos. Toen trok ze het uniform van een kamermeisje aan. Ze bekeek zichzelf in de spiegel: Luke zou het *besterven*. Jammer dat ze met Frank getrouwd was. Enfin, aan alle mooie dingen kwam een eind.

Ze liep de privéparkeerplaats op en drukte op de sleutels die Sterling op haar bed had gelegd. Ze trok haar neus op toen een haveloze grijze Ford met zijn lichten knipperde. Ze had al in geen tijden in zo'n primitieve wagen gereden. Ze plaatste de tas behoedzaam op de stoel naast zich en reed naar Ariels appartement.

Met een mop en haar tas ging ze het gebouw in. Het was een duur appartementencomplex, maar niet voor de echt rijken. Je kon hier ook wonen als je een relatieve *nobody* was. Dat irriteerde Sofia. Ariels kinderlijke verlangen om 'een vrouw van het volk' te zijn was echt stuitend. Het volk bestond uit hufters!

Omdat ze boven de veertig was en zich als kamermeisje had verkleed, keurde de knappe, jonge portier haar nauwelijks een blik waardig. Nou, *fuck him*.

Ze liet zichzelf binnen. Sterling had zes jaar geleden al de sleutels voor haar na laten maken, toen Ariel hier pas kwam wonen. Sofia had zich toen voorgehouden dat het nodig was, om veiligheidsredenen. En inmiddels wist ze dat dat klopte. Het was ook vanwege de veiligheid: haar eigen.

Ze vond het treurig en jammer dat de situatie zo uit de hand gelopen was, maar ze had geen keus. Het ging er nu om dat zij zichzelf redde. En Ben.

Sofia ritste de tas open en begon de attributen neer te leggen voor haar enscenering.

De fles Grey Goose wodka zette ze op de salontafel. Daarnaast drie zwart met gouden drinkbokalen, die ze stuk voor stuk uit hun plastic verpakking haalde. Daarna goot ze in elke bokaal een scheut wodka.

Vervolgens pakte ze met een pincet wat haren uit een andere plastic zak. Twee daarvan waren van Ben: die had ze van zijn kussen gevist. Daarna legde ze Lily's zonnebril op een stoel. Die was gebroken bij haar val op het beton.

Je moest het de politie wel heel gemakkelijk maken, anders konden ze het nooit oplossen. Als die dwaas van een Frank het losgeld zou betalen, zou Sofia er wel voor zorgen dat het terechtkwam op een rekening die tot Ariel te herleiden was. Er was natuurlijk niet genoeg bewijs voor een aanklacht, maar dat Ariel en plein public had gezegd hoe ze Ben haatte en het feit dat ze zich met de Castillo's had ingelaten, maakte het mogelijk dat zij erbij betrokken was, al was het niet erg waarschijnlijk. Luke stond bekend om zijn wraakzuchtigheid en Ariel was zo zwak dat het heel plausibel was dat Castillo haar als pion gebruikte in zijn schaakspel. Sofia wist dat er gaten in haar plan zaten, maar het was dan ook alleen maar bedoeld om tijd te winnen. Tegen de tijd dat de politie had vastgesteld dat de Castillo's en Ariel erin geluisd waren, en dat Bessie de schuldige was, zou Sofia Bessie zelf al hebben gevonden en met haar hebben afgerekend.

Op weg naar buiten raakte Sofia per ongeluk een ingelijste foto, die daardoor van de muur viel.

Het glas brak. Ze keek naar de grond. Er stak een glasscherf in de foto; er liep nu een witte kras door de afbeelding van een jonge, lachende Frank die de vijf jaar oude Ariel optilde zodat ze haar verjaardagskaarsjes uit kon blazen.

Frank was altijd al bijgelovig geweest en Sofia kon haar hoon daarover nauwelijks verhullen. Misschien was zijn bijgeloof achteraf toch terecht. Ach, nou ja, deze scherven gaven het geheel wel iets authentieks. Sofia stapte elegant over het kapotte glas heen. Ze was ook niet echt geschikt als kamermeisje.

•••••

LAS VEGAS METRO POLICE, AFDELING MOORDZAKEN, LATER DIE DAG

Jen

'Dit drink ik niet,' zei de vrouw terwijl ze het polystyreen bekertje van zich af duwde.

Rechercheur Jenifer Madison zei niets. Na een poosje dronk Sofia Arlington de koffie op en bette ze haar ogen. Onder andere omstandigheden had Madison gevraagd waar ze haar tas vandaan had. Het was een grote lichtblauwe tas, afgezet met witte biezen en zilveren gespen, en haar pistool zou er perfect in passen.

Mevrouw Arlington zag er veel te verzorgd uit voor een moeder van wie de zoon onder verdachte omstandigheden was verdwenen. Het kon Jen niet schelen wie ze was, een casino-eigenaresse of een schoonmaakster, je was altijd eerst mens en moeder. Mevrouw Arlington had prachtige kleren aan, maar onder dat keurige masker ging woeste emotie schuil. Ze deed alsof ze gebroken was, maar dat wil nog niet zeggen dat ze hier niet zelf bij betrokken was. Schuldgevoel leek opmerkelijk veel op verdriet.

Madison tikte met haar pen op tafel. Ze vroeg zich heimelijk af of die zoon over een paar dagen niet weer gewoon kwam opdagen, en nu met zijn voormalige toekomstige schoonmoeder op een strand lag omdat ze verliefd op elkaar waren geworden.

Haar collega, Ed, was naar Florida gevlogen en had daar met de commissaris gesproken – echt zielig voor hem – en hij had de ziekenhuiskamer doorzocht, maar er was niets te vinden. Een enkele druppel bloed, van Ben Arlington, was in de buurt van het bed gevonden. Die bloeddruppel had geen staartje, wat erop duidde dat hij stilstond toen de druppel viel. Waarschijnlijk stond hij over de patiënt gebogen en liep hij toen een klein wondje op. Misschien had hij zich ergens aan opengehaald, of was er een korstje losgeraakt. Die vrouw, ene Lily Fairweather, was een mager scharminkel. Ze was herstellende van een hoofdwond. Er was verder niets wat duidde op een gevecht.

Ed had navraag gedaan in de omgeving, maar niemand had de twee uit het ziekenhuis zien weggaan. De bewaking had Ed vol trots de bewakingscamera getoond en laten zien hoe je de lens van een afstand langs elke hoek van de uitgang kon laten glijden. Ed vroeg hem om de beelden. 'Het is live,' moest de bewaker toegeven. 'Er worden geen beelden opgenomen. Maar als dat zo was, hadden we alles nu op beeld!' voegde hij er nog aan toe.

De luchtverkeersleiding meldde dat er een privévliegtuig was vertrokken vanaf de luchthaven, en dat het op Ontario International in Californië was geland. Het registratienummer stond op naam van Arlington Corp. – maar het vliegtuig was vervolgens verdwenen.

Arlington of Fairweather moest een auto of een ander vliegtuig hebben geregeld, maar waar waren ze vervolgens naartoe gegaan?

'Dus, mevrouw Arlington, waarom denkt u dat zij ergens in de buurt van Las Vegas zijn? Als u niet eerlijk tegen me bent, kan ik u niet helpen.'

Mevrouw Arlington ging ongemakkelijk verzitten op de plastic stoel. 'Ik ben eerlijk,' zei ze. 'Ik voel dat ze in de buurt zijn. Dat noemt men onderbuikgevoel.'

Jens telefoon ging over. 'Dag, mevrouw, u spreekt met Cory McCloud van de politie in Los Angeles.'

Jen stond op. 'Neem me niet kwalijk,' zei ze.

Het kon nooit kwaad om een getuige of andere betrokkene een poosje in de verhoorkamer alleen te laten met zijn geweten. Haar voormalige partner, Harry Castillo, had een theorie: als een getuige dan in slaap viel, was de kans groot dat hij schuldig was. Dat had volgens Harry te maken met de evolutie: de slechteriken wisten dat er een lawine van shit op hen af kwam, en dus rustten ze nog wat om hun krachten te sparen. Ja hoor. Jammer dat Harry Castillo eraan ten onder was gegaan. In dit werk was het van belang dat je zo veel mogelijk dingen en mensen om je heen had waar je blij van werd.

'Hallo, Cory. Wat heb je voor me?'

Het LAPD was op patrouille gestuurd rond Ontario, maar het was alsof de twee gezochte mensen in rook waren opgegaan. En dat was natuurlijk fysiek onmogelijk. Ze hadden Bens appartement gecheckt: dat lag er verlaten bij. Het laatst bekende adres van Lily Fairweather was een huis van tien miljoen in een dure buitenwijk; de huidige eigenaar had het vijf jaar geleden op een veiling gekocht.

Jen bedankte de agent en liep de verhoorkamer weer in.

'Wat kunt u mij vertellen over Lily Fairweather, mevrouw Arlington?'

De vrouw keek Jen in de ogen. 'Niet veel. Maar ik weet dat haar leven niet zonder problemen is verlopen. Ze had geld en is dat kwijtgeraakt. Ik meen dat haar man een gokker was.'

Fysiek bewijs zou deze zaak tot een oplossing brengen, maar iemands achtergrond gaf inzicht in het motief. Hoe meer je over zo iemand wist, des te beter begreep je wie die persoon iets aan zou willen doen. En in het geval van Ben Arlington begreep Jen dat nog niet.

Ze knikte. Ze vermoedde dat Ben binnenkort ergens levend zou worden gevonden. En ze nam aan dat mevrouw Arlington dat ook wel wist.

'Het spijt me dat ik het zeggen moet, maar u gedraagt zich niet als een moeder die denkt dat haar kind dood is.'

Mevrouw Arlingtons gezicht werd roze van woede.

Mooi.

'Hoe *durft* u!' Mevrouw Arlington deed kennelijk haar best zichzelf in de hand te houden. 'Ik voel me verscheurd. Ik moet mijn uiterste best doen niet in te storten.' Ze bette haar ogen met de rug van haar hand.

Die vrouw was niet gemakkelijk van haar stuk te krijgen.

'Mevrouw Arlington,' zei Jen, en gooide het over een andere boeg, 'neemt u me niet kwalijk. Vertelt u me eens: wat denkt u dat er is gebeurd?'

De vrouw keek haar recht in het gezicht en sprak beheerst, als een getrainde leugenaar. 'Ik weet het niet. Maar ik weet wel dat Lily Fairweather gestoord is. Drie maanden geleden zat ze nog in een gekkenhuis.'

'Van wie hebt u die informatie?'

Na een heel korte stilte: 'Ik heb haar gegoogeld. Vanochtend, want, enfin, dit is allemaal pas net gebeurd. En, rechercheur, ze is een *misdadigster*! Ze wordt in Zwitserland gezocht omdat ze verdacht wordt van *moord*. Ja, check het zelf maar als u mij niet gelooft. Ze heeft een zuster gewurgd, of gesmoord, dat weet ik niet meer precies, en toen is ze uit het ziekenhuis ontsnapt.'

Mevrouw Arlington leek in tranen uit te barsten.

'Ik zal het meteen controleren,' zei Jen. Ze vloog de kamer uit en was binnen een paar tellen terug. 'Mevrouw Arlington,' zei ze, 'ik kan helemaal niets terugvinden van wat u allemaal beweert. Helemaal niets. Misschien is mijn zoekmachine niet zo geavanceerd als die van u, maar dat betwijfel ik. Dus wat hebt u daarop te zeggen? Ik hou er niet van als mensen mijn tijd verspillen. Ik heb al genoeg te doen.'

De vrouw leek oprecht verbaasd. Toen zag Jen een lichtrode blos over haar gezicht komen. Wat was er? *Wat?*

'Sorry,' zei mevrouw Arlington terwijl ze opstond. 'Ik denk dat ik me vergis. Waarschijnlijk... waarschijnlijk verwar ik haar met iemand anders. Maar ik vertrouw haar niet. Volgens mij is ze gevaarlijk. Ze is verdwenen, en mijn zoon ook, wat wilt u verder nog voor bewijs?'

'Oké,' zei Jen. 'Dank u, mevrouw Arlington. U bent reuze behulpzaam geweest. Is er nog iets wat u kwijt wilt?'

De vrouw keek naar de grond. 'Ik weet niet of het relevant is. Waarschijnlijk niet... ik zou niet weten hoe... maar wij hebben Ben onlangs een hoge positie binnen het bedrijf gegeven en dat heeft tot een breuk geleid met zijn zus, Ariel.'

Madison wachtte af. Maar de vrouw had alles gezegd wat ze te zeggen had.

'Dus u denkt dat uw dochter hier iets mee te maken heeft?'

'Ik weet het niet. Ik weet niet zeker of...'

'Geeft niet. Dank u.'

Nadat Sofia Arlington in haar gepantserde Mercedes was weg gestoven, besprak Madison de zaak met Oskar, die via de monitor had meegekeken.

'Er is iets niet helemaal in orde met Moeders,' zei Oskar terwijl hij achteroverleunde in zijn stoel.

Madison zat met een bil op het bureau. 'Dat kun je wel zeggen.'

Oskar krabde in zijn nek. 'We zien iets over het hoofd, Jen. Er is iets wat wij niet zien, recht onder onze neus.'

Jen zuchtte. Ze reikte naar Oskars bureau om te zien of er naast het radioactieve oranje gruis nog iets in het Doritozakje zat. Toen wees ze naar de video. 'Ach, alsof ik mijn gezin mis. Ik hoef ze heus niet zo nodig te zien,' zei ze. 'Laat die video nog maar eens zien.'

AFDELING MOORDZAKEN, LATER DIE AVOND

Jen

'Jij zegt tegen Sofia dat je geen moer kunt vinden over Lily Fairweather op het internet. *Kijk nu eens naar haar gezicht!*

Jen keek met half dichtgeknepen ogen naar het scherm. 'Ja. Ze schaamt zich.'

Oskar zei: 'Wat ze zegt is: "Ik denk dat ik me vergis." En ik denk dat ze zich inderdaad heeft vergist, en zich dat op dat moment realiseerde. Ze realiseerde zich dat ze jou dat verhaal helemaal niet had moeten vertellen.'

'Hoezo niet?'

'Geen flauw idee.'

Jen keek toe terwijl Oskar een zoekopdracht intikte: 'Zwitserland - ontsnapping - zuster - moord - gezocht'.

'Oké!' zei ze toen de resultaten tevoorschijn kwamen. 'Dus het verhaal klopt, maar dan met een andere naam... Bessie Edwards.'

Oskar trok zijn neus op.

'*Yes*,' zei Jen. 'Lily en Bessie zijn allebei afkortingen van Elizabeth. Zou dit dezelfde vrouw zijn? Is Fairweather misschien haar meisjesnaam, of andersom? En als Lily en Bessie inderdaad dezelfde persoon zijn, waarom wil Sofia Arlington dan niet dat wij dat weten?'

'Ze is zelf ook verwikkeld in deze shit, denk ik.'

'Ze heeft er in elk geval iets mee te maken, maar het lijkt erop dat Lily Fairweather geen engeltje is. We moeten een adres van haar vinden, door haar spullen gaan, anders hebben we niets. O, shit, wacht effe... U spreekt met rechercheur Madison, wat kan ik voor u doen?'

Een paar seconden later klapte Jen haar telefoon weer dicht. 'Dat was Sofia Arlington. Ze wil graag dat we bij haar langskomen. Zij en Frank hebben zojuist een brief ontvangen met een losgeldeis.'

• • • • •

HUIZE ARLINGTON,
DE VROEGE UURTJES VAN 4 SEPTEMBER 2009

Jen

Een hele zwik zwarte SUV's en forse motoren blokkeerde de straat die naar de privéweg leidde. Paparazzi leunden tegen de enorme vehikels, met hun lange lenzen over hun schouders. Jen telde drie televisiewagens en voelde het geluid van de helikopter in haar oren kriebelen.

Ze trok een gezicht naar Oskar. 'Mevrouw Arlington wil even babbelen.'

Jen en Oskar lieten hun badge zien aan de gewapende bewaker in het hokje. Een andere bewaker stond op; een pistool stak in zijn riem en hij werd geflankeerd door twee herdershonden. Hij gebaarde dat ze haar raampje omlaag moest doen. Hij gluurde naar binnen en pleegde een telefoontje. Uiteindelijk ging de slagboom omhoog en reden ze verder terwijl de fotografen driftig klikten.

Ze reden door tot het eind van de privéweg. Tot aan een enorm hek en een tweede bewakingshokje. 'Je vraagt je af hoe dat losgeldbriefje is bezorgd,' mompelde Jen.

Een huishoudelijke hulp in uniform deed met neergeslagen ogen de deur open, en leidde hen een vorstelijke hal in.

Een enorme glinsterende kroonluchter hing aan het hoge plafond; de schitterende stenen vloer was deels afgedekt met een beeldschoon Italiaans vloerkleed en langs de randen stonden marmeren beelden op consoles. Het meest prominente beeld leek er een van mevrouw Arlington als godin, compleet met een los gewaad en fraaie marmeren lokken. Een klein beeldje dat waarschijnlijk meneer Arlington moest voorstellen, stond daar vlak achter.

Jen hoorde mensen schreeuwen toen ze bij de dubbele witte deuren kwam.

'...kon dit nou *gebeuren*? Je moet de rots verdedigen! Als je de rots niet verdedigt, raak je *alles* kwijt! De politie opereert niet op ons niveau. Als het Castillo is, dan zal ik...'

'Het heeft niets met Castillo te maken, en blijf bij hem uit de buurt, Frank, want jij...'

‘Meneer en mevrouw Arlington, de politie is er.’

Sofia liep met rood omrande ogen snel op hen toe en schudde hen de hand. ‘Het spijt me,’ stamelde ze. ‘We zijn erg over onze toeren.’

‘We willen allemaal hetzelfde,’ zei Oskar, ‘en dat is dat Ben veilig thuiskomt. Laten we proberen om kalm te blijven en laten we samenwerken. Om te beginnen zou ik graag de losgeldbrief willen zien.’

Frank overhandigde de brief met trillende handen. Hij was uitgeprint op een A5’je, keurig getypt op een pc zo te zien. Jen staarde ernaar. ‘Betaal $ 10 miljoen als jullie Ben willen zien – anders zul je keer op keer op keer betalen.’ Echt keurig. Waren mannen zo keurig?

Ze keek Sofia aan. ‘Hoe is dit hier bezorgd?

‘Het werd uit een helikopter gegooid.’

Oskar trok zijn wenkbrauw heel even op.

‘Dat is niet zo ongebruikelijk,’ zei Sofia. ‘Er is hier veel luchtverkeer. Maar deze bleef hangen. Ik dacht nog dat hij op ons terrein wilde landen.’

‘Hoe laat gebeurde dat?’ vroeg Jen.

‘Vlak voor ik jullie belde. Misschien rond halftwaalf?’

‘Hebt u hem goed kunnen bekijken?’

‘Het is donker, het was maar een klein ding. Geen militaire helikopter. Hij maakte enorm veel lawaai, maar het was toch nog een flink eind hiervandaan. Ons terrein is heel groot. Ik kon de landingslichten zien en ik heb Sterling, mijn rechterhand, eropaf gestuurd om te zien wat er aan de hand was.’

Jen knikte. ‘We zullen het navragen bij de luchtverkeersleiding. Waar heeft hij dit briefje gevonden?’

‘Hij had een zaklamp bij zich. Het was onder een van de beelden bij de fontein gestoken.’

‘Oké. Ik zal een kijkje nemen als het weer licht is. Hebt u camera’s?’

‘Alleen veel dichter bij het huis,’ antwoordde Sofia. Dat verdomde mens had ook overal een antwoord op!

Frank ijsbeerde door de kamer. Iemand van het personeel klopte aan en kwam binnen met een blad. Frank stak een hand uit naar een kop koffie, schudde zijn hoofd, maar riep haar toch terug en pakte de koffie van het blad. ‘Dat geld is het probleem niet,’ zei hij. ‘Daar kan ik wel aan komen, ik kan het betalen. Ik wil mijn zoon terug.’

'Meneer, dat begrijp ik, maar het punt is, zodra we betalen, zijn we onze onderhandelingsruimte kwijt. We kunnen u niet tegenhouden als u wilt betalen, maar we hebben nog een dag voor de deadline om te ontdekken waar ze zich verborgen houden. Hebt u de helikopter ook gezien of gehoord, meneer Arlington?'

Frank schudde zijn hoofd. 'Ik zat in de mediaruimte. Die is geluiddicht. En hij ligt aan de voorkant van het huis.'

Jen had het gevoel dat mevrouw Arlington de orgelman was, en meneer Arlington het aapje.

'Oskar, laat me dat briefje nog eens zien.' Ze trok handschoenen aan en Oskar gaf haar de brief. Ze voelde dat Sofia haar nauwlettend in de gaten hield. De ontvoerder eiste dat het geld voor tien uur de volgende morgen overgemaakt zou worden naar een buitenlandse bankrekening.

'De ontvoerder heeft de openingstijden van banken goed op een rijtje,' mompelde Jen.

'Vindt u dit een moment voor grapjes?' zei Sofia.

'Ik probeer in te schatten wat voor iemand uw zoon heeft ontvoerd,' antwoordde Jen. 'Wij nemen dit mee. Ik zal u later nog verder moeten ondervragen. Tot die tijd zou ik zeggen dat u allebei moet proberen wat te slapen, als het lukt.'

'Ik praat wel,' zei Frank, 'tot ik een ons weeg. Maar ik wil het losgeld wel betalen.'

'Meneer Arlington,' zei Jen, 'laten we hier nog een paar uur goed over nadenken.'

Frank begon te trillen. 'Rot op met je nadenken. Het is mijn zoon, mijn geld en ik wil verdomme betalen. Ik heb hier een heel slecht gevoel over. Als ik niet betaal' – zijn stem brak – 'dan is er straks iemand dood.'

•••••

HARRY'S HUIS, DIEZELFDE OCHTEND

Harry

Harry miste het om op kantoor te zitten en kauwgom te kauwen. Hij miste het rondwalsen van een restje smerige koffie in een plastic beker en hij miste het ontrafelen van de mysteries van de verschrikkelijke dingen die mensen elkaar aandoen. Hij miste zijn maten. Maar ondanks dat zat hij nog altijd thuis, waar hij glazig voor zich uit staarde in een T-shirt en een joggingbroek, met de instructies van de fysiotherapeut in zijn la verstopt.

Het was echt jammer dat zijn relatie met Ariel op niets was uitgedraaid. Hij wilde er niet al te diep over nadenken. Hij miste haar niet, hij haatte het dat haar gezicht, haar stem en haar lach zich in zijn hoofd hadden genesteld waar ze hem kwelden met haar afwezigheid. Het had geen zin om stil te staan bij de seks, dus waarom deed hij dat dan toch?

Hij zou stil moeten staan bij de redenen waarom hij zich blij voelde dat het voorbij was. Het feit dat zij steeds liep te zaniken dat hij zijn leven weer op de rit moest krijgen – en dat uit haar mond. Ze wilde haar broer wanhopig graag weer eens zien maar ze weigerde dat toe te geven, en nu werd die broer vermist.

Het leek hem een publiciteitsstunt van een naar macht en aandacht snakkende familie, maar Harry had geprobeerd Ariel te bellen toen hij ervan hoorde, alleen om even te checken of ze niet in paniek was. Maar zij nam niet op, tenminste, niet voor hem. Ze had hem dus echt voorgoed gedumpt.

Hoe dan ook, hij probeerde wel degelijk zijn leven weer op de rit te krijgen. Hij had Jen gebeld, zijn oude partner. Hij wilde een insider horen over zijn kansen bij de politie, dat had niets te maken met het terugkrijgen van Ariel – en haar laten zien dat hij ze heus allemaal wel op een rijtje had. Tot zijn verrassing zei Jen dat ze langs zou komen.

Beng! Beng! Het amuseerde hem dat Jen altijd even hard aanklopte, of ze nu aan het werk was, of ergens privé op bezoek ging.

'Je ziet er niet uit,' zei Jen toen ze binnenkwam. 'Ben je soms vergeten wat een scheermesje is?'

Ze sloeg de sigaret uit zijn mond – hij had hem niet eens aangestoken. 'Sommige mensen zouden blij zijn dat ze nog leven. Dus hou nou maar op dat van jou te verspillen.' Ze monsterde hem van top tot teen. 'We praten wel verder als je je hebt gedoucht en geschoren.' Ze stapte de keuken in en schonk een glas water in. 'Schiet op! Ik ben al de hele nacht op en ik wil zo naar huis om nog wat te slapen.'

Toen hij aan al haar opdrachten had voldaan, knikte ze gespannen en zei: 'Ik hoorde dat jij het met Ariel Arlington doet?'

Een lichte ergernis ontvouwde zich in zijn maag. 'Hoezo?'

Ze haalde haar schouders op. 'Dat meisje zorgt het hele jaar al voor problemen, en ik vroeg me af of jij daar iets mee te maken hebt. Nou, Harry, vertel op.'

Nu begreep hij waarom ze zo hard op zijn deur had geklopt. Ze vertrouwde hem niet. Hij vond het een belediging dat zij dacht dat hun relatie niet oprecht was.

Hij zei: 'Heb je ooit van *Romeo en Julia* gehoord?'

'Tuurlijk,' antwoordde ze terwijl ze opstond. 'Ik vond het een rotfilm. Hij liep niet goed af.'

Ze staarde hem zwijgend aan. Die intense, zwijgende blik kreeg verdachten altijd aan het praten. Ze leek op een misprijzende maar uiteindelijk toch altijd welwillende ouder. Je wilde haar tevredenstellen.

'Als jij denkt dat Ariel iets te maken heeft met Bens verdwijning, dan heb je het mis.'

'Ach, Harry,' zei ze. 'Je weet wel beter. Het gaat er niet om wat je denkt, het gaat erom wat het bewijs je vertelt.'

Ze keek hem nog eens goed aan. En toen was ze weg.

•••••

LULU'S APPARTEMENT, DIEZELFDE OCHTEND

Ariel

Het enige wat Ariel terug kon doen voor Lulu was haar appartement schoonmaken. Het was opgeruimd, maar je kon zien dat Lulu geen tijd overhad om bijvoorbeeld eens achter de bank te stofzuigen. Ariel was zelf niet bepaald een begenadigd schoonmaakster, tenminste, ze had het nog nooit gedaan, maar toch vond ze het boenen van de badkuip erg therapeutisch. Je hoefde er niet bij na te denken – en het was zo'n opluchting.

Frank had haar terecht geen promotie gegeven. Ze was iemand die veel te gemakkelijk opgaf. Ze had Harry laten zitten, die ongetwijfeld van haar hield. Geen enkele andere man had ooit de krant doorgenomen om er artikelen uit te verwijderen over wreedheden tegenover kinderen en dieren voordat zij hem zou lezen. Hij wist ook wel dat ze dat soort dingen zou moeten lezen, maar hij drong er niet op aan dat ze veranderde. Hij accepteerde haar inclusief al haar zwakke kanten.

Harry kende haar, en als je jezelf niet zo leuk vond, was het te pijnlijk om met iemand te zijn die je zag zoals je was. Dat was geen balsem voor de ziel maar een bijtend zuur. En hij had natuurlijk volkomen gelijk wat Ben betrof, en dat was heel irritant. Natuurlijk had ze zijn verlovingsfeest bij willen wonen, ook al verloofde hij zich dan met die vreselijke Sunshine Beam.

'O,' zei Ariel hardop, boenend op een vlek in het bad, 'Sunshine is *veel* te hard voor Ben. Waarom kiezen lieve mannen vaak zulke nare krengen van vrouwen?' Het deed haar denken aan Frank en Sofia.

Maar trots en schaamte weerhielden haar ervan contact te leggen. Ze was inderdaad een beetje gestoord, zoveel was duidelijk. Als zij op een obstakel stuitte in wat voor relatie dan ook, was haar enige reactie om de banden door te snijden. Dat had ze gedaan met haar vader, met Ben en nu met Harry. Ze had geen televisie meer aangehad sinds de dag van de verloving, en haar telefoon zat in haar tas, met een lege batterij. Ze moest zich overal van afsluiten om er weer bovenop te komen.

'Het kan me niet schelen,' zei ze bij zichzelf. 'Als iemand me echt nodig heeft, vindt hij me vanzelf. God, wat is dit vermoeiend!'

In de tussentijd zou ze in een vredige omgeving en in eenzaamheid misschien wat op krachten kunnen komen. Ze kroop op de bank in de prettige wetenschap dat het onder haar nu stofvrij was, en deed haar ogen dicht.

Bzzz.

Ariel schrok. Ze moest in slaap gevallen zijn. Het klonk alsof er een bij in de kamer was. Pas toen realiseerde ze zich dat het de deurbel was. Het was een piepklein huis, maar gezellig en snoezig als een poppenhuis, met de krabbels van Joe die met magneetjes aan de koelkast waren opgehangen. Schattig, iets wat het enorme huis van de Arlingtons nooit was geweest.

Bzzz.

O, mijn god, Harry kwam haar halen. Ze had visioenen dat hij haar kwam halen, en haar in zijn armen op zou tillen en mee zou nemen terwijl hij zachtjes zei: 'Ik laat je nooit meer gaan.'

'Een seconde,' gilde ze, en ze stopte een pepermuntje in haar mond en haalde haar handen door haar haren voor ze de deur opendeed.

'Ariel Arlington?'

Ze bevroor.

'Ik ben rechercheur Madison, en dit is agent Robinson. We doen onderzoek naar de verdwijning van uw broer, Ben...'

'Is Ben verdwenen? Hoe bedoelt u? Waar is hij dan heen?'

'We hoopten dat u die vraag misschien voor ons kon beantwoorden.'

De vrouw staarde haar aan met een intense blik die Ariel niet aanstond. De man keek welwillend streng, alsof hij naar een kind keek dat net al haar speelgoed op de grond had gegooid. Maar dat betekende dat zij iets *verkeerds* had gedaan...

Dat was ook zo. Ook al verdiende hij het meer dan zij, ze had duidelijk laten blijken dat ze gepikeerd was over Bens succes. Het viel niet mee om hem daarna onder ogen te komen. Als je iemand je slechte kanten hebt laten zien, wil je liever dat die iemand van de aardbodem verdwijnt. Niemand wordt er graag aan herinnerd dat hij een loser is; en je haat diegene omdat hij jouw zwaktes kent. Maar zij haatte Ben niet. Ze hield van hem.

'Ik had geen idee dat hij vermist werd. Dat is verschrikkelijk. Waar is hij dan vermist geraakt? Hoe?'

'Mevrouw Arlington, we willen graag dat u met ons meegaat naar uw eigen woning, dan kunnen we het erover hebben.'

'Waarover?'

De politiemensen keken elkaar aan. 'Dit is jouw kans om ons jouw kant van het verhaal te vertellen, Ariel.'

Haar hoofd tolde. Waarom had ze de telefoon nooit gepakt om Ben te bellen? Misschien had hij haar gebeld omdat hij in moeilijkheden zat. De tranen stroomden over haar wangen, haar benen voelden warm en slap.

Er flitste een beeld door haar hoofd. Ze was gevallen in de tuin, zes jaar was ze, en ze had zich bezeerd. Terwijl ze daar haar longen uit haar lijf stond te schreeuwen had Ben, die toen pas vijf was, haar mee naar binnen genomen, waar hij een handdoek nat had gemaakt met koud water om haar wonden mee te betten. De nanny had hen naar *Scooby Doo* laten kijken; Ben zat met zijn mollige armpje om haar heen naar de televisie te staren, terwijl hij de koele handdoek tegen haar knieën gedrukt hield.

Waar *was* hij? Was het Castillo? Haar hart bonkte. 'Denken jullie dat Luke Castillo hier iets mee te maken heeft?'

De vrouwelijke politieagent klemde haar lippen op elkaar. 'We hebben een paar aanknopingspunten die we onderzoeken,' zei ze. 'Weet jij wat een huiszoekingsbevel is, Ariel?'

'Ja.'

'We hebben er eentje en we hebben jouw appartement doorzocht, en raad eens wat we hebben gevonden?'

Ze snapte niets van wat ze zeiden. Ze wist niet eens wie Lily Fairweather was, maar klaarblijkelijk had die met Ben en Ariel bij haar thuis wodka zitten drinken uit zwarte kristallen drinkbokalen!

Op weg naar het bureau staarde Ariel uit het raam, zwijgend en vol ongeloof. Het kon Ben nooit schelen wat anderen van hem dachten. Maar Ben had Luke Castillo beledigd, en Luke Castillo had zo zijn contacten. O, god, zij had Luke Castillo *ook* beledigd. Het kon dus wel degelijk haar schuld zijn.

Luke realiseerde zich niet dat zijn zoon de enige op de hele planeet was die haar begreep. Als mensen haar afkamden, voelde ze zich dom. Maar met Harry voelde ze zich slim, omdat hij in haar geloofde. Luke Castillo zag dit natuurlijk niet, die zou zich nooit kunnen indenken dat het waar was. Hij zou wel denken dat het alweer iets was waarmee de Arlingtons hem wilden beledigen: Frank, Sofia, Ben en nu ook nog Ariel. Ze hadden allemaal iets van hem afgepakt. Ze twijfelde er niet aan dat Luke hierachter zat. En hij liet haar ervoor opdraaien.

'Rechercheur, ik zweer dat ik de laatste tijd niet in mijn appartement ben geweest, en dat ik niet weet wie die vrouw is. Echt, ik *zweer* het.'

'Ze zweert het,' zei de man tegen de vrouw.

Ze dreven de spot met haar. O, was Harry maar hier. Hij zou wel weten wat hij moest doen! Maar Harry was er niet en ze kon nu niet meer op haar knieën naar hem terug.

Ze moest het in haar eentje opknappen.

•••••

HUIZE ARLINGTON, DE OCHTEND VAN 5 SEPTEMBER 2009

Sofia

Sofia kwam meteen naar de deur, ze was de dienstmeid voor. 'Is er iets mis, rechercheurs? Hebt u nieuws?'

'Mevrouw Arlington,' zei de vrouw. 'Kunnen wij ergens rustig praten?'

Sofia zette een ernstig gezicht op. Ze droeg een grijs jurkje van Donna Karan en platte schoenen; het toonbeeld van piëteit. Vanbinnen juichte ze, en gooide ze rozenblaadjes in de lucht. Ze hadden gehapt!

Geschokt hield ze haar adem in toen ze haar over Ariel vertelden. Er viel één enkele traan. 'O, weet u dat zeker? Heeft ze u verteld waar hij is? O, ik kan het niet geloven!'

De politiemensen keken professioneel meelevend. Het kon hun niets schelen. Ze wilden deze zaak alleen afronden. Nou, ze had nog een paar verrassingen voor hen in petto.

'Mevrouw Arlington,' zei de vrouwelijke rechercheur. 'Bij het onderzoek in het appartement van uw dochter heeft onze afdeling Forensisch Onderzoek drie verschillende vingerafdrukken gevonden op glazen die daar stonden. Die vingerafdrukken blijken van Ariel, Ben en Lily Fairweather te zijn, oké?'

Sofia knikte langzaam.

'We hebben ook mevrouw Fairweathers zonnebril gevonden. Er zaten vingerafdrukken op, maar verder niets. Geen DNA. Weet u wat DNA is?'

'Ik geloof het wel,' antwoordde Sofia liefjes.

'Oké, het is een soort chemisch identiteitsbewijs dat uniek is voor elk mens. Iedereen op aarde heeft een uniek DNA en familieleden hebben bepaalde ketens met elkaar gemeen.'

'Ja.'

'Kijk, en dat is wat wij zo vreemd vinden. Drie verschillende vingerafdrukken en haren: het DNA is mannelijk, goed, dus dan nemen we aan dat het van Ben is. Om zeker te zijn hebben we ook een tandenborstel uit zijn appartement meegenomen.'

'Ja, ik geloof dat ik het begrijp.'

'Wij wilden heel grondig te werk gaan, mevrouw Arlington, dus hebben we alle monsters voor analyse opgestuurd naar het crime lab. Onze forensische experts hebben het DNA vergeleken met het DNA uit het speeksel op Bens glas. Dat was opgedroogd, maar nog wel bruikbaar.'

'Jeetjemina,' zei Sofia. 'Wat technisch allemaal. Ik was vroeger al nooit zo goed in scheikunde.'

'Dat begrijp ik, mevrouw Arlington, maar ik wil dat u goed begrijpt wat er speelt. Oké, dus er is een match. De haar en het speeksel zijn inderdaad van dezelfde persoon: Ben.'

'Weet u het zeker?'

'DNA liegt niet, mevrouw.'

'Dus hij was daar echt! In Ariels appartement! Dus die spant samen met Luke Castillo! O, mijn god, dat ze haar eigen broer heeft verraden!'

'Kijk, dat is het punt juist, mevrouw Arlington. Wij wilden heel zeker weten of Ariel inderdaad samen met Ben en Lily was – en dat haar appartement niet door iemand anders is gebruikt om haar vals te beschuldigen. Ik weet dat het belachelijk klinkt, maar u moest eens weten... dus toen hebben we het speeksel van de derde bokaal vergeleken om te checken of het echt het speeksel van Ariel was.'

Sofia had een vaag voorgevoel, maar snapte niet waarom. Alles leek volgens plan te verlopen. Misschien was dat de reden. Een plan smeden en dingen regelen voor een extreem noodgeval was één ding, maar dat dat noodgeval ook daadwerkelijk plaatsvond en dat je je verantwoordelijk moest voelen voor de consequenties van de dingen die jij had geregeld om de schuld op iemand anders af te wentelen: dat was zwaar.

'En het was Ariels speeksel?' vroeg ze ademloos.

'Ja. Dat hebben we ook met een tandenborstel vergeleken.'

Sofia bedekte haar gezicht met haar handen en schudde haar hoofd. De woorden: 'Hoelang krijgt ze, denkt u?' lagen haar op de lippen toen de vrouwelijke rechercheur haar keel schraapte.

'Ben is niet uw biologische zoon, mevrouw Arlington. Dat klopt toch? Want het blijkt nu,' voegde ze eraan toe voor Sofia een woord kon uitbrengen, 'dat Lily Fairweather zijn biologische moeder is.'

• • • • •

BUITEN DE FAIRVIEW MOUNTAIN CLINIC, LAS VEGAS, DIEZELFDE OCHTEND

Harry

Heel lang geleden was Harry in Sri Lanka. De taxichauffeur had de auto na vijf minuten langs de kant gezet om te bidden bij een tempeltje. Harry nam aan dat hij God vroeg om de rit te zegenen. Zijn tripje naar de Intensive Care van Fairview Mountain Clinic diende hetzelfde doel.

Zijn voeten brachten hem waar hij moest gaan. Er zat een brok in zijn keel en het woord 'sorry' kwam daar niet langs. En toch, in deze koele, steriele kamer realiseerde hij zich dat er geen excuses nodig waren. In plaats daarvan stond Harry aan het voeteneind van het bed waar de magere, grijze man in lag, helemaal onder de slangetjes, en aangesloten op apparaten, met zijn hoofd in het verband en zijn stomazak vol in het zicht, en salueerde hij voor zijn inspecteur.

Nu, een uur later, zat hij nog steeds in zijn auto zijn tranen te verdringen. Hij haalde zijn handen door zijn haar en ademde diep in. Het was goed. Hij had kracht geput uit de man die altijd zijn leider was geweest, en die altijd in hem had geloofd. Jen en Oskar stelden hem teleur. Maar ze deden hun werk en dat kon hij hun niet verwijten. Jack zou hebben gezegd: 'Je moet erboven staan.'

Hij dronk de bittere koffie uit de kantine van Fairview Mountain Clinic. Hij zou er op kunnen vertrouwen dat het bewijs naar de waarheid zou leiden. Ja, later zouden ze er allemaal om lachen. Met een wrang lachje zette Harry de radio aan. Het duurde even voor de woorden van de radiopresentatrice doordrongen tot zijn oren. Hij knoeide koffie over het dashboard, maar zij was al klaar met het bericht over de arrestatie van Ariel Arlington op verdenking van wederrechtelijke vrijheidsberoving, en overgestapt op een ander onderwerp, over de nieuwe brug over de Hoover Dam.

• • • • •

HET HUIS VAN LULU'S OUDERS, DIEZELFDE OCHTEND

Lulu

Zandweg, zandweg, zandweg, zandweg
Grindweg, grindweg, grindweg, grindweg
Hobbelweg, hobbelweg, hobbelweg, hobbelweg
Gat in de weg!

Joe gierde het uit terwijl Lulu hem eerst op haar schoot liet stuiteren en toen door haar knieën liet zakken tot hij bijna op zijn kop hing.

'Liefje, dit is de laatste keer, oké?'

'Oké,' zei Joe, maar hij meende er niets van.

Zelfs dat versje was van Ben, het was een oud kinderspelletje en Joe vond het geweldig. Die man zat nog altijd in haar hoofd, in haar ziel: hoe kon hij zijn verdwenen? Ze kon zich niet inhouden, en stond op het punt in huilen uit te barsten.

'Gaat het, lieverd?' vroeg haar moeder toen ze de kamer in liep met een kopje thee.

Lulu knikte zwijgend. Ze kon zich nauwelijks op Joe concentreren. Het enige wat haar ervan weerhield om op de grond te vallen en het uit te schreeuwen van wanhoop was dit versje opzeggen, steeds maar weer. Joe was nog zo jong dat hij de nuance van haar stemming niet oppikte. Zolang zij hem maar over de wegen liet stuiteren was hij blij, en het gaf haar de tijd om na te denken.

Ze wist dat zij niets betekende voor de grote Arlington Corporation maar voor Ben was ze belangrijk. Telkens als ze dacht aan hoe Sofia in haar gezicht had gesist: 'Je hield van hem en nu heb je het verpest!' antwoordde een klein opstandig stemmetje in Lulu's hoofd dat dat alleen klopte als ze Ben had opgegeven – en dat ze elke kans zou aangrijpen om het goed te maken.

Ze geloofde niets van de geruchten. Er werd onzin verspreid over Luke Castillo, en zelfs over Arnold Ping, maar Lulu wist zeker dat geen van beiden iets te winnen had door Ben iets aan te doen. Als Ben zich zorgen maakte om Castillo of Ping, zou hij dat tegen haar hebben gezegd. En die wetenschap schonk Lulu vertrouwen – het vertrouwen dat Ben haar zonder het te weten informatie had gegeven waarmee zij zich nu nuttig kon maken.

'Een seconde, liefie,' zei ze. 'Hier, kijk eens?' Ze gaf Joe zijn lievelingsboek en toen hij dat van zich af gooide, zuchtte ze en zette ze de televisie aan. 'Denk maar niet dat dit voortaan altijd zo gaat,' zei ze vol schuldgevoel, 'want dat gebeurt niet. Alleen vandaag.'

Ze wenkte haar moeder, die in de andere kamer was. 'Ik moet iets doen,' zei ze. 'Ik kan hier niet maar een beetje rondhangen.'

‘Ga maar, lieverd,’ zei haar moeder. ‘Maar doe in ’s hemelsnaam geen gekke dingen. Wij passen wel op Joe.’

Tien minuten later reed ze naar het huis van de familie Arlington. Ze had minstens vier identificatiemiddelen bij zich en als ze zou zeggen dat ze cruciale informatie had voor het onderzoek, zouden ze haar misschien wel binnenlaten. Ben werd vermist en zij moest *iets* doen.

•••••

THE MEDICI, BEGIN VAN DIE AVOND

Frank

Frank had het nieuws ook vernomen, en dat was de reden waarom hij momenteel in het modderige water van de lelijke sierfontein bij The Medici werd geduwd. Een met groeihormoon volgespoten uitsmijter hield hem bij de nek vast alsof hij een hond was; een andere mensaap duwde zijn knie zo hard in Franks rug dat zijn ruggengraat bijna brak.

Hij was met zijn paarse Lamborghini (een auto die je al van kilometers ver aan hoorde komen) tot aan het gazon voor The Medici gereden, zo hard hij kon (twintig kilometer per uur, dus, want het was zaterdagavond en hij reed over de Strip). Hij raasde de lelijke met mozaïek ingelegde oprit op en beukte met zijn hand op de claxon.

Toen reed hij dwars door de plastic struiken en over het kunstgras en ramde de opzichtige neonreclame MEDICI HOTEL & CASINO. Hij reed nog eens achteruit, weer vooruit, achteruit, tot de letters verminkt waren.

Het was Fight Weekend, en de bokswedstrijd zou zo beginnen.

The Medici liep achter op alle andere casino’s wat betreft eten, winkels en marketing, maar als er een bokswedstrijd was, kon niemand aan hen tippen. De Roman Arena kon zich meten met de Garden Arena van MGM; er waren veertienduizend stoelen, terwijl Kirk Kerkorian er vijftienduizend had, en de inrichting was wat aftands, maar het was de sfeer die het bijzonder maakte. De boksers, de promotors en de managers hielden van The Medici: het was kil en niet verfijnd en dus was je meteen in de mood voor geweld.

In The Cat was het vanavond feest; het was overal feest, omdat een belangrijke bokswedstrijd altijd grote spelers aantrok. Franks gastvrouwen hadden de mooiste kaartjes geregeld langs de ring in The Medici voor hun rijke spelers, en ook hadden ze kaartjes voor de celebrity party voorafgaand aan de wedstrijd. Frank vond het altijd vreselijk dat Luke op die manier geld aan hem verdiende, dus hield hij zich voor dat hij op deze manier juist geld aan Luke verdiende. Na de opwinding van het gevecht kwamen zijn spelers terug naar The Cat en dan waren ze in de stemming om de bloemetjes buiten te zetten. Ook al haatten Frank en Luke elkaar, beiden profiteerden van een gevecht in The Medici, en dat vereiste samenwerking.

Frank was een solist, maar deze avond was hij dankbaar dat hij zijn team had. Hij kon het werk niet aan sinds Ben weg was. Hij voelde zich rauw, alsof iemand zijn vel had afgestroopt. Hij was geen boegbeeld, hij runde zijn imperium echt zelf. Hij had altijd het laatste woord. Hij probeerde zijn angst om Ben te verliezen te smoren door zich helemaal op het werk te storten, maar hij hoorde niet meer wat de mensen zeiden, laat staan dat hij beslissingen kon nemen. Zijn hoofd leek wel gevuld met watten.

Omdat ze zijn verlamming voelden, waren zijn naaste medewerkers geruisloos en respectvol voor hem opgetreden, als witte bloedcellen die tegen een infectie vechten. Het luchtte hem op: niemand, de media niet, zijn vijanden niet, en zijn gasten en aandeelhouders niet, zou kunnen beweren dat de kwaliteit in zijn hotels te lijden had. Nog geen gekreukt kussensloop of vergeten zoutvaatje of verwelkte lelie zou erop duiden dat de geliefde zoon van de Arlingtons werd vermist, misschien wel dood was, en dat zijn ouders kapot waren.

Dat de koers van zijn aandelen meteen zo was gezakt, voelde als verraad. Hij wilde er niet bij stilstaan.

Tot zijn verbazing en teleurstelling was Sunshine met 'ziekteverlof'. Sofia had hem verteld dat de verloving van de baan was, maar hij geloofde haar niet; het was met die jonge mensen van tegenwoordig toch steeds aan en uit. Toch had hij wel verwachtte dat ze hen zou steunen. Misschien was het haar wel te veel geworden; want niet alleen haar verloofde, ook haar moeder werd vermist. De politie voelde haar aan de tand, wist hij, maar ze had hun niets verteld. De vrouwelijke rechercheur had hem verzekerd dat ze een oogje in het zeil zouden houden. Toch wist hij diep in zijn hart dat Sunshine hier niets mee te maken had. Het was Luke Castillo. En Frank zou de waarheid uit die schoft krijgen, al zou hij er dood bij neervallen.

Toen hij licht wazig in het hoofd in zijn gedeukte Lamborghini zat – het was een duur protest – kwam overal bewaking vandaan, en hij schreeuwde: 'Luke Castillo heeft mijn zoon, geef me mijn zoon terug, geef me mijn zoon terug...'

Hij kreeg een beuk in zijn gezicht, en vier potige kerels trokken hem ruw weg bij het zich vergapende publiek. Het eerste gevecht zou dadelijk beginnen en ook al waren de kaartjes al maanden uitverkocht, er waren nog altijd mensen die dolgraag op de plek wilden zijn waar het allemaal ging gebeuren. De rij kronkelde als een slang vanaf de deuren, een brede, ongeregelde lijn die van de stoep af liep. Honderden mensen tilden hun mobieltjes op en namen foto's, nou, *prima.*

Frank bleef schreeuwen en zich verzetten terwijl ze hem door de receptie sleepten en op de grond smeten. Hij lag wel tien minuten met zijn gezicht tegen de vieze rode vloerbedekking gedrukt en hij hoorde hoe de mannen orders kregen. Toen hoorde hij zware voetstappen naderen. Hij voelde de trillingen door de vloer, en hij hoorde het *klik-klak* van met staal beslagen hakken op marmer. Luke vond het vast niet leuk om uit de persconferentie voorafgaand aan het gevecht te worden gesleept.

Nu werd er een pistool tegen zijn schedel gehouden, maar door zijn ogen zo ver terug te rollen in hun kassen dat het pijn deed, kon Frank een paar zwarte Italiaanse designerschoenen zien, waar de voeten bijna uit barstten, op zo'n tien centimeter van zijn gezicht. Hij zette zich schrap voor een schop tegen zijn hoofd, maar die kwam niet. In plaats daarvan klonk het zachte bevel: 'Laat hem los.'

Frank sprong op en schreeuwde in Luke's gezicht: '*Waar is hij, vuile schoft?*'

Luke slaakte een zucht. Hij was in rokkostuum voor het gevecht.

'Frank, Frank, wat ben je toch een opvliegend type. Weet je wat jouw probleem is, Arlington? Jij denkt nooit na. Als ik moet gokken, zou ik zeggen dat jij nooit een boek leest, of wel soms, Frank? Het geschreven woord is jou te traag en te weldoordacht. Jammer hoor, Frank. Want je leert zo veel door te lezen. Nee, ik heb het niet over romans, Frank, want dat is altijd gebeuzel van zieke geesten. Ik heb het over *feiten* – officiële documenten – papieren die o zo saai lijken maar die zulke boeiende informatie bevatten en waarmee de staat zijn slappe greep op de burgers probeert te houden, van de wieg tot het graf...'

Terwijl Luke doorratelde kwam er in Franks gebutste hoofd een klein sprankje twijfel of Castillo wel de ontvoerder was. En dat was jammer, aangezien dit pas was gebeurd nadat hij zijn lievelingsauto in de neonreclame van zijn rivaal had geboord. Aan de andere kant: Luke was een meester in manipuleren. Dus waarschijnlijk lulde hij uit zijn nek.

'Laten we in de arena verder babbelen,' zei Luke. 'Ik ben daar graag als eerste, dan kan ik me prettig installeren.'

Verdwaasd liep Frank achter hem aan, langs het enorme aquarium met haaien waar de hotelgasten dagelijks werden getrakteerd op de aanblik van die prehistorische moordmachines tijdens een orgiastisch voederfestijn (hun diner bestond uit vis, hoewel het gerucht ging dat deze menseneters ook weleens een snackje kregen uit de hogere regionen van de voedselketen).

Hijgend liep Luke de eindeloze trappen op. 'Liften zijn voor dikkerds,' piepte hij.

Uiteindelijk kwamen ze bij het dak en bij de ingang tot de enorme openluchtarena. Die was losjes gebaseerd op het Colosseum, alleen, zoals Luke pochte: 'Het Colosseum had geen schuifdak voor die ene dag in het jaar dat het zeikt van de regen.' Bovendien waren de stoeltjes niet van steen maar van kunststof. Perfect geschikt voor het doel, want zoals Ariel zou zeggen, het was zo kitsch als de hel. O, god, *Ariel.* Franks hart klopte snel toen hij terugdacht aan het moment dat hij het nieuws hoorde: *Ariel Arlington is gearresteerd op verdenking van wederrechtelijke vrijheidsberoving.* Hij had zijn advocaten opdracht gegeven de borgsom te betalen, hoe hoog die ook was. Dat was wel het minste wat hij kon doen.

Luke liep langzaam naar voren in de arena, en gebaarde Frank dat hij mee moest komen. Bewakers met honden liepen door de gangpaden op en neer. Lichten en microfoons werden gecheckt. Over enkele minuten zouden de grote zwartmetalen deuren openzwaaien, en veertienduizend mensen zouden naar binnen zwermen.

Alsof Luke de pijn in Franks ogen kon lezen, schudde hij zijn hoofd. 'Die arme Ariel,' zei hij tussen het hijgen door. 'Ze heeft het niet gedaan, weet je.'

'*Ik weet ook wel dat zij het niet heeft gedaan!*' schreeuwde Frank over zijn schouder. '*Jij* hebt het gedaan.' Hij veegde het zweet van zijn voorhoofd.

'*Ik?*' brulde Luke. Het geluid van zijn stem echode door de gigantische arena. Hij keek Frank aan en tikte tegen zijn eigen borst. Hij keek geamuseerd. 'Ik snap best dat je denkt dat ik er bij betrokken ben, want er is inderdaad niemand die jouw familie meer haat dan ik. Maar ik heb er niets mee te maken. Ik zou mijn gemoedsrust niet willen opofferen, Frank, om *jou* op je nummer te zetten.'

Frank was nu zo kwaad dat hij doodkalm klonk. 'Mijn zoon is weg en mijn dochter is gearresteerd. Probeer je eens in mij te verplaatsen.'

Een klein blond meisje met getoupeerd haar en enorme borsten bracht Luke naar zijn plaats aan de ring, en Frank overwoog om op zijn knieën te vallen en te smeken. Dat zou het verkeerde gebaar zijn, want wie had er nu respect voor wanhoop?

Luke glimlachte. 'Dat kan ik niet, Frank. Want jouw plaats is niet hier. Jij hoort in New York thuis. Las Vegas is van *mij*. Je bent niet bescheiden genoeg, Frank. Je bent naar deze stad gekomen en je bent hier tekeergegaan als een olifant in een porseleinkast.'

Het vage gegons van opwinding zwol aan tot gebrul toen de deuren van de arena opengingen, en de lawaaiige meute naar binnen denderde als een horde roofzuchtige dinosauriërs.

De agressieve beat van de muziek drong Franks hoofd binnen en drukte al zijn gedachten in een hoek. Het middengewichtgevecht, dat niemand een bal interesseerde, stond als eerste op het programma. Het echte gevecht was pas over een paar uur. Frank zou de informatie krijgen die hij nodig had en vertrekken voor er ook maar een stoot was uitgedeeld, en dat was maar goed ook. In zijn hoofd was al zo veel geweld dat hij verder niets hoefde te zien.

Hij zat er lusteloos bij terwijl Luke zijn grote spelers begroette; een verdomd dubieus zootje ongeregeld, zo te zien. Er waren ook minstens drie van zijn eigen grote spelers, dus was hij gedwongen om zijn gastherengezicht op te zetten en over koetjes en kalfjes te praten. Iedereen die weleens televisiekeek of op het internet kwam, kende de situatie, maar uit zijn joviale houding sprak dat roddels over zijn privéleven hier geen rol speelden. Frank stikte bijna in de zware geur van Luke's aftershave die zich vermengde met de vettige lucht van hotdogs, hamburgers en zweet tot een overweldigende superstank.

'Hubris, Frank,' voegde Luke toe terwijl hij achterover ging zitten. 'Dat is een Grieks woord. Het betekent "zo ver met je kop in eigen kont dat je niet meer kunt ruiken dat je tot je middel in de shit zit". Ben is een lul. Hij verdient het om afgestraft te worden.' Hij leunde zover voorover als zijn dikke buik hem toeliet. 'Ik mag jou niet, Frank. Ik heb jou nooit gemogen.' Luke zweeg om een slok Cola light te nemen. 'Maar ik zal je nu toch op het juiste spoor zetten.'

'Waarom?' vroeg Frank hees. Zijn lijf begon nu pijn te doen.

Luke grijnsde. 'Omdat je zo ontzettend dom bent, Frank, denk ik niet dat de waarheid anders ooit tot die domme kop van je zal doordringen. Dus zal ik jou helpen dit probleem op te lossen, en ik zal je ook zeggen waarom: omdat jij niet blij gaat worden van de waarheid, Frank. Jij gaat een heel stuk ongelukkiger worden van de waarheid.'

Het gejoel en geschreeuw van het publiek klonk hard en schel in zijn oren en de gladde, gebronsde presentator zweepte hen nog verder op: 'De *allerbelangrijkste* wedstrijd in de geschiedenis van het boksen!'

Er klonken kreten van opwinding en angst terwijl de twee boksers de arena in stapten, allebei met een vertrokken kop, als boze gorilla's, en allebei druk gebarend, en omringd door een troep schaars geklede showgirls. Het was een kruising tussen het oude Rome en een spelshow. De trainers, promotors en vriendinnen hingen allemaal in de touwen vanaf de zijkant; iedereen praatte druk en gepassioneerd. De stank van lijven werd steeds sterker. Het was zo primair dat de haartjes in je nek overeind gingen staan.

En toch, midden in die hectiek van geconcentreerde energie en hitte, voelde Frank zich duizelig en slap. Luke's kalmte onder zijn beschuldigingen had alle vechtlust uit hem geslagen.

Terwijl de presentator galmde: '*Zijn we er klaarrrrrrrrrrrrrrrrrr voor*?!' kreeg Frank het gevoel dat hij er helemaal niet klaar voor was.

•••••

HUIZE ARLINGTON, EERDER DIE DAG

Lulu

Ze kon niet snel genoeg het huis uit. Ze wist niet wat ze had gehoord, maar ze wist wel dat het cruciaal was voor Bens verdwijning. Ze had een taxi genomen naar het huis van de familie Arlington, waar ze haar identificatiebewijs aan de bewaker had getoond en groots had verkondigd dat zij informatie had die Ariel zou vrijpleiten. Dat was een leugen, want er was nul bewijs, ze had alleen een mening, maar toch liet de bewaking haar door.

Ze had Sofia willen spreken, maar het bleek dat die met de politie in gesprek was. Lulu had gewacht bij de deur van de zitkamer, ze voelde zich heel stom en ze wilde niet aankloppen. Het was niet goed om mensen af te luisteren, maar de stemmen klonken zo hard dat het onmogelijk was ze niet te horen. Vooral niet omdat ze met haar oor tegen de deur gedrukt stond.

'...uw DNA vergeleken met dat van Ben... Bens DNA vergeleken met dat van Ariel... geen ketens gemeen, dus is bewezen dat Ben geen bloedverwant is van u en Ariel, maar...'

'Hij is geadopteerd,' hoorde ze Sofia er uitflappen. 'Maar ik had geen idee dat hij... Ze moet haar dochter hebben opgezet om bij hem in de buurt te komen! Geen wonder dat die meid de verloving op het laatste moment heeft afgeblazen, want zij...'

Wat? Ze kon niet alles verstaan, maar ze had genoeg gehoord. Ben was niet Sofia's echte zoon. Oké, nu wist Lulu dus dat ze in gevaar was.

Ze moest ongezien het huis uit zien te komen, om het aan iemand te vertellen, maar aan *wie*?

Met ingehouden adem liep ze terug naar de deur. Oké, heel zachtjes. Ze kneep haar ogen dicht en dacht aan Joe, haar lieve kleine wombat, zoals ze hem noemde, omdat hij zo knuffelbaar en dik was. Het zou...

Ze gilde toen iemand haar bij de arm pakte. Ze staarde in de kille ogen van Sterling, die griezelige handlanger van Sofia. Hij was uit het niets opgedoemd, als een geest.

'Ik wilde net weg...'

'Jij gaat nergens heen,' zei hij. Ze wendde haar blik af.

De deuren van de zitkamer werden opengegooid; Sofia en twee politiemensen kwamen naar buiten. 'Wat is hier aan de hand?' vroeg Sofia fel. 'Lulu? Wat doe jij hier?'

'Ze stond aan de deur te luisteren,' zei Sterling. 'En we weten allemaal dat het niet goed afloopt met luistervinken.'

Lulu's stem verloor plotseling alle kracht. 'Ik wilde vragen of ik misschien ergens mee kon helpen,' zei ze hees.

Sofia glimlachte. 'Dat denk ik zeker, Lulu. Wacht hier met Sterling tot de politie klaar is.'

De vrouwelijke rechercheur vroeg: 'Wie ben jij, Lulu?'

'Ik ben Bens persoonlijke assistente,' antwoordde ze.

De politievrouw trok een wenkbrauw op. 'Ach, ja. Jij hebt Ariel in jouw appartement laten logeren. We gaan er nu even tussenuit. Sofia, als je de adoptiepapieren zo snel mogelijk op het bureau wilt bezorgen, graag. We zullen ook nog met Frank spreken. Enig idee waar we hem kunnen vinden?'

Sofia trok een grimas. 'Het spijt me ontzettend, ik heb geen idee, maar ik zal hem de boodschap doorgeven als ik hem zie.'

Lulu was zo bang dat ze nauwelijks een woord uit kon brengen. De politiemensen slenterden naar de grote voordeur en lieten haar aan haar lot over in dit gigantische, zielloze huis, met zijn labyrint van kelders en gangen.

Waarom had Sofia gelogen? Het was duidelijk dat ze niet wilde dat de politie Frank zou ondervragen over die adoptieleugen. Ze wilde dat niemand het er ooit nog over zou hebben. Lulu wist dat het een leugen was, omdat Ben het over adoptie had gehad: ze had hem verteld dat een familielid van haar opperde dat ze de baby zou laten adopteren toen ze zwanger was van baby Joe. Lulu weigerde om daarover na te denken, en Ben zei dat hij ook niet begreep dat een vrouw haar eigen kind kon afstaan. Als *hij* geadopteerd was, had hij dat op dat moment zeker tegen Lulu gezegd.

'Rechercheur!' riep Lulu. 'Kunt u mij alstublieft een lift geven?'

De politievrouw schonk Lulu een onvriendelijke glimlach. 'Tuurlijk,' zei ze. 'Het is ook wel goed om jouw kijk op de zaak eens te horen.'

'Ja, natuurlijk, bedankt.' Lulu verbeet haar tranen van opluchting toen Sterling haar tegen zijn zin los moest laten. Ze liep het huis uit op wankele benen, onder begeleiding van de politie.

• • • • •

LAS VEGAS, HALVERWEGE EEN BERG, TWAALF UUR 'S MIDDAGS

Lulu

Af en toen bezweek ze onder de druk van het moederschap in combinatie met werk en de huishouding en de behoefte aan de luxe om haar gezicht 's ochtends te wassen en begon ze zich idioot te gedragen – zoals die keer dat Ben en Joe haar bij de supermarkt opwachtten in zijn zwarte Mercedes SLK Roadster, en ze op de verkeerde auto af was gestapt en zich afvroeg waarom Ben ineens tien jaar ouder was, en waarom er *twee* kinderen op de achterbank zaten...

Maar nu de adrenaline door haar aderen gierde, stond haar brein op scherp. De politie zou onder de indruk zijn van haar uiterst doordachte argument waarom Ariel wel onschuldig moest zijn.

De rechercheurs stonden zachtjes te praten. 'Als iemand weet waar ze zijn is *zij* het wel... Ze zal toch niets doen tot vanavond. Te riskant. Zet maar een wagen op haar... dan zal zij ons er wel naartoe brengen...'

Lulu spande zich in om mee te luisteren, maar de rechercheurs waren uitgepraat.

'Dus,' zei de vrouwelijke rechercheur, 'jij bent dikke vrienden met Ariel.'

'Een beetje,' zei Lulu. 'We hebben samengewerkt – vroeger – en heel soms gingen we samen uit. Ariel is lief en grappig. Ik heb een klein zoontje, en Ariel plaagde me altijd dat ik niet genoeg buiten de deur kwam. Ze had inderdaad ruzie met Ben, maar daar had ze spijt van en ze hoopte dat ze het weer bij konden leggen. Toen ze bij me kwam was ze aangedaan, omdat het uit was met haar vriend en dus heb ik haar mijn huis aangeboden. Ze had geen zin om naar huis te gaan; maar ik denk niet dat ze daar een duistere reden voor had. Ze wilde alleen wat rust aan haar hoofd. Ik denk dat ze zich schaamde dat ze ruzie had gemaakt met haar broer, want eigenlijk zijn ze heel close...'

De telefoon van de vrouwelijke rechercheur ging over. Ze gebaarde dat Lulu haar mond moest houden.

'Frank heeft de borgsom betaald.'

De politieagenten wisselen een blik, en Lulu's hart ging tekeer. Betekende dat dat Ariel nu *vrij* was? Goddank.

'Lulu, bedankt, je hebt ons erg geholpen. We hebben je gegevens, dus als we je weer nodig hebben, nemen we contact met je op.'

Op haar verzoek zetten ze haar af bij het hoge zilveren hek van een moderne architectonische triomfboog. Het was halverwege een berg en volgens de eigenaar, die vaak werd geciteerd in het tijdschrift *Vegas*, was het mooiste aan het pand de naam van de woonplaats: 'geen'.

Lulu slaakte een zucht en belde aan. Dit zou geen feest worden, maar ze moest bij deze missie niet aan zichzelf denken. Haar missie was om het aan iemand te vertellen die *wel* iets kon doen, die *wel* iets zou weten wat Ben zou kunnen helpen. En het speet haar te moeten toegeven dat die persoon Bens verloofde was: Sunshine Beam.

Officieel was Sunshine Beam met 'ziekteverlof'. Lulu nam aan dat ze te overstuur was om te kunnen werken. Als ze zich niet in een kliniek had laten opnemen, moest ze nu hier zijn. De ingewikkeld gesmede ijzeren hekken zoemden open en Lulu staarde onzeker over het brede stenen pad.

'Wat moet jij?' krijste Sunshine, die plotseling midden op het pad verscheen. 'Jij hebt wel lef, zeg, vuile slet! Van mijn terrein af! Weg!' Ze dronk uit een fles en haar ogen glommen. Haar haar stond rechtop van het vet, en ze droeg een oud, donkerblauw trainingspak. O, god. Het leek erop dat Sunshine haar wilde slaan, en terecht.

'Ach, hou nou eens even een minuut je mond, Sunshine!'

Kennelijk was Sunshine zo verbluft dat ze inderdaad haar mond hield.

'Het spijt me ontzettend. Het spijt me van Ben. Je ben waarschijnlijk gek van bezorgdheid' – Lulu kon zich inhouden, want ze wilde zeggen 'en anders ik wel.' – 'maar ik heb iets gehoord. Het was iets wat Sofia zei en ik weet het niet zeker, maar ik denk dat het iets te maken heeft met de reden waarom hij weg is gegaan, en het zou kunnen helpen om hem weer te vinden.' Lulu hield haar buik in en ging rechtop staan. 'Ik mag jou ook niet, Sunshine, en ik zou je anders niet storen, maar dit is echt belangrijk.' Dat vond ze meteen al erg onaardig van zichzelf, en ze voegde er zachtjes aan toe: 'Je wilt hem waarschijnlijk dolgraag terug.'

Sunshine deed haar mond open maar klapte hem weer dicht. 'Wat heb je gehoord?' vroeg ze uiteindelijk.

Lulu stond op het pad in de brandende middagzon en vertelde het haar.

Sunshine zakte plotseling op het keurig gemaaide gazon. Lulu ging naast haar zitten en zag dat het kunstgras was. Ze maakte zich lichtelijk zorgen om Sunshine's gezondheid. 'Gaat het wel?'

Sunshine's ogen stonden wijd open en ze gaf Lulu een tik tegen haar arm en zei: 'Sst, ik denk na!'

Lulu perste haar lippen op elkaar en zei niets. Toen sprong ze op en barstte in lachen uit. 'O, mijn *god. O, mijn god!*' gilde ze, en voor Lulu weg kon duiken, had Sunshine haar gegrepen en op de mond gekust. Haar adem stonk naar rook en wodka.

'Wat is er nou? Wat?' riep ze uit. 'Weet je waar hij is?' Plotseling herinnerde Lulu zich dat Ben bij Sunshine's *moeder* was. Ze was er zo op gefocust Ben te vinden, dat ze die hele moeder was vergeten. 'Weet je waar je moeder is?'

'Ja,' zei Sunshine grijnzend. Ze was door het dolle. 'Bedankt, lieve Lulu. Ben had gelijk: jij bent echt super.'

Lulu wilde haar door elkaar rammelen. 'Alsjeblieft, Sunshine, waar is hij? Is hij in gevaar? Wat betekent het?'

'Ik denk niet dat hij in gevaar is,' zei Sunshine. 'Ik denk dat Ben volkomen veilig is. En *ik*, Sunshine Arlington, ben met de juiste advocaten minstens een miljard rijker!'

Lulu staarde haar aan. Had ze dan een of andere gruwelijke verzekeringspolis afgesloten op het leven van Ben? Ze noemde zichzelf al Sunshine Arlington. Waren ze soms in het geheim getrouwd? O, god. Plotseling was ze zo moe dat ze het liefst op het pad was gaan liggen, al zou ze dan verschroeien in de hitte.

Maar toen herinnerde ze zich iets. Ariels ex-vriendje, Harry; die was rechercheur. En hij was de zoon van Luke Castillo. Maar ze kon niet geloven dat *hij* erbij betrokken was – iemand die Ariels geliefde was moest een zachtaardig mens zijn. Ze moest de gok wagen. Hij was haar enige kans. Lulu wierp een blik op Sunshine's auto. Die zag er snel uit en – *yes!* – de sleutel staken in het contact. Terwijl Sunshine naar haar machtige voordeur strompelde, en met haar hand boven haar hoofd een dronken groet zwaaide, sloop Lulu naar de auto. Zodra ze de motor startte, zoemden de zilveren hekken weer open.

'Hé!' riep Sunshine, die weer in haar deuropening verscheen.

'Ik breng hem later weer terug!' schreeuwde Lulu. 'Ik beloof het! En ik rij heel voorzichtig!'

Vrrrrrrrrrrrm, deed de auto, en Lulu slaakte een gilletje. Terwijl ze op topsnelheid achteruit van de oprit reed, bedekte Sunshine haar ogen met haar hand. Maar ze probeerde haar niet tegen te houden. Om de een of andere reden dacht Sunshine dat ze een miljard dollar rijker was. Waarschijnlijk kon ze dan zoveel snelle auto's kopen als ze wilde.

•••••

HUIZE ARLINGTON, DIE AVOND

Frank

Luke's chauffeur had hem thuisgebracht.

Frank stormde de grote, blauwe kinderkamer in en zakte op zijn knieën op het zachte tapijt. In het lawaai van het gevecht had hij nog kunnen functioneren. Maar in deze stilte kregen zijn angsten de overhand en hij kreunde hardop.

Hij zwalkte naar de prachtig uitgesneden eikenhouten wieg en trok het babyblauwe dekentje eruit om daar zijn tranen in te storten. O, mijn jongen... Hij kreeg braakneigingen van het verdriet om zijn verlies. Het dekentje rook muf, maar toch rook hij de heerlijke babygeur erdoorheen. Als hij vroeger thuiskwam, rook hij altijd aan Bens haartjes. 'Ik aanbid hem,' zei hij dan tegen Sofia. 'Hij is mijn kleine beschermelingetje.'

Ze hadden besloten om vast te houden aan die magische tijd door zijn babykamer intact te laten. En nu hij het bedompte babydekentje vasthad, besefte Frank dat dat idee hen had vervloekt. Het was iets wat mensen alleen deden voor hun gestorven kinderen.

Frank was doodop, en hij kon de kwelling van zijn fantasieën niet aan. De afgelopen nachten viel hij steeds bij de radio in slaap. Hij luisterde liever naar het zinloze geleuter van de presentatoren dan naar zijn eigen gedachten en de gruwelijke onzekerheid over Bens lot.

Hij wist nu zeker dat Luke er niet verantwoordelijk voor was. Die man was een vuile leugenaar, maar als hij het had gedaan, zou hij dat Frank wel ingepeperd hebben. Dat moest wel, met zo'n ego.

In plaats daarvan had hij Frank getreiterd met allerlei onzin over Sofia. Lag de waarheid soms in hun huwelijksakte besloten?

Luke zei: 'Ik zou het dicht bij huis zoeken. Sterker nog, Frank, ik zou het *in* huis zoeken. In je *bed*.'

God wist dat er geen liefde meer tussen hen was. Met het verdwijnen van Ben, en met de stress en de pijn, was het laatste restje vernis van hoffelijkheid tussen hen verdwenen.

Hij had de politiebevelen opgevolgd en dus had hij het losgeld niet betaald. De deadline was verstreken en er was niets gebeurd – geen woord, geen teken, geen bewijs dat Ben nog in leven was – en Frank voelde zich schuldig en stom en suf en vroeg zich af of hij een verschrikkelijke fout had gemaakt. Hij had het geld toch stiekem kunnen betalen. Als dit *andermans* kind betrof, had hij het geld overgemaakt, maar dit was zijn eigen kind en hij kon het risico niet nemen.

Hij voelde hoe zijn sleetse en gekwelde hersens alles bij elkaar probeerden te puzzelen. *Officiële documenten*... Natuurlijk, volgens Luke lag de sleutel tot Bens verdwijning besloten in een officieel document.

Hij had geen idee waar Sofia die documenten bewaarde.

Hij belde Gloria-Beth en gaf haar de opdracht het met de juristen uit te zoeken. Het duurde vijfentwintig gruwelijke minuten voor zij hen uit hun Fight Night-feestjes had gehaald en zij op kantoor verschenen om op zoek te gaan naar de papieren. Maar uiteindelijk kreeg hij antwoord, en dat was geen gunstig antwoord. Het juridische team van mevrouw Arlington had de originele documenten in bezit. 'Stuur me maar op wat je kunt vinden,' commandeerde hij grimmig. Terwijl hij door de papieren bladerde, dwongen zijn trillende vingers hem ze weer op zijn bureau te leggen. Maar ook al bekeek hij ze met een vergrootglas, hij kon er niets ongebruikelijks aan ontdekken. Er was van elk kind een geboortecertificaat, en eentje van Sofia en een van hem. En hun huwelijksakte. Hij veegde de papieren op de grond.

Er miste iets. Hij moest de originelen zien. Een belletje van zijn assistente met de juristen van Sofia ontlokte de ijzige reactie: '*Wij* hebben alleen kopieën. Mevrouw Arlington heeft de originelen zelf in beheer.'

Toen wist hij dat ze naast die documenten nog iets anders voor hem verborgen hield. Anders waren haar juristen of de bank de veiligste plek voor de papieren geweest. Hij slikte. Het probleem was, besefte Frank, dat Sofia de touwtjes in handen had.

Hij kon het beveiligingssysteem niet controleren, want zij had *haar* mannen erop gezet. Hij bekeek de beelden van de camera's in zijn studeerkamer; ze waren niet erg uitgebreid, en hij zag er alleen personeel op. Geen spoor van Sofia of Sterling. Hij had niet veel tijd voor een van haar kille grijze muizen verslag zou uitbrengen aan de baas.

Frank wist zeker dat dat waar hij naar zocht hier in huis was. Waar?

Hij liep langzaam en nonchalant naar hun slaapkamer. Frank trok Sofia's nachtkastje open. Hij liep haar garderobe in en trok kasten open. Hij ging op een ladder staan en tilde hoedendozen op.

Niets.

Hij aarzelde voor hij het matras van het bed tilde. Niets. Wat was nog meer belangrijk voor zijn vrouw, behalve Ben? Wat vond ze echt heel belangrijk?

Geld.

Frank gaf gas in zijn Maserati en racete naar de stad, naar hun andere, oudere, kleinere hotel. Bijou heette niet langer Bijou, maar Ace Harry's. Ace Harry's was de plek waar Ariel achttien miljoen dollar omzet draaide met muziek, drank en een stel hitsige jongelui bij het zwembad op zondag rond de lunch. Dat noemde ze: 'day life'. Het was best een slimme meid, op haar eigen lieve manier; hij had haar tekortgedaan. God, wat had hij zijn kinderen tekortgedaan.

'Back in Black' schalde uit zijn autoradio. Hij zette hem uit. Hij had stilte nodig. De airconditioning gaf zijn verhitte voorhoofd verkoeling. Het kippenvel stond op zijn armen. Hij sloeg met zijn vuist op het stuur en jankte van ongeduld terwijl hij moest wachten bij een kruising, dankbaar voor het getinte glas. Hij staarde hopeloos naar de zee van toeristen die voorthobbelden in hun pastelkleurige T-shirts, roze, geel, lichtblauw, alsof Ben als bij toverslag uit die massa tevoorschijn zou stappen, warm en levend.

Frank parkeerde slordig en gooide de autosleutels naar de parkeerwacht. Hij trok zijn honkbalpet over zijn ogen en riep de security manager bij zich – een kerel die hij al vijftien jaar kende, een van zijn *eigen* mannen. Hij legde uit wat hij van hem wilde. De man knikte langzaam en durfde geen 'nee' te zeggen. Zwijgend ging hij Frank voor naar de kluis in de kelder, door een reeks stalen deuren die met ouderwetse cijfercodepanelen werden geopend, tot ze bij de ruimte kwamen waar het geld werd geteld.

Alle munten die door de count crew uit de fruitautomaten in het casino werden gehaald, kwamen hier terecht. Het geld werd met een karretje naar de kluis gebracht en de eindbestemming van elke vergokte munt was dit kleine betonnen kamertje. De muren waren van beton; de vloeren waren van beton. Binnen in de ruimte stonden tien telmachines waarin de munten werden uitgeteld en in rolletjes verpakt. Elke machine kon per minuut drieduizend munten tellen en tot veertig rolletjes inpakken.

Maar dit was een ouderwetse manier van bedrijfsvoering. Ze waren opgehouden met het schoonmaken van de munten, zodat de handschoentjes van de meiden wit bleven. De crew droeg een uniform en na klachten over 'jeukende ogen' mochten ze van Sofia inhalers gebruiken tijdens hun dienst. Sofia had geen zin in rechtszaken en het fijne patina van nikkel, koper en zinkstof dat aan het eind van elke dienst alle oppervlakken bedekte, suggereerde dat metaalstofvergiftiging weleens een punt van aandacht kon worden.

En naast de oorbeschermers voor de crew, had Sofia ook de inworpgedeeltes van de telmachines met fluweel laten bekleden, om de kakofonie van vallend metaal tijdens de inworp vanuit de container te verminderen.

O ja, Sofia leek zo'n modelwerkgever, maar Frank wist waarom ze zo goed voor de gezondheid en het welzijn van haar personeel zorgde, en veel meer deed dan de bonden eisten: zij had er geen trek in om met grotere problemen te worden geconfronteerd terwijl ze de kleine dingetjes liet versloffen.

Tien jaar geleden had een van de hoger geplaatste hostesses hen eens voor maanden ziekteverlof laten opdraaien, en die had toen ook nog de euvele moed om medeleven te verlangen. 'Ik zal u eens vertellen waarom ik depressief ben,' had ze tegen Sofia gezegd.

'Ja, of je houdt het voor je,' luidde Sofia's antwoord. 'Ik graaf liever niet zo diep.'

Het bleek dat die vrouw een miskraam had gehad. Dit kon wettelijk niet worden verweten aan haar werk, dat een zekere mate van zwaar tillen met zich meebracht, en waarvoor ze veel moest staan, maar toen de vrouw eindelijk ontslag had genomen na ontvangst van een afkoopsom, was Sofia heel fanatiek op aspecten van arbeidsomstandigheden.

Frank leunde tegen de witgestuukte muur ergens in de diepste ingewanden van het gebouw, en hij inhaleerde de kalkachtige geur van het metselwerk. Zo deed Sofia het, realiseerde hij zich: ze leek bereid voor je te zorgen, maar eigenlijk zorgde ze vooral voor haar zakelijke belangen. En nu was ze betrapt. Nog maar een paar ogenblikken, en hij zou haar geheim kennen.

Franks hart sloeg hard en snel. Het was 1.29 uur in de nacht en de eerste dienst zou dadelijk beginnen. De count crew zou nu nog bezig zijn om systematisch het papiergeld en de munten uit alle fruitmachines in het casino te halen. Hij had meer dan genoeg tijd.

Hij bleef even staan voordat een man hem een stoel bracht, maar hij was te rusteloos om te zitten. Het was binnen een paar tellen gebeurd. Geluidloos werd de stroom van de camera's in de telruimte gehaald.

Frank keek toe terwijl de bewakers gehoorzaam de gang uit liepen. Toen glipte hij zelf de telruimte in en duwde de kogelvrije deur achter zich dicht.

Hij haalde zijn hand door zijn dikke, zwarte haar, en duizenden spiegelbeelden kopieerden dit gebaar. De camera's waren weliswaar uit, maar de vele spiegels in de ruimte dreven de spot met hem. Hij voelde zich net een clown. Hij was zo gespannen dat hij bijna over een geldkarretje struikelde.

Waar?

Instinctief, als een man die voor het eerst de vrouw ziet met wie hij gaat trouwen, *wist* hij dat Sofia's geheim zich hier bevond. Behoedzaam drukte hij zijn handen tegen de muren. Hij werkte de hele ruimte af. Hij controleerde zelfs de telmachines om te zien of die geheime compartimenten hadden.

Toen keek hij omhoog.

Het plafond was verlaagd. Er was ruim tien centimeter ruimte tussen het echte plafond en de gipsplaten. Frank wist eigenlijk niet waarom. Hij was niet geïnteresseerd in verwarmings- en ventilatiesystemen, en hij nam aan dat het iets met brandbeveiligingsvoorschriften te maken had.

Frank sleepte een geldkarretje naar het midden van de ruimte en ging er bovenop staan. Dat gaf hem net voldoende hoogte om bij het ventilatierooster te kunnen. Hij duwde ertegen; het gaf mee. Hij haalde diep adem en tastte rond in het donker. Het voelde stoffig en hij rilde. Met opeengeklemde kaken greep hij zo ver naar achter als hij kon. Zijn vingers stuitten op iets van karton. Kreunend van inspanning knipperde hij het zweet uit zijn ogen, en hij stak zijn arm nog verder in het zwarte gat om het ding te grijpen. Het was een dunne papieren map.

Hij hield hem in zijn hand, plotseling doodsbang. Hij kneep zijn ogen stijf dicht, en maakte de map toen onhandig open.

Maar voor zijn ogen het document scherp konden zien, kreeg het karretje waar hij op stond een krachtige zet en tolde het door de ruimte. Frank viel met een schreeuw achterover. Zijn hoofd kwam met een smak tegen de betonnen muur terecht en alles werd nacht.

•••••

TELRUIMTE, ACE HARRY'S, IN DE VROEGE OCHTEND VAN 6 SEPTEMBER 2009

Sofia

Hij lag op de grond en zij nam hem in haar armen.

'O, god. Frank.' Ze streelde zijn haar. Ze mompelde zachtjes in zijn oor: 'Ik hou van je, Frank. Ik hield van je. En nog steeds.'

Heel kort probeerde hij om weer bij bewustzijn te komen, hij verslikte zich en snakte naar adem. Zijn laatste woord kostte hem alle energie en wilskracht die hij nog in zich had. 'Ben,' zei hij, en hij spuugde bloed over de voorkant van haar bustier.

'Het was alleen wat geld dat ik voor mezelf opzij had gezet,' mompelde ze, zwaaiend met de map, in de wetenschap dat hij dat zou geloven. Terwijl Frank zijn ogen sloot met een gekwelde glimlach, schoof ze Bens originele geboorteakte in haar tas. Bessie had hem Tyler genoemd. Ze krulde haar lip. Ze was misselijk om Frank; ze had zijn schedel horen barsten, maar het zou in elk geval niet lang meer duren. Nu ze wist dat hij bijna dood was, fluisterde ze dat de ambulance onderweg was. Het komt goed, loog ze. Ben is gevonden; het was die vrouw, die was gestoord, maar hij was helemaal in orde, hij zou weer thuiskomen, bij papa. Ze zag de vraag in Franks ogen, en ze vertelde hem dat Ariel onschuldig was: de familie Arlington was weer compleet. Ze voelde zijn lichaam ontspannen.

'Onze jongen is veilig, en ons meisje is onschuldig,' zei ze stellig en Franks allerlaatste gedachten terwijl de wereld wegstierf, waren dat zijn vrouw nog nooit zo lief voor hem was geweest en dat hij zijn belangrijkste doel in het leven had volbracht nu zijn zoon weer veilig was en zijn dochter onschuldig.

•••••

BOEK VIER

ANGEL, HALVERWEGE DE OCHTEND VAN 6 SEPTEMBER 2009

Ben

Ben staarde naar de smoezelige vloer van het Bunny Fluff Motel en vroeg zich af waarom Lily zich niet druk maakte om de viezigheid. Hij moest hier weg. Hij had alles gedaan wat ze van hem mocht verwachten. Sofia zou haar hebben vermoord als ze in het ziekenhuis was gebleven; hij had zijn plicht gedaan.

Daar zaten ze dus nu in dit van god verlaten oord: twee mensen die elkaar niet kenden en die niets met elkaar gemeen hadden. Hij had een leven waar hij weer naar terug moest – althans, hij hoopte dat hij nog een leven had. En Sofia zou zich nu wel realiseren dat het te laat was om deze vrouw die ze betaald had voor een zoon het zwijgen op te leggen, nu die zoon de waarheid kende.

Het was tijd om op te stappen.

'Lily,' zei hij.

Ze keek verbolgen. Ze wilde dat hij haar 'mama' noemde.

'Ik moet gaan.'

'*Waarom?*' riep ze uit. 'We hebben nog maar zo weinig tijd met elkaar doorgebracht! We hebben elkaar pas leren kennen, na al die verloren jaren.'

Hij slikte zijn reactie in, namelijk dat het geen verloren jaren waren geweest; de jaren waren opgegeven voor een hoop cash.

'Je zit hier veilig, Lily. De waarheid is bekend. Iedereen zal het weten, en dat op zich biedt al genoeg bescherming.'

De vrouw barstte in snikken uit; hij vond het afschuwelijk. 'Je kunt niet weg! Je moet hier blijven om voor me te zorgen! Ik heb verder niemand! En ze gaat me hoe dan ook vermoorden, want ze haat me!'

'Mijn gevoel zegt me dat Sofia het te druk heeft met een heleboel dure advocaten die hun best moeten doen haar uit de gevangenis te houden. Die heeft geen tijd om nog meer misdaden te plegen. Mensen moeten weten waar ik ben – en ik weet zeker dat Sunshine zich ook zorgen maakt om jou. Mijn vader gaat vast door het lint. Het is ook niet aardig, want ik heb mijn familie en vrienden al genoeg aangedaan – voor *jou*.'

Hij wilde alleen nog maar weg bij dit weeïge mens. Hij wilde terug naar de mensen om wie hij gaf, die werkelijk van hem hielden, en van wie hij hield, die hem oprecht gelukkig maakten.

Lulu.

Hij was verliefd op haar, maar hij had die verliefdheid niet toegelaten omdat het zo... onpraktisch was. Het was hun kus die hem tot nu toe op de been had gehouden. Hij durfde er niet meer aan terug te denken dat hij haar had afgebekt toen zij haar gevoelens voor hem had opgebiecht – terwijl zij voor hem de ware was.

Hij was een dwaas. En nu was het misschien te laat. Hij was zo door zijn ego in beslag genomen dat hij niet naar zijn hart had geluisterd. En toch was het een feit: als hij gestrest was ging hij naar Lulu om bij te tanken; als hij blij was ging hij naar Lulu om zijn blijdschap te delen. Zij was zijn beste vriendin, hij was haar gezelschap nooit beu en ze was ook nog een *super*lekker ding. Echt, ze was beeldschoon, en ze was ook nog mooi vanbinnen. Hoe ze met Joe omging raakte hem diep. Dat kleine ventje was ook schattig, maar als hij Lulu bezig zag met haar kind, zag hij hoe een moeder eigenlijk hoorde te zijn.

Ben keek even naar Lily. Ze staarde hem hoopvol aan. Ze draaide haar lokken met haar vingers, steeds maar weer en heel snel. Ze keek verward.

'Waar denk je aan?' vroeg ze.

Hij haalde zijn schouders op en kreeg toch medelijden met haar. 'Ik denk aan de vrouw van wie ik hou,' zei hij, 'en aan hoe goed ze in mijn wereld past.' Bij de gedachte aan Lulu verscheen langzaam een glimlach op zijn gezicht. 'Zij kan alles en iedereen aan, of het nu een opgeblazen casinobaas is of een wauwelende wereldleider. Ik vraag me eerder af of ik wel in haar wereld pas. Ze denkt dat ik niet waardeer wat ik allemaal heb, en dat irriteert haar. Ze denkt dat ik niet wil inzien hoeveel mazzel ik heb.'

Maar Lulu en hij vonden dezelfde dingen belangrijk: vriendschappen, loyaliteit en hechte familiebanden.

'O, lieveling,' riep Lily uit. 'Natuurlijk pas ik in jouw wereld! O, schatje, wat ben je toch lief!'

Ben staarde haar ontzet aan. 'Sorry, Lily. Maar ik had het niet over jou. Ik had het over de vrouw met wie ik wil *trouwen*.'

'Sunshine? Dat akelige kreng?' sputterde Lily.

Zijn gevoelens voor Sunshine waren als sneeuw voor de zon verdwenen, en het enige wat hij nu nog voelde was schaamte. Het was hem allemaal duidelijk geworden. Hij zag hoe zeer Sunshine leek op haar biologische moeder: Sofia. Ze waren als twee druppels water: hard, kil, en bereid om over lijken te gaan om hun doel te bereiken. Hij was verblind door haar schoonheid en zelfvertrouwen. Succes was aantrekkelijk; het maskeerde een hoop lelijkheid. Frank had een gezegde waar hij altijd mee aan kwam als een rivaal weer eens een nieuw glitterhotel opende: 'De kip die het hardst kakelt, legt meestal niet het grootste ei.'

Sunshine maakte een heleboel lawaai, maar ze was een lege huls.

'Sunshine is heus niet zo erg,' zei Ben. 'Ze is alleen erg ambitieus. Maar nee, het is voorbij tussen Sunshine en mij.'

'Wie is dan de gelukkige dame,' sneerde Lily.

'Lily,' zei Ben. 'Jij hebt het recht niet zo verbitterd te zijn. Mijn familie zijn de mensen die er altijd voor mij waren. Jij was er niet.'

Lily stak nog een sigaret op. 'Jij lijkt totaal niet op je vader,' zei ze en ze schoot in de lach.

'Frank is mijn vader,' zei Ben.

O, god, Frank. Als hij dit wist, zou hij helemaal kapot zijn. Maar, dacht Ben fel, hij was Franks zoon in al zijn vezels, misschien niet biologisch, maar zeker wel wat zijn wezen betrof. En Ben verheugde zich erop hem dit persoonlijk te zeggen. Ben werd overspoeld door dankbaarheid voor alles wat Frank hem had gegeven: die man stroomde over van liefde. Dat was het allerbelangrijkste.

'Je hebt nog een broer,' riep Lily uit, 'en een zus! Sam en Marylou! Wil je die dan niet leren kennen?'

Ben schudde zijn hoofd. 'Het spijt me, Lily. Maar je begrijpt het niet. Ariel is mijn zus.'

Het eerste wat Ben zou doen als hij weer terug was, was Ariel opzoeken en haar vragen of ze mee wilde werken aan zijn zaak in Macau. En als hij zeker wist dat het weer goed zat tussen hem en Ariel, zou hij naar Lulu gaan om zijn excuses aan te bieden – en om haar te vertellen dat hij van haar hield.

'Het draait natuurlijk weer om het geld,' zei Lily. 'Jij wilt mijn kind niet zijn omdat ik jou niet rijk kan maken.'

Ben zuchtte. 'Je mag geloven wat je wilt.'

Hij had al wel bedacht dat het ironisch was dat hij zo vaak had gezegd dat hij zijn erfenis niet zou accepteren. En nu het misschien wettelijk zou worden bewezen dat hij de zoon van *andere* ouders was, zou hij misschien niet eens erven. Hij vond het wel een goeie grap van de kosmos. Hij was niet bang – niet nu, niet meer.

Lilly snufte en veegde haar neus af aan haar hand. 'Sofia is door en door slecht. Wil je dan niet aan haar ontsnappen?'

Ben schudde zijn hoofd. 'Ik weet dat de waarheid pijn doet, Lily, maar ik heb jou niet nodig. Alles wat jij me hebt verteld, doet me alleen beseffen hoe *gelukkig* ik ben.'

De schok, het verdriet, de woede: dat waren allemaal wonden die wel weer zouden genezen. De littekens maakten hem juist sterker, beter. Hij was vervuld van een krankzinnig optimisme, want eindelijk zag hij zijn toekomst in alle vrijheid voor zich uitstrekken. Hij wist wat en wie hij wilde, en er stond hem bijna niets meer in de weg. Zelfs als de samenwerking met Charlie Ping op niets uitliep, was er nog geen reden tot wanhoop. Als Arnold Ping te moeilijk zou doen, zou Ben Macau zonder problemen de rug toekeren.

Hij zat op het piepkleine stoeltje aan de gebutste formicatafel terwijl de fan boven hun hoofd zinloos en met veel kabaal de hete lucht ronddraaide. Hij zou het vliegtuig pakken, zich melden bij de politie en het hele vervloekte mysterie ophelderen. Lily had niet de moeite genomen de radio te verwijderen; er was hier toch geen ontvangst – hij had het al geprobeerd. Maar hij nam aan dat de hele stad op zijn kop zou staan – misschien zelfs het hele land, afhankelijk van hoe hysterisch Sofia was opgetreden. Tot zijn verbazing besefte hij dat hij

Sofia niet haatte. Voor zover zij tot liefde in staat was had zij heel veel van hem gehouden.

Op haar onbeholpen wijze hield zij van hem zelfs het meest. Hij wist niet of hij haar kon vergeven. Vergiffenis was niet een enkele bewuste daad, maar een in de loop der tijd langzaam en onwillekeurig wegebben van woede.

'Jij laat mij niet alleen,' zei Lily. Haar stem had een nieuw, hard randje gekregen, waardoor hij opkeek. Met trillende handen hield ze een pistool op hem gericht.

Hij staarde haar vol ongeloof aan.

Ze werd rood, en er kwam een geïrriteerde trek op haar gezicht. 'Ik kan niet...' zei ze hees. 'Ik kan je niet nog eens verliezen.'

Hij stond op en zei ijskoud: 'Dat is anders zojuist gebeurd.'

•••••

HARRY'S HUIS, VROEG IN DE OCHTEND VAN DIEZELFDE DAG

Ariel

'Jij bent mijn held,' flapte ze eruit toen hij de deur opendeed. 'Het spijt me dat ik ben weggelopen. Dat wilde ik je nog graag zeggen. Ik kom toch niet te vroeg, hoop ik?'

In plaats van haar in haar gezicht uit te lachen, trok hij haar naar binnen, en tot haar verrassing zag ze dat de kluizenaar die eens haar vriend was, gekleed was om uit te gaan.

'Wanneer ben jij vrijgekomen? Heeft iemand je hier gezien?' vroeg Harry. Hij zag er anders uit en hij klonk anders. Het lag niet alleen aan het gestreken T-shirt en de schone spijkerbroek die hij droeg. Ze zag het ook aan hoe hij liep – iets meer rechtop, trots.

Bones de hond kwam de keuken uit gerend. Zijn lange nagels tikten tegen de stenen vloer en hij begon blij te blaffen en sprong tegen haar op. En ook al woog hij een ton, ze tilde hem op en kuste hem.

'Nee,' zei ze. 'Luister naar me, Harry. Ik heb je iets te zeggen.' Ze zette Bones neer, en glimlachte, ook al stond ze te trillen op haar benen. Ze was doodsbang dat Harry zou zeggen dat ze kon ophoepelen. Mannen hielden van vrouwen die gemeen waren en koel, maar zo was zij helemaal niet. Ze was het zat om spelletjes te spelen. Ze was hem toch al kwijt, net als haar waardigheid: ze had dus niets meer te verliezen.

Ze begon: 'Waar ik zo van hou is dat alles aan jou *echt* is. Jij plaatst je in situaties die de meeste mensen juist willen vermijden. Dat vind ik geweldig. Ik bewonder je kracht; ik heb daar groot respect voor. Ik wilde je mijn excuses aanbieden. Het was helemaal fout dat ik probeerde om jou te pushen, omdat ik wilde dat je er sneller bovenop kwam nadat jouw inspecteur was neergeschoten.' Ze bloosde. 'En je had gelijk wat Ben betrof.' Ze stond op het punt te gaan huilen, maar hield zich in. 'Ik had het inderdaad moeten bijleggen met hem. En misschien ligt hij nu wel ergens dood in een greppel.'

Harry staarde haar even aan. Toen deed hij een stap naar voren en kuste haar hartstochtelijk, lang, en heerlijk. 'Als jij denkt dat ik jou nu nog laat gaan, heb je het goed mis,' zei hij terwijl hij zachtjes zijn vinger langs haar mond liet glijden. 'Ik ben altijd van plan geweest je te komen halen.' Hij glimlachte. 'Je was me net voor.'

Toen ze vrijgelaten werd, was ze naar huis gegaan, waar ze twaalf uur aan een stuk had geslapen. Toen had ze een korte koude douche genomen, snel schone kleren bij elkaar gezocht en was ze meteen naar hem toe gereden. Het leek ineens zo belachelijk om nog ergens anders te zijn dan bij hem.

Ze glimlachte en koesterde zich in zijn armen. 'Vierentwintig uur lang in een politiecel zitten, scherpt je hersens. En goddank voor papa. Hij heeft de borgsom betaald. Ik zal werken om het hem terug te betalen, want ik ben hem veel verschuldigd. Ik ben zo verdomde ondankbaar geweest.' Nu kwamen de tranen toch. 'Volgens mij heeft hij me vergeven voor mijn stomme streken. Ik voel me... anders. Alsof ik ineens van alles begrijp. Ik moet hem ook gaan bedanken en mijn excuses aanbieden.'

'Ach, liefje,' mompelde Harry. 'Ik meende niets van wat ik allemaal zei. Ik hou zo vreselijk veel van je. Jij bent mijn meisje en dat zul je altijd blijven.' Hij drukte haar stevig tegen zich aan – bijna te stevig. Meteen werd ze overvallen door een angstig gevoel.

'Wat is er aan de hand, Harry?' vroeg ze terwijl ze zich losmaakte.

Hij haalde een hand door zijn haar en keek haar heel even aan alsof hij... alsof zijn hart brak.

'Wat?' vroeg ze. 'Wat is er gebeurd?'

Hij liet zijn hoofd hangen. 'Ariel,' zei hij. 'Ik moet je iets uitleggen. Ik wist dat jij onder verdenking stond van Bens verdwijning en ik had gehoord dat ze je gearresteerd hadden. Maar ik heb er niets aan gedaan.'

Ze wilde hem meteen van alle schuldgevoel bevrijden. 'Ach, liefste, maak je geen zorgen. Jij hoefde helemaal niets te doen! En het is goed gekomen! Dat heb ik helemaal alleen gedaan. Ik heb ingezien dat ik voortaan de krant moet lezen zonder dat iemand er gaten voor me in heeft geknipt. Harry, wat had je kunnen doen? We waren uit elkaar...'

Hij schudde ongeduldig zijn hoofd. 'Nee, Ariel, dat bedoel ik niet. Natuurlijk had ik alles gedaan wat ik kon doen om jou daar weg te krijgen – als ik had gedacht dat dat verstandig was. Maar...' Hij zweeg en aaide haar wang. Zij trilde. 'Iemand probeerde jou de schuld in de schoenen te schuiven van Bens ontvoering. En ik dacht dat zolang jij opgesloten zat, alle betrokkenen bij deze bizarre situatie *safe* waren. Want de werkelijke dader zou niemand anders iets aandoen en zou geen belangrijke stappen zetten zolang jij achter de tralies zat, want dan zou die persoon alleen jouw onschuld maar bewijzen.'

'Oké,' zei ze hees. 'Maar ik ben al sinds gisteren vrij.'

Harry greep haar bij de schouders. 'Het spijt me, Ariel,' zei hij, 'en ik zou willen dat ik dat had geweten, want dan had ik iets kunnen doen om dit te voorkomen.'

'Om wat te voorkomen? Harry, waar heb je het in 's hemelsnaam over. Ik begrijp er niets van!'

Hij schudde zijn hoofd. 'Ik heb heel erg slecht nieuws. Over Frank. Het spijt me zo dat ik het je moet vertellen, Ariel, maar hij is dood.'

Ze kon hem niet geloven. Onmogelijk. Frank was zo... levend. Ze keek hem verward aan. 'Dat kan niet, Harry,' zei ze met een zacht stemmetje. 'Hij heeft net mijn borgsom betaald. Dus hoe kan hij dan dood zijn?'

'Het is net bekend geworden, via de politieradio. Maar dat het om hem gaat, is zeker. En het lijkt erop alsof hij... vermoord is.'

'O nee! Harry.' Terwijl ze tegen zijn T-shirt snikte, vertelde hij haar alles wat hij wist. 'Hoe? Waarom? Wat betekent dit?' huilde ze. 'Wie heeft het gedaan?'

'Hij is door de beveiliging gevonden. Ik ken de details niet, maar ik geloof dat hij is doodgebloed door een hoofdwond. Dat lijkt op een ongeluk, maar het komt wel heel goed uit en het is wel heel toevallig. Ik denk dat dit dezelfde persoon was die ook verantwoordelijk is voor de ontvoering van Ben, maar dat weet ik niet zeker.'

Ze zonk op de grond en brulde het uit, terwijl hij haar wiegde en haar haren streelde. 'Ik zal voor je zorgen, Ariel,' zei hij zachtjes. 'Ik zal voor je zorgen, voor altijd, zoals je vader had gewild.'

Ze knikte en kon geen woord uitbrengen. Bones legde zijn poot op haar been.

Toen kwam ze moeizaam overeind, en droogde haar ogen. Ze omhelsde hem en fluisterde: 'Ik hou van jou, Harry. Maar van nu af aan zorg ik voor mezelf.'

Hij keek haar verschrikt aan. 'Wil je niet bij mij zijn?'

Ze aaide zijn gezicht. 'Natuurlijk, allerliefste Harry, ik wil dat jij de mijne bent. Maar ik wil niet dat jij je verantwoordelijk voor mij voelt alsof ik een *kind* ben. Ik heb nog nooit voor mezelf gezorgd en dat moet ik maar eens leren.'

'Ariel, ik bedoelde alleen dat wij voor elkaar moeten zorgen.' Hij fronste. 'En jij bent nu niet veilig en dat ben je niet zolang je broer nog niet is gevonden en wij allemaal nog niet weten waar dit allemaal in godsnaam over gaat.'

Ze knikte en haar hart bonsde. Ze was waarschijnlijk in shock. Ze wilde de verschrikking van haar vaders dood – zijn *dood* – niet voelen. Dat woord, het hele idee was krankzinnig en obsceen in combinatie met haar vader die zo vitaal was, zo vol leven. Haar vader die er zo van genoot een stukje van de wereld te zijn.

'We moeten hier weg,' zei hij. 'Dit is de eerste plek waar ze zullen zoeken, wie *ze* ook maar zijn.'

'Waar moeten we heen?' zei ze. Ze kon niet meer denken. Het duurde even voor ze zich realiseerde dat hij net een pistool in zijn riem had geschoven. O, god, dit was bittere ernst.

En toen: *beng! Beng!* Ze sprong doodsbang op. Harry legde zijn hand over haar mond om te voorkomen dat ze geluid maakte. Er stond iemand op de deur te beuken.

• • • • •

OP WEG VAN FREMONT STREET, DIEZELFDE OCHTEND, VROEG

Sofia

Ze was weggeslopen van de plaats delict; wat een geluk dat Frank opdracht had gegeven om de beveiligingscamera's uit te zetten. Toch verkneukelde ze zich niet zo over dit mazzeltje als anders. Ze voelde zich leeg, misselijk en verdrietig. Het was vreselijk om iemand van het leven te beroven. In de oorlog diende het een hoger doel. In de oorlog was het gerechtvaardigd, anders kon je niet *leven*. Maar het doden van onschuldige mensen omdat jij door je eigen schuld in de val zat: dat was akelig.

Twaalf jaar geleden had ze in een vlaag van woede Hank Edwards laten executeren. Bessie was onvoorzichtig geweest en was vreemdgegaan met een advocaat bij haar op het werk. Ze had niet nagedacht over het effect dat dit op haar man zou hebben als hij erachter kwam. Hank Edwards, dronken van bitterheid en goedkope whisky, had op dramatische wijze een vaderschapstest geëist om te zien of zijn jongste dochter wel van hem was, of van de baas van zijn vrouw.

Bessie had in paniek het noodnummer gebeld. Na dertien jaar stilte was dat een behoorlijke schok. Maar Sterling had het efficiënt opgelost, zoals altijd.

Op dat moment geloofde Sofia dat ze geen andere keus had. Hank zou erachter zijn gekomen dat het kind *niet* van hem was, en ze had geen idee hoever hij wilde gaan om achter de waarheid te komen. Misschien zou hij het uit Bessie slaan. En dan was er nog de kans dat Hank iemand kende die iemand kende. Sofia wist wel iets over de sluwe, sinistere wegen van de regering; wie zei haar dat haar DNA niet in een of andere geheime database lag opgeslagen zodat al haar duistere geheimen alsnog aan het licht kwamen en haar met één simpele computeruitdraai zouden vernietigen?

Nadat Hank uit de weg was geruimd, was Sofia achteloos geworden. Ze las geen surveillancerapporten meer, en na twee jaar vroeg ze daar niet eens meer om. Ze leken haar overbodig, om niet te zeggen dat het verdacht leek. Ze wilde door, ze wilde dit vergeten, en dus was ze dom geweest om Bessie niet langer in de gaten te houden. Ze had haar aan haar lot overgelaten, in de veronderstelling dat Bessie haar lesje wel geleerd had, en dat ze nu geen domme dingen meer zou doen.

Het feit dat Ben niet Sofia's biologische zoon was, was haar een gruwel. Dat was de werkelijke reden waarom ze was gestopt met het volgen van Bessie en Casey Edwards: omdat Casey Edwards de belichaming was van haar eigen beschadigde psyche. Casey Edwards dwong Sofia om onder ogen te zien waar ze lichamelijk en geestelijk niet toe in staat was: dat ze een zonde had begaan, vele zonden, om haar wens – *de wens* – in vervulling te laten gaan.

Ze was zo roekeloos geweest. Ze had nooit gedacht dat ze zo veel van Ben zou gaan houden. Dus toen Hank dreigde haar idylle te verstoren, had ze de opdracht gegeven die een eind aan zijn leven maakte. Alle liefde die ze voor Luke Castillo had gevoeld was omgeslagen in haat, en dus werd hij een handige zondebok. Wat een mazzel dat Hank hem geld verschuldigd was. Toentertijd was ze helemaal in haar knolletjes, zoals haar moeder het zou uitdrukken.

Frank zou de waarheid nooit weten, en dat was een schrale troost. Zijn gemoedsrust en zijn testament bleven intact. En toch was zij in de loop der jaren veranderd. Toen Sofia hier aan begon, was ze gefixeerd op macht en status en wilde ze de baas zijn, en het haar minnaar betaald zetten dat hij haar had ingeruild en met een andere vrouw was getrouwd. Liefde – ze was echt gesteld geweest op Frank – vormde maar een klein en onbenullig deel van haar leven.

Nu zwaaide zij in haar eentje de scepter over de Arlington Corp. Ze had meer geld en aanzien dat ze ooit had kunnen wensen. En dat was het hem juist. Die twee eerst zo begeerlijke dingen waren niet meer waar ze naar snakte. Nu ze geld en status in overvloed had, hadden ze hun waarde verloren, zoals dat gaat met alles waar je te veel van hebt. De katalysator was een doel op zich geworden. Het zoontje dat voor zo veel geld was gekocht, en de weg naar het geluk, dat was wat ze nu wilde. Ze hield onzegbaar veel van hem en het maakte niet uit dat hij haar eigen vlees en bloed niet was. Zij en Bessie streden om dezelfde prijs. Maar Sofia wist dat ze deze strijd onmogelijk kon winnen.

Toen ze ongezien Ace Harry's uit sloop, was ze bijna zover dat ze zichzelf aan wilde geven; dat ze haar nederlaag toe wilde geven. Wil jij het echt opgeven, Sofia, vroeg haar verstand verwonderd, wil jij opgeven, zodat het allemaal voor niets is geweest? Het was die gedachte, dit besef dat haar sterkte in haar besluit. Al was ze nog zo moedeloos en hopeloos, ze kon de gedachte dat Bessie zou triomferen niet verdragen.

Ze zou haar zoon koste wat het kost vinden, net als Bessie, die haar van haar moederlijke troon wilde stoten. De jacht ging niet langer om het geheim dat ze toch niet meer verborgen kon houden, hoe hard ze daar ook haar best voor had gedaan. Een gedeeld geheim is als een gekookt ei: je kunt nooit meer terug naar de oorspronkelijke vorm. En dat kon haar ook niet meer schelen. Nu Frank dood was, deed het geheim er niet meer toe. Ze had nu alleen nog maar moreel hoogstaande motieven. Ze zou Ben vinden en hem smeken om vergiffenis. En als hij haar had vergeven of zelfs begreep, deed de rest er niet meer toe. Ze zou haar lot ondergaan, wat het ook was. Waardig en kalm.

En terwijl ze het pistool uit haar handschoenenkastje pakte en genoot van het gewicht in haar hand – ach, oude makker – dacht Sofia dat die waardigheid en kalmte als sneeuwvlokken op haar neer zouden dalen zodra ze de loop tegen Bessie's borst zou drukken, de trekker overhaalde en het hart van dat wijf zag leegbloeden in het woestijnzand.

•••••

HARRY'S HUIS, EEN PAAR MINUTEN LATER

Lulu

Nadat ze bij Sunshine weg was gereden, had Lulu haar ouders en Joe in een hotel laten inchecken. Haar ouders deden dat met tegenzin. Doordat het haar veel tijd en moeite had gekost hen te overreden, had ze Harry en Ariel nog niet eerder kunnen bellen, maar daar had Lulu geen spijt van. Ze moest zeker zijn dat haar familie niet in handen van Sofia zou vallen. Zij waren haar leven en Ben zou niet willen dat zij haar leven om hem op het spel zou zetten. Nu bad ze dat dit oponthoud *hem* niet fataal zou worden. Ze wist waar Harry woonde – Ben had zijn zusje brieven gestuurd op dat adres. Niettemin was ze licht geschokt toen ze aanklopte en de deur open werd gedaan door een man met een pistool in zijn hand. Wat wel begrijpelijk was. Iedereen die in Ariels schoenen stond zou zo schrikachtig zijn, en Harry aanbad haar, dat was wel duidelijk. Ze voelde een steek jaloezie omdat ze zelf ook graag zo aanbeden wilde worden, maar die ging snel ten onder in diepe schaamte. Ariel had net gehoord dat haar geliefde vader was vermoord, en de onbekende vijand zou nu achter haar aan komen. Lulu kon haar haar lieve vriend niet misgunnen.

Ze was nerveus en van haar stuk toen ze hoorde van de moord op Frank. 'Het spijt me zo, Ariel. Het spijt me zo. Ik kan het niet geloven. Hij is – hij was een fantastische man.'

'Ariel, Lulu, dit klinkt wreed, maar voor rouwen is nu geen tijd. We moeten hier nu weg.'

'Moeten we niet naar de politie?' Lulu bloosde. 'Ik bedoel, de andere politie?'

Harry en Ariel schudden hun hoofd. 'Nee. Die zijn al half overtuigd dat Ariel schuldig is en er is iemand die haar hiervoor wil laten opdraaien. Nu Frank dood is, is er een risico dat ze haar zullen arresteren en verhoren. Wie hier ook maar achter zit, is vastbesloten en heeft veel te verliezen. De enige manier waarop we Ariels vrijheid kunnen garanderen is uitvinden wie hier in godsnaam achter zit en waarom.'

'Ik weet niet wie dit doet,' zei Lulu, 'maar ik heb de afgelopen vierentwintig uur wel heel vreemde dingen gehoord. Ik weet zeker dat die relevant zijn, maar ik weet niet waarom.'

'Goed,' zei Harry. 'We gaan.'

'Waarheen?' vroeg Ariel.

'Als we hier maar niet blijven.'

Lulu zei: 'Kunnen we misschien naar het huis van mijn ouders gaan?'

'Ligt dat niet te veel voor de hand?' vroeg Ariel.

'Oké,' zei Harry. 'Ik weet nog een andere plek. Opschieten!'

Het drietal haastte zich het huis uit met Bones achter zich aan, en Lulu gebaarde naar Sunshine's auto. Lulu vond getinte ruiten altijd pretentieus maar nu was ze er blij om. Harry fronste, maar gaf geen commentaar. Ariel en hij sprongen op de achterbank. Lulu reed, en Harry vertelde waar ze naartoe moest. Tien minuten later parkeerden ze voor een keurig hek om een besloten buurt. Harry zei iets in de telefoon bij de ingang, en de hekken gingen open. 'We gaan naar Mabels huis.'

Hij grijnsde en Lulu bedacht dat dit de eerste keer was dat ze hem had zien lachen.

'Mabel is mijn oude huisbazin,' verklaarde Harry. 'Ik heb drie jaar lang bij haar op kamers gewoond, na mijn afstuderen. Ze is Spaans, en heel netjes. Op het dwangmatige af. Ze lijkt misschien wat misprijzend, maar ze heeft een goed hart. Ik herinner me dat ze de kleintjes van de buren altijd likeurbonbons gaf, waar ze ziek van werden.'

Mabel was minstens zeventig, had een intens bruine huid en bordeauxrood haar. Ze opende de deur met een koele uitdrukking op haar gezicht die meteen wegsmolt toen ze Harry zag. Ze leunde een centimeter of vijf voorover en liet zich door Harry kussen. Ze droeg een nette zwarte broek en een wit met blauw gestreepte bloes die openstond bij de hals. Harry fluisterde iets in haar oor.

'De hond,' zei Mabel. 'Die kan wel in de tuin spelen.'

Ze knikte stijfjes naar Lulu en Ariel en liet hen binnen in een smetteloze zitkamer. Het witte gehaakte tafelkleed, de oude piano en de grote staande klok, de schoorsteenmantel vol met zorgvuldig gerangschikte porseleinen dierenfiguurtjes, de vergeelde foto van een jongeman in zijn legeruniform: Lulu vond het ontroerend.

'Niets omstoten,' zei ze kortaf en ze trok de deur achter zich dicht.

'Oké,' zei Harry. 'Lulu, wat weet je allemaal?'

Lulu keek nerveus naar Ariel. 'Dit is pijnlijk,' zei ze.

Ariel schudde haar hoofd. 'Maak je over mij geen zorgen,' zei ze stellig. 'Op dit moment ben ik enorm *doelgericht*, lieverd. Ik wil alles doen om Ben te vinden – en om te zorgen voor gerechtigheid voor mijn vader.' Haar stem trilde, maar ze herstelde zich. 'Dus kom maar op. Niets kan mij nog kwetsen of verbazen.'

O jee. Dat zeiden mensen altijd en als Lulu iets tactloos zei, bleek die belofte een leugen.

'Goed dan,' zei ze langzaam. 'Ik heb de politie tegen Sofia horen praten over zogenaamd bewijs dat in jouw appartement was gevonden. Ze hadden vingerafdrukken gevonden van Ben, van jou en van Lily Fairweather...'

'Dat klopt,' zei Ariel. 'Ik wist niet eens wie Lily Fairweather was, maar volgens de politie is dat Sunshine's moeder, de vrouw die met Ben is verdwenen.'

'Dus Sunshine heeft haar naam veranderd van Fairweather in Beam?' vroeg Harry. 'Wat onnodig.'

Lulu snoof. 'Nee, ze heeft hem veranderd van *Edwards* in Beam. Fairweather is Lily's meisjesnaam. Ik heb enorme toeren moeten uithalen om haar moeder te vinden voor het verlovingsfeest – en, enfin, die Lily Fairweather leek helemaal niet te bestaan. Dus toen sprak ik met een meisje dat ik ken bij The Medici, en die heeft met de humanresourcesafdeling gesproken – althans, ze heeft een van hun oude files bekeken – en Sunshine heette vroeger Casey Edwards. Ik vond een Edwards, ene Bessie Edwards, die volgens mij haar moeder moest zijn, maar die noemt zich dus niet meer zo, dus heb ik de uitnodiging geadresseerd aan...'

'Edwards?' vroeg Harry. 'De achternaam is *Edwards*?'

'Ja, hoewel, toen ik gisteren bij Sunshine was om te zien of die kon helpen – je zou toch zeggen dat ze haar verloofde wil vinden, en haar moeder al helemaal – had ze haar naam alweer veranderd. Ze noemde zich Sunshine *Arlington*. Weet je' – Lulu hoopte dat ze gladjes en onaangedaan klonk – 'misschien zijn Ben en Sunshine al in het geheim getrouwd. Zou dat hier misschien iets mee te maken kunnen hebben? Sunshine leek ook te denken dat ze in één klap heel erg rijk was geworden. Je denkt toch niet dat dat betekent dat hij nooit meer terugkomt? O, mijn god, misschien heeft ze dit wel samen met haar moeder bekokstoofd. Sunshine trouwt met Ben, de moeder legt hem om, en dan kan Sunshine haar erfenis claimen!'

'Dat... dat kan,' zei Harry. 'En verder? Heb je nog meer gehoord?'

'Ja,' zei Lulu. Ze zweeg even. 'Het spijt me, Ariel, maar het DNA in jouw appartement toonde aan dat Ben – die natuurlijk wel jouw broer is – *genetisch* gezien niet jouw broer is. Toen de politie dit aan je moeder voorlegde zei zij dat hij... geadopteerd was. Ik geloof dat ze haar toen nog iets anders vertelden, maar dat kon ik niet horen. Ik had wel het gevoel dat ze loog.'

'O, mijn god,' Ariel barstte in tranen uit.

Lulu zuchtte. 'Sorry, Ariel, ik wilde je geen pijn doen.'

Ariel snikte in haar handen terwijl Harry haar op haar rug klopte. 'Jij kunt er niets aan doen, Lulu,' snikte ze. Toen kneep ze boven in haar neus en ging rechtop zitten; ze droogde haar tranen. 'Sorry,' zei ze. 'Ik heb het gevoel dat mijn familie, mijn hele leven, uit elkaar valt. Maar als Ben niet mijn biologische broer is, dan *moet* hij wel geadopteerd zijn.'

'Of Sofia heeft een affaire gehad.'

Ariel trok haar neus op. 'Maar... hoe dan? Dan moet het wel... Ze kreeg mij precies negen maanden nadat ze elkaar leerden kennen, en toen Ben, bijna meteen daarna. We hebben weleens berekend dat ze tussendoor maar twee tot drie maanden niet zwanger is geweest. Hebben vrouwen affaires vlak nadat ze een kind hebben gekregen?'

'*Edwards*,' zei Harry. 'Lulu, was Sunshine's vader ook op het verlovingsfeest?'

'O, nee,' zei Lulu. 'Nee, die was helaas al overleden. Hank Edwards heette hij. Hij is ruim tien jaar geleden gestorven aan een hartinfarct.'

'Nee,' zei Harry. 'Hank Edwards is *niet* gestorven aan een hartinfarct. Hij is doodgeschoten, geëxecuteerd in feite, met een kogel door zijn achterhoofd. Luke, mijn vader, werd verdacht van die moord omdat die vent hem geld verschuldigd was, maar ze zijn er nooit achter gekomen wie het heeft gedaan. Die zaak intrigeerde me – ik kwam er niet van los. Nog steeds niet. *Waarom?* De vrouw met wie hij toen getrouwd was – Bessie, heette ze – Lily dus – bleef maar met de pers babbelen totdat wij allemaal begonnen te vermoeden dat zij er iets mee te maken had. Maar we konden niets bewijzen. Er was geen fysiek bewijs dat haar met de misdaad in verband bracht. Toch lijkt het me duidelijk dat Bessie Edwards problemen aantrekt.' Hij zweeg. 'Ariel, weet je heel zeker dat je haar nog nooit hebt ontmoet?'

Ariel schudde haar hoofd. 'Nee, ik zou niet weten hoe haar vingerafdrukken in mijn appartement terecht zijn gekomen. Het vreselijke was dat de politie mij een foto liet zien van de wodka die we zogenaamd hadden gedronken, en de drinkbokalen, en toen zeiden ze: "Herkent u deze bekers?" en ik zei: "Ja", want ik herkende ze ook. Het zijn drinkbokalen van zwart kristal uit de vippokerlounge in The Cat. Maar ze wilden niet naar me luisteren, ze wilden alleen maar dat ik toegaf dat ik die dingen kende.'

Harry schraapte zijn keel. 'Dus, dit zijn de feiten: We hebben twee vermoorde echtgenoten. We hebben Ben, die *niet* de biologische zoon van Frank en Sofia blijkt te zijn. Sofia weet dit, Frank wist het waarschijnlijk niet...'

'Papa zou *doodgaan* – ik bedoel... Het zou papa zo veel pijn hebben gedaan te weten dat Ben niet van hem was. Hij zou van Sofia zijn gescheiden, en haar helemaal hebben uitgekleed. Hij verafgoodde Ben. O, god, je denkt toch niet dat..?'

'Dat denk ik wel,' zei Harry. 'Ik vrees dat ik denk dat Sofia hem heeft vermoord om te voorkomen dat hij erachter kwam. Ze zit hier tot haar nek toe in. Zij heeft de dingen in jouw appartement neergelegd...'

'Maar wat heeft Bessie Edwards er dan mee te maken?' vroeg Lulu. 'Wat had die voor aanleiding om haar man te vermoorden? En waarom zou zij Ben hebben ontvoerd?'

'Wacht even,' zei Ariel. 'Ik snap het... o, goeie god. Ik snap het. Lulu, weet jij toevallig de geboortedatum van Sunshine?'

'Ja, die weet ik wel. Ze is geboren op de avond van 20 augustus 1984. Dat weet ik alleen omdat Ben de volgende ochtend is geboren, op 21 augustus 1984. Ze wilde per se met Ben een feest geven omdat ze dit jaar samen vijftig werden, en dat vond hij suf.'

'Jezus,' zei Ariel. 'Dat is het. Dat moet het zijn. Sunshine noemde zich Sunshine Arlington, toch? Dat was niet omdat ze in het geheim met Ben getrouwd is, maar omdat zij snapte hoe het in elkaar zit. Zij is mijn *zus*!'

'Natuurlijk,' zei Harry nuchter. Hij staarde haar aan. 'Wat slim van jou. Sofia en Bessie hebben hun baby's geruild. Dat moet de reden zijn waarom Bessie zo veel geld had. Wij konden daar maar niet onze vinger achter krijgen. *Sofia*. Maar zou Sofia zoiets doen?'

Ariel glimlachte verdrietig. 'Je moet de reden weten. Frank wilde niet nog een meisje. Want wat heb je nou aan meisjes? Hij wilde een zoon, iemand die een casino kon runnen, en dat wist Sofia donders goed.' Ze huiverde. 'Sunshine is mijn *zusje*... Getver, ik voel me net haar *dubbelganger*.'

Harry keek Ariel scherp aan. 'Ze komt niet bij jou in de buurt.' Toen zweeg hij en zei wat zachter: 'Een relatie heeft alleen betekenis als je die erin wilt zien, en de waarheid ligt hierin besloten...' Hij tikte op zijn borst. 'Ben is jouw familie, niet Sunshine.'

Lulu klapte in haar handen. 'Dus nu weten we waarom,' zei ze. 'Maar...' vervolgde ze langzaam, 'we weten nog steeds niet *waar*.'

Er klonk een zacht klopje op de deur, waar ze alle drie van opschrokken. 'Ja?' vroeg Harry. Lulu's hart bonkte. Misschien had Mabel stiekem de politie gebeld? Maar nee, daar was ze met een ongemakkelijk lachje en een gebloemd dienblad vol kopjes en schoteltjes met gouden randjes en een mooie theepot en een citroencake die eruitzag alsof je er een raam mee kon ingooien.

'Dank u, mevrouw García,' zei Harry gedwee. 'Aha, uw overheerlijke citroencake.'

De leerachtige wangen van mevrouw García kregen een lichte blos. Ze antwoordde: 'De hond is gelukkig. Die heeft een bal gevonden om op te kauwen.'

'Ladykiller,' zei Ariel met een flauw lachje toen Mabel de deur zachtjes achter zich dicht had gedaan. 'Wat is er, Lulu?'

Lulu staarde Mabel na. Toen keek ze Harry aan. 'Ik denk dat ik weet waar Lily zich schuilhoudt.'

•••••

EEN CHIQUE BUITENWIJK IN LAS VEGAS, EEN PAAR MINUTEN LATER

Harry

'Ik zou niet weten waar ze anders is,' schreeuwde Harry boven het geronk van de motor uit. Lulu, Ariels vriendin, zou een goeie rechercheur zijn, vond hij.

'Jij wilde hiernaartoe,' had ze gezegd met een knikje naar Mabels zitkamer. 'Dit is een plek waar jij ooit hebt gewoond, en waar je gelukkig was. Misschien geldt dat voor Lily ook? Ergens naartoe gaan waar ze gelukkig was, of veilig?'

Harry had met zijn vingers geknipt. 'Ja,' zei hij. '*Ja*. Dat is het.'

Hij herinnerde zich het dossier over Hank Edwards. In de loop van het onderzoek had hij veel over Hanks verleden ontdekt. Toen hij stierf woonde hij met zijn vrouw in een enorme, opzichtige villa in een loslippige kakbuurt in Las Vegas: roddelende buren met kapsones. Harry's grootste nachtmerrie, maar kennelijk de droom van Bessie Edwards.

Hij had de informatie op zijn laptop staan. En die stond thuis. Hij parkeerde de auto veilig ver bij zijn huis vandaan, en verzekerde zich ervan dat zijn voordeur niet in de gaten werd gehouden. Toen sloop hij naar binnen en griste de laptop mee. Hij zocht Bessie's adres op toen hij weer op de achterbank zat. Ze lieten de auto in een zijstraat staan en liepen naar de villa.

'Weten we dit wel zeker?' mompelde Ariel. 'Ik kan me niet voorstellen dat de huidige eigenaar hier zin in heeft.'

'We mogen aannemen dat Bessie gewapend is,' zei Harry. 'Dan heb je geen keus. Misschien houdt ze daarbinnen wel een stel mensen gegijzeld.'

Lulu zei: 'Ik denk niet dat Ben met haar mee is gegaan omdat ze een pistool had. Ik denk dat hij het deed om de familie te beschermen.'

Harry wilde Lulu en Ariel niet in gevaar brengen. 'Jullie moeten hier blijven. Ver achter mij,' zei hij. Met tegenzin bleven Lulu en Ariel een stuk achter. 'Nog verder,' zei Harry, en ze schuifelden nog een stuk naar achteren. 'Ga maar bij Bones in de auto wachten!'

Ze verroerden zich niet en hij zuchtte en liep langzaam iets dichter naar de deur. Tot zijn verrassing zwaaide de voordeur plotseling open, en er kwam een keurig geklede vrouw naar buiten met in haar kielzog twee onberispelijke kinderen. Het meisje droeg balletkleding en zong: 'I am sixteen, going on seventeen.' De moeder praatte in haar mobieltje: 'Schelvis, Matilda, nee, zeeduivel is te *vlezig*.' De jongen liep in blind vertrouwen de trap af terwijl hij verwoed op zijn Nintendo tikte. Snel stak Harry zijn pistool in de holster en keerde zich om. Mistroostig liepen ze terug naar de auto.

En toen wist hij het weer. Voordat de familie Edwards in dit huis kwam wonen, was Hank gearresteerd voor dronkenschap en aanstootgevend gedrag in een keurig casino. En zijn adres was toen een stacaravan ergens in een uithoek. Hoe heette het ook weer? Cherub? Nee, *Angel*! Een klein, afgelegen kluitje caravans midden in de woestijn, niet ver bij de luchtmachtbasis vandaan. Het had Harry nog geïntrigeerd. Waarom zou je daar nou gaan wonen met je gezin?

Er sprak een wens uit om te ontsnappen aan de mensheid, want toen de familie Edwards aan de grond zat, waren er meer dan genoeg andere campings om uit te kiezen. Ze verkozen de eenzaamheid. Harry begreep dat. Hij had die drang zelf ook: weglopen van alles wat je beperkt. Bessie had een kind verkocht voor geld; geld betekende alles voor haar. Toen ze door armoede werd getroffen, verkoos ze die plek. Gek genoeg begreep hij dat; ze moest zich daar veilig voelen, want alleen iemand die excentriek en sociaal onaangepast was zou op zo'n plek willen wonen. Daar zat Bessie ver weg van de boosaardige blikken van de bekakte buren die zich verkneukelden om haar lot.

Harry hield de deur open voor Ariel en Lulu. Hij zei: 'We moeten naar de militaire basis.'

De snelle sportwagen werd zwaar op de proef gesteld; ze vlogen over Highway 375 in een gele stofwolk. Hij voelde zich tot leven komen, hij had vreugde in zijn hart, hij had zijn meisje terug, hij had een missie. Het leven kon best weer eens mooi worden, dacht hij.

'Wat is het plan?' vroeg Ariel. Haar stem klonk krachtig. Ze was ongetwijfeld in shock, maar ze was geweldig. Als je had verwerkt of op zijn minst gehoord wat zij vandaag allemaal had gehoord, was dat genoeg om iemand te doen instorten, maar zij was sterk. Hij straalde van trots. Dit was nou zijn meisje: als het erop aankwam, was ze taai.

'We hebben twee keuzes, maar we moeten het hoe dan ook simpel houden,' zei Harry. 'De eerste keus is dat jullie uit het zicht blijven. We willen haar niet provoceren. Ik klop aan, en zeg tegen Bessie dat ik van de politie in Las Vegas ben, dat de show voorbij is, en dat ze met haar handen boven haar hoofd naar buiten moet komen.'

'Ze is wanhopig, Harry. En ze is gestoord. Misschien schiet ze jou wel neer – of Ben. Wat is het andere plan?'

'Ik schop de deur in en overval haar. Of misschien duw ik hem wel gewoon open. Ik betwijfel of hij op slot zit. Ben kan toch nergens heen. We moeten misschien een stukje lopen. Anders hoort ze de motor.'

'Goed plan,' zei Lulu. Ze glimlachte zwakjes en kneep in Ariels hand. 'O, god, Bones heeft aan de stoelen zitten kauwen.'

Lulu had gelijk. Het was een goed plan. Als je alles op een rijtje had, kon je weer wat ontspannen. Harry voelde zich beter; hij had het gevoel dat hij alles onder controle had. Hij keek in de zijspiegel. Hij schrok, en keek nog eens. Niet ver achter hen reed een grote donkerblauwe bus. De wielen kwamen bij elke hobbel van de weg, zo hard reed het ding.

'Shit,' zei hij. 'We worden gevolgd.

• • • • •

OP WEG NAAR ANGEL, DIEZELFDE OCHTEND

Sofia

'*Harder!*' gilde ze terwijl ze het stuur zo stevig vastgreep dat haar knokkels wit werden. Ze was giftig. Het viel niet mee om anoniem te blijven als je Sofia Arlington heette, maar het was haar gelukt. De politie liep jaren achter – die vrouwelijke rechercheur en haar maat zaten achter haar aan, maar hun auto was niet zo snel als die van haar.

Sofia was in een van de busjes van haar beveiligingsdienst gestapt bij Ace Harry's en was naar huis geracet om zich van haar bebloede kleren te ontdoen. Ook al waren ze nog zo traag van begrip, de politie zou haar toch in de gaten houden. Ongetwijfeld hadden ze haar op het oog in verband met Franks verscheiden, en als ze ook nog de moord op Bessie Edwards aan haar cv toe wilde voegen, moest ze snel zijn.

Het was een onplezierige verrassing dat Sunshine Beam voor haar deur hing. Dit bezoekje vormde duidelijk de climax van een ongehoord drankgelag, want die meid kon nauwelijks nog op haar benen staan. '*Nature* en *nurture* zijn klaarblijkelijk allebei even sterk van invloed. Waar heb jij verdomme uitgehangen? Ik sta hier al de hele nacht!' zei ze met een dubbele tong. 'Ach jee, ik vergeet mijn manieren. Dag, lieve moeder!'

Het wicht dacht kennelijk dat ze Bens erfenis kon opstrijken vanwege de 'bloedband' zoals zij het noemde. Sofia's eigen bloed werd er ijskoud van. Maar ze wees de suggestie als krankzinnig van de hand. Ze vertelde het meisje dat ze zou worden uitgelachen in de rechtbank, en dat ze dan uit Vegas kon vertrekken.

Het meisje zei fel: 'Luke Castillo neemt me wel weer in dienst, en hij heeft een hele kamer vol met advocaten.'

Sofia wilde haar wurgen, zo acuut sloeg de jaloezie toe. 'Ach, liefje,' zei ze vernietigend, 'een hele kamer? *Ik* heb een hele verdieping advocaten. Ga jij nu maar lekker met een van die rijke gokmeneren trouwen. Trey Millington staat altijd als een hondje bij je te hijgen. Hij heeft een belachelijk fortuin verdiend in de vleesverwerkende industrie en je zult ongetwijfeld heel gelukkig met hem worden. Ga nu maar. Ik ben blij dat ik voor de tweede keer ontsnap aan het genoegen jou als dochter te hebben.'

'Jij kunt slecht tegen je verlies,' zei het meisje toen lachend.

Sofia gaf haar een klap in het gezicht en zei: 'Ik verlies *nooit*!'

'Jij hebt alles verloren,' zei het meisje terwijl ze babbelziek van de drank over het pad strompelde. 'Maar dat is je eigen schuld. Jij hebt het weggegeven en nu kun je het niet meer terugkrijgen. Ik weet waar Bessie Ben mee naartoe heeft genomen. Zelfs Lulu weet het. Sterker nog, die heeft mijn Lamborghini meegenomen en ik durf te wedden dat ze al op weg is. Jij bent de *enige* die het niet weet, want jij bent te arrogant om mensen te begrijpen. Inlevingsvermogen is de troefkaart van de ware narcist, moeder. Ik begrijp Bessie, ook al haat ik haar. Jij haat haar en dus doe je je best niet haar te doorgronden – en daarom verrast ze je keer op keer.'

Sofia stond te trillen van woede. 'Hou je mond,' siste ze. 'Hou je mond!'

Maar het was waar. Een van haar vele blunders was dat ze had gedacht dat Luke Bessie op het spoor had gezet van wie zij was en dat Bessie hem alles plompverloren had verteld.

Maar er bleek helemaal geen geniepig plan te zijn, geen poppenspeler die alle touwtjes in handen had. Sofia's perfecte leventje lag in duigen door pure moederlijke wanhoop: door de diepe wens om haar zoon op te eisen; de wens die Bessie tot op moleculair niveau had doordrongen een kwart eeuw terug te gaan in de tijd: en toen 'nee' te hebben gezegd.

Nu ze kalm de verschillende, triviale mogelijkheden overwoog, nam ze aan dat Bessie eindeloos veel melodramatische uren had doorgebracht boven lijsten met rijke mensen en geboortedata tot ze op de meest waarschijnlijke kandidaat was gestuit. Of had ze soms iemand ingehuurd? Een professionele detective! Sofia's bloed kookte. Dat was illegaal.

Sofia werd misselijk van de schijnheilige eenvoud van Bessie Edwards' droom. Nee, ze had geen flauw idee waar die bitch zich schuilhield met haar zoon – *Sofia's zoon* – maar Lulu wist het wel, en die reed in Sunshine's auto.

Sofia was langs haar dochter gestampt – met slechts een kleine vonk van spijt, een kort moment waarin ze besefte dat zij en Sunshine close hadden kunnen zijn als het leven anders was gelopen – en in de blauwe bus gesprongen. Ze had als een dolle door de stad gereden, en Sterling opgedragen dat zijn mannen moesten zoeken naar een rode Lamborghini met de nummerplaat HOT 1.

Sterling had connecties: de locatie van de auto werd haar binnen een kwartier medegedeeld. En nu zat ze in de achtervolging. Lulu, die hopeloos verliefd was op Ben, zou Sofia naar hem toe brengen. En dan: *wraak*.

ANGEL, HALVERWEGE DE OCHTEND

Harry

Harry ramde zijn voet op het gaspedaal; daar ging het plan om Bessie voorzichtig te benaderen. Het was nu zaak om als eerste bij Ben te zijn. Hij was gespannen. Zijn schouder deed pijn maar vandaag kwam dat doordat hij daadwerkelijk met fysiotherapie was begonnen. Toch was hij niet zeker of hij wel in staat zou zijn zichzelf en anderen te verdedigen in een vuurgevecht. Bessie was niet getraind om een wapen te gebruiken, maar volgens Ariel had Sofia in het leger gezeten.

'Dames, jullie blijven in de auto,' zei hij, ook al wist hij dat het verspilde moeite was. 'Dat vraag ik jullie uit eigenbelang.'

Een halfuur geleden kwamen ze langs een alfalfaboerderij, maar nu ze over Highway 375 raceten waren er alleen nog maar rotsachtige woestijn, een genadeloos dorre bergketen en eindeloze ondefinieerbare struiken en zand. In de verte meende hij het te zien: het kleine groepje stacaravans; metaal dat glansde in het zonlicht. Daar had Bessie twee jaar lang gewoond. Hij realiseerde zich nu wat ze had gedaan na ontvangst van Sofia's monsterlijke betaling voor de door haar geleverde dienst. Ze had haar wanstaltige pilarenhuis gekocht maar omdat ze zich altijd bewust was dat de armoede weer kon toeslaan, had ze die treurige caravan aangehouden en er op een gegeven moment een investering van gemaakt.

Het Bunny Fluff Motel had een zekere reputatie, hoewel de belastingdienst dacht dat het een 'beauty farm' was. Er werkten steeds maar twee meisjes tegelijk – er was niet meer ruimte – maar ze hadden talent, naar het scheen. Harry wilde niet zo ver gaan om te stellen dat Bunny Fluff Angel op de kaart had gezet, samen met de militaire basis.

'Mijn moeder heeft nog maar weinig te verliezen,' zei Ariel.

Dat was waar, en daardoor was Sofia gevaarlijker dan ooit.

'Bessie ook niet,' fluisterde Lulu.

Harry had altijd een plan, maar nu ze op hun doel af stormden was zijn hoofd ineens griezelig leeg. Hij moest twee vrouwen tot bedaren zien te brengen die allebei gewapend waren. Ben kon gewond raken, bewusteloos, of nog erger. De mogelijkheid bestond dat deze 'reddingsoperatie' slecht zou aflopen. Deze gedachten openbaarde hij niet aan Lulu en Ariel. Hij wilde de strijd niet bij voorbaat al verdoemen. Je moest geloven dat je kon winnen, anders was je ten dode opgeschreven.

Hij bracht de auto met gierende remmen tot stilstand bij de Bunny Fluff caravan, en sprong eruit met zijn wapen op de deur gericht. Zijn hart ging tekeer.

Achter hem slipte de blauwe bus. Sofia sprong er met een verwilderde blik uit en begon op hem af te rennen.

De blikken deur van het Bunny Fluff Motel zwaaide open.

• • • • •

ANGEL, HALVERWEGE DE OCHTEND

Ben

Als ze van plan waren om je neer te schieten, schoten ze je gewoon neer; als ze het er alleen over hadden, was de kans groot dat ze het niet zouden doen. Maar aan dat soort leunstoelwijsheden had je niet veel als er een redelijke kans was dat ze je daadwerkelijk een kogel door je hoofd zouden jagen. Lily's gezicht was lijkbleek. Ze rookte aan een stuk door, en dronk de ene kop koffie na de andere. Ze was behoorlijk prikkelbaar.

'Dat moet je niet zeggen,' zei ze terwijl ze het haar uit haar gezicht duwde. 'Ik ben je niet kwijt. Ik heb je juist gevonden, schatje, ik heb je *gevonden*. Het heeft me jaren gekost, maar het is me gelukt, en nu mag je niet meer weg. Ik laat je niet gaan. Als ik jou niet kan hebben...'

Het geronk van krachtige automotoren doorkliefde de stilte. De rust werd hier toch al vaak onderbroken door het oorverdovende lawaai van laag overvliegende straaljagers, zo laag dat ze het dak bijna raakten, maar dit was uitzonderlijk.

Bessie had de gordijnen dichtgetrokken, maar nu trok ze er een open met bevende hand, terwijl ze haar pistool op hem gericht bleef houden. Ben keek ook en schrok toen hij zag dat het een van Sunshine's auto's was.

Hij werd overspoeld door opluchting, verbazing en dankbaarheid dat zij hem te hulp was geschoten nadat ze had gezworen dat hun relatie voorbij was – misschien schatte hij haar toch verkeerd in. En toen sloeg de teleurstelling toe, hij kreeg een angstig gevoel in zijn buik dat hij nu verplicht zou zijn om toch met haar te trouwen, terwijl hij niet meer van haar hield.

'O, jezus,' zei Bessie, 'dat is een politieagent, dat weet ik zeker. Ik ruik de politie al op een kilometer afstand.' Ze keek Ben aan en zei op beschuldigende toon: 'Hoe heb je dat gedaan? Hoe weet hij dat jij *hier* bent?'

Hij keek nog eens. Er was geen spoor van Sunshine te bekennen, maar hij zag wel een lange, taai uitziende kerel die beheerst en vastberaden op hen af kwam. Wie *was* dat?

Bessie's stem zwol aan tot een gil toen een ander voertuig zo'n beetje het terrein op vloog. Bizar genoeg was het een feestbus van Ace Harry's. Zijn hart maakte een sprongetje: Frank? Nee, o, het was *Sofia*.

'Fuck!' schreeuwde Bessie, en toen hij opstond greep ze naar haar hoofd alsof ze pijn had. 'Ga zitten, Ben, ik waarschuw je: *zitten*!'

Hij had haar kunnen gehoorzamen, want dit soort bravoure had weinig te betekenen als je verdronk in een poel van je eigen bloed, maar uit zijn ooghoek zag hij nog iemand uit de rode Lamborghini stappen. Lulu, zijn lieve Lulu, begon op de caravan af te rennen, ook al schreeuwde die lange vent dat ze er weg moest blijven.

'Lulu!' schreeuwde Ben. 'Niet doen!'

'Lulu?' krijste Bessie. 'Dus dat is dat vuile kreng dat jou bij me weghoudt!'

'Nee!' schreeuwde hij met een stem die hij nooit eerder had gehoord. Er klonk pure, onverdunde angst in door. Terwijl zij haar wapen richtte, dook hij op haar af, alsof haar kogels hem niet konden deren. Maar toen hij het wapen uit haar greep rukte, hoorde hij het schot – en de schreeuw.

ANGEL, ENIGE SECONDEN LATER

Ariel

Haar hele leven leed Ariel eronder dat zij op de tweede plaats kwam. Dat kon niemand iets schelen, omdat ze zo veel privileges had. En het was ook zeker waar dat ze zo'n soort bestaan had kunnen leiden als ze daar trek in had gehad: de wereld van Paris Hilton, waar zij kon heersen over haar eigen roze koninkrijk, en waarin ze parfummetjes en handtasjes en hondenjurkjes, schoenen, lippenstiften, nagellakjes en romannetjes had kunnen verkopen... Maar Ariel vond dat een verwerpelijk levenspad, omdat ze niet zo geslepen was en omdat ze er niet van hield om in de belangstelling te staan.

Ariel was een lief, serieus meisje – zoals Frank altijd zei tegen wie het maar horen wilde – en dus had ze haar woede net als alle andere onwenselijke emoties altijd onderdrukt, al had haar moeders gebrek aan respect en liefde haar zelfvertrouwen nog zo beschadigd.

Sofia had liever gezien dat Ariel alle ordinaire kansen had gegrepen die het geld en de status van haar familie haar boden. En ze had haar mening pijnlijk duidelijk laten blijken. Ze was openlijk onbeschoft tegen haar dochter, en Ariel had het allemaal geslikt, geduldig en zwijgend, tot die ene vreselijke avond van de officiële opening van The Cat, toen ze was ontploft van vernedering en als een kat in haar vaders gezicht had gekrabd.

En toch was die arme Frank, haar lieve, goed bedoelende vader, niet meer dan een zondebok. In werkelijkheid was ze alleen woedend op Sofia Arlington, maar Ariel was te bang voor haar en te meegaand om tegen haar in opstand te komen. Nu zag ze dat Sofia natuurlijk degene was geweest die die bokalen bij haar thuis had neergezet. Sofia had haar willen laten opdraaien voor haar eigen wandaden – en nu barstte de jarenlang opgekropte woede als lava uit een vulkaan die heel lang slapend was geweest. Ariel sloop zachtjes uit de auto en sprong op Sofia af.

'Hoe kon jij papa vermoorden?' gilde ze. 'Hoe kón je?'

Ariels handen waren tot vuisten gebald. Ze gooide haar hele gewicht in de uithaal, en gaf een geweldige beuk tegen Sofia's rechterwang. Haar moeder viel in slow motion op de grond en liet haar wapen vallen.

Ariel hoorde en voelde het bot breken. Ze had Sofia's kaak gebroken en te oordelen naar de pijn die in hete golven door haar arm omhoogschoot: ook haar eigen hand. Ariel begon te gillen, maar niet vanwege die pijn.

Ze gilde vanwege het pistoolschot dat zonder waarschuwing uit de caravan kwam – en vanwege Lulu, die op de grond viel.

•••••

ANGEL, ENIGE SECONDEN LATER

Ben

Terwijl hij de caravan uit rende, hoorde hij aan de oerwoede in Ariels stem dat het waar was. Frank was dood en Sofia had hem vermoord. De misselijkmakende waarheid drong tot hem door als een geest die met koude nagels over zijn hart kraste.

Hij kreeg geen lucht meer; alle kracht trok uit zijn benen, hij viel op zijn knieën op de grond en hij nam Lulu in zijn armen. Het bloed – hij probeerde het bloed te stelpen dat uit haar nek stroomde. O, god. De tranen kwamen langzaam uit zijn ogen druppen en hij drukte haar tegen zich aan. Het zou te wreed zijn, hij kon haar niet ook nog eens verliezen. 'Lulu, alsjeblieft, ik hou van je, o, liefje, word wakker, alstublieft, God, word wakker, liefje, ik hou zo veel van je, ik doe alles...'

Er kwam geen antwoord, er was alleen die slaphangende stilte.

Hij kreunde hardop. Het kon hem niets meer schelen. Sofia lag daar bewusteloos en er kwam een stoet politiewagens met gillende sirenes rondom hen tot stilstand. Maar het was allemaal te laat.

Beng! Een tweede pistoolschot klonk als de donder, en de Bunny Fluff caravan trilde ervan. Er klonk een spetterend geluid en het kunststof raam van de caravan droop van het bloed en de hersenen. Ben deed zijn ogen dicht en huiverde. 'O, mijn god,' hoorde hij Ariel, zijn engelachtige zusje, zeggen. 'Lieve god. En hij zag de lange vent op haar af rennen en haar in zijn armen nemen. Ah, de agent, Harry Castillo.

Wat zijn biologische moeder betrof was hij misselijk, maar erg vond hij het niet: Lily Fairweather had haar eigen ondergang veroorzaakt en ze had zelf gekozen haar leven te beëindigen. Hoe kon hij medelijden met haar hebben of geloven in haar zogenaamde liefde voor hem als zij zijn liefste Lulu had neergeschoten uit nijd en jaloezie? Bessie was er eindelijk in geslaagd zijn leven kapot te maken.

Ze had een pact gesloten met de duivel: Sofia. Ben balde een vuist. Sofia had hem beroofd van de man die hem zo liefdevol had opgevoed, en ze had Bessie de hel in gejaagd. En nu was zijn prachtige, onschuldige Lulu weg, en dat was Sofia's schuld. Ben stikte bijna van woede. Hij kwam half overeind om naar de caravan te rennen en het pistool uit de nog warme hand van Lily Fairweather te grijpen en Sofia dood te schieten.

'Ik kan het niet,' zei hij hardop. Lulu's dood wreken was onzinnig. Het was belangrijker om er te zijn voor Joe.

'Wat?' fluisterde een hese stem, en toen, terwijl hij haar vol blij ongeloof aanstaarde: 'Je zei net dat je alles wilde doen. Ben je dan nu alweer van gedachten veranderd?'

'Goddank,' fluisterde hij in Lulu's haar. 'Goddank, je leeft.'

'Hij kwam in mijn schouder,' zei ze zachtjes. 'En het doet verdomd veel pijn.'

Hij wiegde haar voorzichtig maar kuste haar verwoed op die hete woestijngrond. 'Mijn liefste,' zei hij. 'Mijn lieve Lulu, ik laat je nooit meer gaan. Ik hou zo veel van je.'

Het tweede konvooi politiewagens kwamen slippend en met gillende sirenes tot stilstand, met de ambulance er vlak achteraan. Hij zag Harry praten met twee andere politiemensen – een man en een vrouw. Ze leken elkaar te kennen. Hij zag dat Sofia in de boeien werd geslagen toen ze weer bijkwam en dat ze onder gewapend toezicht naar de ambulance werd gebracht.

'Wacht,' schreeuwde ze toen ze hem zag. 'Wacht! Ik heb het Frank niet verteld! Hij heeft het nooit geweten!'

Ariel kwam op hen af rennen, en Ben knuffelde haar. Hij gebaarde naar de ambulancebroeders dat ze naar haar hand en naar Lulu's schouder moesten kijken. 'Ariel,' zei hij. 'Jij bent geweldig, en jij zult altijd mijn lievelingszusje zijn.' Hij glimlachte, maar zijn ogen zochten naar een antwoord in de hare. Ze ging op haar tenen staan en kuste hem teder op zijn wang. 'En jij,' zei ze, 'jij bent voor altijd mijn lievelingsbroer, mijn liefste Ben.'

Ze hield hem stevig vast. Het verdriet verkrampte zijn hart tot hij het gevoel had dat het barstte. Hij sloot zijn ogen tegen de felle pijn en Ariel legde haar hoofd tegen zijn borst.

'We zullen zorgen dat papa trots op ons kan zijn,' fluisterde Ariel.

Hij tilde haar kin op en zei: 'Dat was hij al.'

Uiteindelijk liep hij met Ariel langzaam naar Sofia. Hij wilde haar in de ogen kijken. Zij staarde terug.

'Het spijt me van Frank,' mompelde ze met een van pijn vertrokken gezicht. 'Echt. Maar van de rest kan ik geen spijt hebben.'

Ben keek op haar neer. Ze was meer dan verachtelijk. 'Aha,' zei hij. 'Maar dat zou wel moeten, Sofia. Want Frank hield van jou. Altijd al. Daarom is hij met jou getrouwd. Niet omdat je hem een zoon hebt geschonken – het had helemaal niets met mij te maken. Het was omdat jij hem "betoverde".'

Sofia's gezicht was een masker van afschuw. Langzaam schudde ze haar hoofd. 'Doe niet zo idioot,' zei ze door opeengeklemde tanden.

'Dat heeft hij me verteld,' zei Ben. 'Papa deed alles vanuit zijn hart. Altijd. Toen ik hem vertelde dat ik me met Sunshine wilde verloven, kon hij zijn teleurstelling niet verbergen. Hij zei: "Jongen, je moet nooit trouwen omdat dat zakelijk zo goed uitkomt. Je moet trouwen met de vrouw met wie je op een onbewoond eiland zou willen zitten, net als ik."'

Sofia's adem stokte. Ze keerde zich abrupt om, liep drie passen en zakte toen in elkaar. Twee potige agenten vingen haar op in haar val en sjorden haar de ambulance in. Haar hartverscheurende snikken doorboorden de stilte.

Toen ze de deuren dichtdeden, draaide Ben zich om en rende naar het meisje waarmee hij zou willen aanspoelen op een onbewoond eiland.

EPILOOG

Lulu

Lulu keek naar Tallulah Castillo (tweeënhalf) en James Arlington (twee) die vochten om een roze driewieler en elkaar stonden te knijpen. Bones holde met een zwiepende staart om hen heen.

Lulu en Ariel keken elkaar glimlachend aan.

Zolang er liefde was, zou er verdriet zijn, en toch was het zelfs in de zwaarste en donkerste omstandigheden mogelijk dat het goede het kwade overwon. De tijd verdreef de oude zondes en zelfs in verdrietige tijden kon je troost vinden als je dat wilde vinden.

Toen Frank Arlingtons testament werd voorgelezen, werd duidelijk dat Frank niet langer van mening was dat vrouwen niet in staat waren een casino te runnen. Hij wilde dat Ariel in de raad van bestuur werd opgenomen. Dat had ze afgeslagen, want ze wilde alleen een wat lagere functie toen Ben had besloten om zijn avontuur in Macau in de ijskast te zetten en haar wilde helpen om de Arlington Corp. opnieuw vorm te geven.

'Papa!' galmde Joe toen Ben naar de rand van het zwembad zwom. 'Ik wil van je schouders springen!'

Lulu's hart zwol nog altijd als ze hen samen zag.

'*Mijn* papa!' riep Tallulah toen Harry fluitend naar de barbecue liep met een blad vol verse worstjes. '*Mijn* papa zit bij de politie en hij redt mensen en hij gaat lekker worstjes verbranden!'

Het verbluftte Lulu dat Ben nog geen vier jaar geleden, tijdens de opening van The Cat, tegen haar had gezegd dat ze zou krijgen wat ze wilde, als ze maar nooit opgaf. Tenminste, dat meende ze zich te herinneren. Ze had zich vastgeklampt aan de onwaarschijnlijke overtuiging dat ze nooit spijt zou hebben van haar droom, ook al zou hij niet uitkomen. Want als je je dromen niet had, wat hield je dan op de been in zware tijden?

Ze had nog een andere droom, dit keer voor de kleintjes (zij en Ben hadden geleerd om zowel ambitieus als bescheiden te zijn), en dat was deze: dat ze gelukkig wilden worden en dat ze nooit spijt zouden hebben van hun dromen.

En dus vochten en speelden de kinderen van Ben en Lulu, en Harry en Ariel onder het liefhebbende toezicht van hun ouders, en om hen heen waaide het warme zand van Turtle Egg Island op. De door water en wind in miljoenen jaren tot stof vermalen aarde. De menselijke soort, dacht Lulu, was maar een klein, kortstondig stipje in de tijd, een kwade en goede macht, maar vooral goed, daar was ze van overtuigd.

DANKWOORD

Dank aan al die ontzettend aardige mensen die mijn eindeloze reeks vragen hebben beantwoord. Ik ben hen heel erg dankbaar voor hun tijd en geduld. Toen ik bijna klaar was met het schrijven van dit boek hield mijn laptop er tot mijn woede ineens mee op; daarbij ben ik ook allerlei namen en telefoonnummers kwijtgeraakt. Wees dus alsjeblieft niet boos als ik hier alleen je voornaam noem.

Goed, veel dank aan de enige echte Steve Cyr van het Hard Rock Hotel. En ook aan de medewerkers van de politie van Las Vegas: Virginia Griffin, Bill Cassell en Jack Owen. Jullie moed en toewijding zijn geweldig – net als jullie gevoel voor humor! Eventuele fouten met betrekking tot politieprocedures en -beleid zijn uiteraard geheel aan mij toe te schrijven. Emily en dr. Jack K. waren ook fantastisch – dr. Jack was zo vriendelijk om me alle details van 'Bessie's ontsnapping' uit de doeken te doen en hij heeft mij geadviseerd over farmaceutische zaken.

Verder dank aan Sharyn Rosenblum, mijn lieve vriendin en partner-in-crime in Las Vegas. We moeten er echt weer eens naartoe! Danny Amster, LV-expert, en Mike – Ben heeft zijn veilige vlucht vanaf de Bahama's aan jullie te danken! Van alle uitstekende nonfictie die ik over Las Vegas heb gelezen, vond ik vooral de volgende erg fascinerend: *Whale Hunt in the Desert* van Deke Castleman en *Winner Takes All* van Christina Binkley. Senior lead officer Ralph Sanches van de politie van Los Angeles heeft mij ook dit keer erg geholpen – een gesprek met iemand die echt werk doet, stemt altijd nederig... Mary Maxted heeft mij een levendig beeld weten te schetsen van het leven in Israël – even voor mijn familie: Sofia en haar meningen zijn allemaal uit mijn verbeelding ontsproten! Dank aan Harry en Dina Smith voor jullie geweldige verhalen over het leven in Afrika.

En tot slot, heel hartelijk dank aan alle geweldige mensen bij Transworld die zo hard hebben gewerkt om dit boek tot een succes te maken.